CW00669879

# « SI JE REVIENS COMME JE L'ESPÈRE »

*Lettres du front et de l'arrière*

1914-1918

MARTHE, JOSEPH,
LUCIEN, MARCEL PAPILLON

# « SI JE REVIENS COMME JE L'ESPÈRE »

*Lettres du front et de l'arrière*

1914-1918

recueillies et préfacées
par Madeleine et Antoine Bosshard

Postface, notes historiques et bibliographie de
Rémy Cazals et Nicolas Offenstadt

BERNARD GRASSET
PARIS

*Collection dirigée par*
Patrick Weil

## Remerciements

L'exploration et la mise au jour de ce manuscrit original n'auraient pas été possibles sans les conseils et les renseignements précieux qu'ont pu nous donner nos amis de Vézelay, voisins de la famille Papillon : Robert Bucquoy, Madeleine Rouillard, † Jacqueline Bœuf, Colette Mercier, mais aussi Raoul Simon, fils du meilleur ami de Marcel Papillon. A eux vont tous nos remerciements, comme à ceux qui ont eu la patience de relire les premiers manuscrits et de nous donner leur avis : Olivier Fatio, professeur honoraire d'histoire de l'Eglise à l'université de Genève et Edith de La Héronnière, écrivain, auteur de *Vézelay, l'esprit du lieu* (Pygmalion).

MADELEINE ET ANTOINE BOSSHARD.

---

Merci à Patrick Weil pour son soutien constant à ce projet, à Régis Tessier pour les documents prêtés.

RÉMY CAZALS et NICOLAS OFFENSTADT.

## Etablissement du texte

Nous avons tenu à livrer le texte tel que nous l'avons trouvé, avec ses fautes d'orthographe et de syntaxe, quitte à retranscrire entre parenthèses certains mots difficiles à saisir, dans les lettres de Lucien en particulier. La forme écrite, chez nos épistoliers, étant souvent très proche du langage parlé, nous avons jugé nécessaire de rétablir la ponctuation et quelques accents, pour assurer une meilleure lisibilité du texte. Pour l'alléger, nous avons également supprimé salutations et signatures.

MADELEINE ET ANTOINE BOSSHARD.

*Aux petits-enfants et arrière-petits-enfants de Lucien Papillon.*

# PRÉFACE

## Portrait de famille dans son cadre : la guerre

« Quand vous viderez les armoires, faites bien attention : vous ne trouverez pas de choses précieuses, mais vous tomberez peut-être sur des documents intéressants », nous avait prévenus une vieille dame du quartier. Décembre 1991. Nous venions d'acquérir une maison du bourg de Vézelay, à deux pas du grand vaisseau roman qui avance, de tout son haut, dans les flots apaisés des collines du Morvan. En nous mettant en garde, cette voisine ne croyait pas si bien dire. Dans les greniers, en province, les chances sont bien minces de mettre encore la main sur un Delacroix ou un Guarnerius oubliés, surtout dans celle-ci, habitée depuis cent vingt ans par des gens modestes, les Papillon. Mais en nous vendant à la fois les murs et leur contenu, ces inconnus nous livraient, sans y songer, un peu de leur histoire. En pénétrant dans une maison de famille où l'on n'avait plus fait de feu dans la cuisinière depuis sept ans, nous étions confrontés au passé antérieur de trois générations : habits usagés, draps, armoires, lits, vieux flacons de parfum, cartouches de chasse, certificats d'études, photos, jouets, musique d'orphéon, cartes postales, bijoux de verroterie, crucifix, prix d'excellence, machine à coudre, lettres jaunies et chapeaux, tous confondus et comme pétrifiés dans l'attente et l'oubli. Un théâtre dont les acteurs, disparus, ne nous diraient plus l'usage des choses. Plus personne n'était monté au premier étage depuis des années, à ce que nous avons appris par la suite. De cet héritage à la fois intime et disparate, un anthropologue eût été heureux de faire un objet d'études, un antiquaire aurait été déçu.

Restait à jouer les archéologues. Patiemment, minutieusement, le contenu des tiroirs et des armoires a été détaillé. Soudain, sur un rayon, est apparu un petit paquet, ficelé, de lettres de 1915, puis d'autres encore, et finalement tout le courrier de la famille, de la fin du XIXe aux années 50. En passant par deux guerres : la Grande, où quatre jeunes hommes sont montés au front; celle d'Algérie, où les soldats Joseph et Robert Papillon, fils de Lucien (un de ces poilus) ont pris part aux « événements », comme on disait officiellement. Mais c'est le lot de correspondance de la guerre de 14-18 qui nous intriguait. Comment cette famille avait-elle traversé la guerre ? Que nous disaient ces photos, dont un grand portrait de soldat, encadré et encore emballé dans sa caisse en bois, ces médailles, ces menus objets demeurés dans les enveloppes ? S'y ajoutait l'abondance de l'écrit – plusieurs centaines de lettres – et, à la lecture, s'allongeait le nombre des scripteurs : quatre fils au front, une fille, employée de maison à Paris, un petit frère resté à Vézelay et leurs parents. La singularité enfin : cet entrelacs de messages entre Vézelay et la guerre, entre le front et Vézelay. Mais aussi entre frères et sœur et d'un front à l'autre. Ensemble qui supposait que les combattants aient conservé sur eux et ramené à la maison, au Crot, les lettres des leurs.

Ce courrier confirme, au besoin, que les milieux aisés n'ont pas le monopole de la mémoire. Et chez Léon Papillon, chef cantonnier de Vézelay et père de quatre poilus, on a même tenu à conserver matériellement, comme dans d'innombrables familles françaises, le souvenir d'un conflit qui a bouleversé le pays et s'est enraciné dans les consciences. En témoignent ici les lettres rapportées dans les vareuses, mais mieux encore, deux allusions au moins, dans celles du soldat Marcel, aux « archives de guerre » de la famille. Ajouté à cela, le désir de mémoire, fortement lié à la mort au front d'un des fils Papillon, Joseph, gazé en 1915. Son portrait, agrandi mais jamais exposé, dit l'ambiguïté de ce désir : le souvenir qu'on cherche à préserver, mais qu'on refoule, comme trop déchirant. Esprit d'économie enfin : en explorant, les premiers jours, la maison de la rue des Escaliers, nous avons vite compris que, chez les Papillon, on conservait tout : billets de train, factures, boîtes de carton et de fer-blanc, photos et cartes postales. Autant de gardé, autant de sauvé.

Au gré d'une transcription souvent laborieuse – bien des lettres, écrites au crayon, et à demi effacées, ne se lisent qu'à la loupe – l'exploration de ce courrier nous conduisait à une autre évidence : celle des bienfaits de l'école de la République, celle de Jules Ferry, dans les campagnes françaises. Comme on le verra, Marcel, l'aîné de la famille, est clerc de notaire ; de ce fait, son expression est plus déliée, ses lettres plus riches. Mais là n'est pas l'essentiel. Seul compte le fait que tous ont appris à écrire, et souvent fort bien. Même l'incorrigible Lucien, futur maçon, à l'orthographe quasi phonétique, parvient à communiquer. Immense atout.

Allons plus loin : dans cette période éprouvante, pour des hommes qui sortent pour la première fois de chez eux, et menacés à chaque instant par la mort ; pour des parents perpétuellement sur le qui-vive, l'écriture, entre eux, joue le rôle de réseau d'alerte, et entretient la solidarité du clan. Dans chaque lettre, sur chaque carte, comme dans une liturgie tacite, revient le : « Je me porte bien » ou le : « As-tu des nouvelles (de Joseph, de Marcel, de Lucien, de Charles) ? », leitmotiv et raison d'être de ces échanges sous-tendus par l'inquiétude – celle qu'on ressent, celle qu'on apaise en confirmant qu'on est vivant. Cela d'autant que la distribution du courrier, en pleine guerre, est souvent erratique. L'offre et la demande d'argent, de vêtements, de nourriture lui est étroitement liée. Elle est omniprésente, et dans le post-scriptum de sa dernière lettre à Joseph, qui n'a pas donné signe de vie depuis un mois, Mme Papillon, au comble de l'angoisse, promet : « Quand tu m'auras répondu, je t'enverrai de l'argent. »

Cet ensemble de lettres porte en lui un mystère, celui de leur fréquence. Il saute aux yeux, en effet, que le volume des échanges croît de manière spectaculaire entre 1914 et 1915, pour retomber brusquement à partir de 1916 et n'être plus que sporadique en 1918. Que s'est-il passé ? On peut risquer quelques hypothèses : celui de la négligence, qui nous prive de nombreuses lettres, jetées après lecture. Ou la lassitude de tous : après un an et demi, s'estompe l'espoir de voir s'achever une guerre prévue pour quelques mois; soldats et familles, qui rêvaient encore de la fin des combats tout au long de l'année 15, paraissent se résigner. La guerre est bel et bien installée, et répétitives sont les horreurs et les souffrances. L'échange de lettres s'en ressent. Même chez Marcel, la verve des premiers mois se réduit. Mais dans la famille Papillon, peut avoir joué un autre facteur encore, c'est la mort d'un des siens. Jusque-là, l'intense échange de nouvelles avait vertu d'exorcisme, protégeant le clan contre la mort. La disparition d'un fils chéri aurait donc rompu le charme de la correspondance. L'après ne serait plus jamais comme l'avant.

Mais qui sont ces Papillon ? Le 9 novembre 1887, Louis-Joseph Papillon, dit Léon, né à Vézelay le 18 juillet 1861 s'unit à Emélie Marie Gauthé. Deux familles bien vézéliennes. On y est cultivateur ou artisan. Il reste un peu de terre, de bois et de vigne à exploiter. Léon, lui, sera cantonnier chef. De quoi nourrir une famille de six enfants : Marcel (1889), Joseph (1891), Marthe (1893), Lucien (1895), Charles (1897) et Léon (1900) – le petit Lonlon – peupleront bientôt une maison dans le quartier du Crot, achetée 500 francs aux enchères le 31 décembre 1893 à un entrepreneur de Montreuil. Trois pièces réparties sur deux étages et cave, accrochés à la pente de la colline, sur la face nord de Vézelay, à l'angle de deux chemins : la rue de l'Argenterie, la rue des Escaliers. D'où plonge la vue sur la campagne : à gauche deux routes paressent, l'une vers Clamecy, l'autre vers Châtel-Censoir, sur les bords de l'Yonne. A droite, descend la vieille route qui mène à Asquins. Autant de pays, avec Saint-Père, au pied de la colline, Blanay et Sermizelles, sur la route de Paris, qui ponctuent la correspondance, et d'où viennent bien des camarades de combat. Le Vézelay d'alors est bien un bourg campagnard, traversé par les troupeaux. Il y a foire aux bestiaux, à dates régulières, au bas de la ville. Et seuls quelques connaisseurs de l'art roman se risquent jusqu'à ce pays, encore bien lointain de Paris, pour venir contempler la basilique restaurée par Viollet-le-Duc, et dont Joseph réclamera des cartes postales pour épater les copains.

## *LES PARENTS.*

A près de quatre-vingt-dix ans de distance, la correspondance, plus que les témoignages directs sur un temps déjà ancien, nous apprend l'essentiel sur les acteurs du drame qui se déroule sous nos yeux. Sur le vieux Léon Papillon, qui s'est éteint en 1931, les indices sont ténus. Deux ou trois lettres disent peu de cet homme dont la gentillesse et l'attachement à ses enfants transparaissent pourtant, y compris dans un mot tardif, baigné de tendresse paternelle, à un de ses fils venu lui souhaiter bon anniversaire.

Autant le père est comme absent, autant la mère, Emélie, est omniprésente. On écrit aux parents, mais c'est à elle qu'on s'adresse, et le : « Chers parents, tu... » revient comme un refrain dans les lettres de Lucien. Léon prend rarement la plume, mais avec attention et talent. C'est Emélie qui mène, avec une orthographe approximative, son monde à la pointe du bec, rappelant ses fils au devoir de nouvelles, gourmandant, pour un rien et sans relâche, sa fille, faisant la leçon à Lucien, empêtré dans son orthographe. Autorité manifeste, défense, à coup sûr, contre son angoisse de mère. Lucien, lui, reçoit sans cesse des consignes et des ordres : sur l'usage de son linge en garnison, sur le gaspillage de l'argent et des vivres, sur le soin qu'il doit prendre de la nourriture qu'on lui envoie. Sévère avec ce garnement de la famille, elle est plus indulgente pour Marcel, qui en impose par son savoir et va jusqu'à faire la leçon à ses parents.

Emélie, dans le même temps, est une sorte d'agent de liaison. Elle récolte, au bourg, toutes sortes de nouvelles sur les uns et les autres, et notamment les soldats du front, qu'elle répercute, dans son courrier, sans fioritures, additionnant morts et blessés au combat ou victimes d'accidents dans le canton : de quoi redonner le moral à ses fils ! La sécheresse du compte-rendu ici, le ton directif là, disent-ils la vraie nature de cette mère de six enfants ? De fait, elle ne signe jamais Maman, mais « Ta mère qui t'embrasse : E. Papillon ». Ses enfants la surnomment la Mère Maratras, sans qu'on sache trop si le sobriquet dit la tendresse ou l'ironie.

## *LES ENFANTS.*

### ***Marcel : le grand frère.***

Aîné de la famille, le soldat Papillon Marcel, né en 1889, est, au civil comme à l'armée, du genre premier de classe. A l'école, il multiplie les bons points, comme le laissent voir ses cahiers, impeccables, et les Prix de fin d'année retrouvés au Crot, gros ouvrages à couverture rouge et tranches dorées. A l'armée, où il passera six ans, de 1914 à 1919, il recevra la médaille militaire en… mars 1928. Son métier – clerc de notaire chez M[e] Henri Mollion à Vézelay – l'incite à la précision, celle des faits, celle du langage et de l'écriture, ornée et volontiers solennelle. Marcel, c'est un peu l'intellectuel du clan. Dès ses premières lettres de la guerre, il ne se contente pas de vivre les combats, il les *regarde* : « Quel spectacle ! », « quel théâtre ! » dira-t-il. Mais cette guerre atroce, il la qualifie, il y voit la « boucherie » et l'« extermination d'hommes », où « les progrès techniques ont rendu le monde plus sauvage que les anthropophages ». Un affrontement à ce point terrible qu'à plusieurs reprises il pense qu'il n'en sortira pas : « Quant à la mort, écrit-il à sa mère, si elle vient, ce sera une délivrance. »

L'intellect, chez ce jeune soldat, ne retranche rien à son humanité. C'est un grand frère attentif, qui multiplie les conseils à Lucien, frais émoulu de l'armée, pour s'en sortir, pour trouver « le bon filon » et tirer le meilleur parti de sa blessure en revenant le plus tard possible au front. Intervenant auprès de ses parents pour qu'ils envoient de l'argent à son cadet. Visiblement ravi d'avoir retrouvé Lucien, recherché deux jours de suite. Chez lui, l'ami, le frère sont accablés, jusqu'aux franges de la dépression, quand meurt, en mai 1915, son copain Raymond Simon, voisin de Vézelay. Il ira, en plein hiver, sous la neige, se faire photographier au pied de sa tombe. De la mort de Joseph, fin octobre 15, Marcel ne se remettra pas : désormais, ses lettres sont dans l'ensemble plus brèves et plus anodines. Souvent sentencieux (surtout quand il revient sur le thème obsédant des planqués), paternaliste et bien-pensant, l'homme est un généreux incorrigible, très conscient de ses responsabilités d'aîné. Une sollicitude qui ne le quittera pas de toute sa vie, pour toute sa famille – parents, frères et neveux.

Mais le meilleur Marcel, si l'on peut dire, c'est encore le chroniqueur : celui qui décrit les combats auxquels il a pris part. Il y a là (13 avril, 22 juin, 7 juillet 1915 ou 25 août et 5 octobre 1916) des morceaux de bravoure, où cet épistolier entend faire comprendre aux siens l'intensité de la violence dans laquelle il est plongé. Mais le peintre de scènes de désolation n'oublie pas la vie : ses lettres sont parsemées de petits moments de plaisir – « la bonne vie », comme il dit – où le bricolage, la maraude et le braconnage font oublier, pendant quelques heures, le dégoût d'une guerre qui s'éternise. Les combats eux-mêmes, on le verra, laissent, par instants, place au burlesque. Marcel a noté.

***Joseph : l'insouciant.***

Le dragon Joseph – le bel homme que nous livrent les portraits – c'est tout autre chose. Avant qu'il parte à l'armée, cet adolescent apparemment instable aura exercé le métier de bourrelier-sellier chez pas moins de six employeurs, le premier à Vézelay, le dernier à Neauphle-le-Château : à l'armée, où il parle de « travail », il continue à l'exercer, et une photo nous le montre, au milieu des selliers du 13e dragons, à Melun. Drôle de soldat, dont on dirait par moments qu'il ne fait pas la même guerre que ses frères, exposés quotidiennement à la mort. Il s'ennuie même (« Vivement qu'on reparte en campagne », écrit-il en avril 1915), et va jusqu'à rassurer Lucien, angoissé de monter au front : « Ce n'est pas la peine de t'en faire pour ça » (2 mai 1915). Demi-planqué, il traverse donc la mêlée en beau gosse, heureux et insouciant, un trait que notent Marcel et Marthe. Enfant gâté, il menace même de renoncer à sa permission, à Vézelay, parce que ses parents ne lui ont pas envoyé assez d'argent. Ce sera son dernier congé.

***Marthe : l'ange du dévouement.***

La guerre, et le souci constant qu'elle a de ses frères, va permettre à la seule fille de la famille de déployer des trésors inépuisables de générosité et de tendresse. Tout juste majeure quand éclate la guerre, Marthe est employée de maison chez des commerçants assez riches pour tenir un train de vie partagé entre un appartement avenue Kléber, à Paris, et une maison à Fontainebleau. Elle passera toutes ces années à envoyer des colis tant au front qu'à ses parents. Dans ses rares moments de loisir, elle court les magasins pour trouver de quoi habiller les soldats ou compléter la garde-robe de sa mère ; elle tricote inlassablement chandails, chaussettes et écharpes en prévision des grands froids dans les tranchées ; elle multiplie les envois de nourriture, de tabac, de médicaments à « ses » soldats, prenant sur sa paie pour compléter l'ordinaire de petits chèques : « Dis-moi si tu as besoin de quelque chose » semble être, plus qu'une antienne, chez cette bonne fille, une raison d'être.

Comme si elle avait compris d'emblée le tragique d'un conflit qui atteint Paris – des récits de survols et de bombardements de la capitale ponctuent ses lettres – elle vit la guerre comme un drame permanent, aux aguets des moindres nouvelles, de l'un, de l'autre, de ses parents, à qui elle répercute tout ce qu'elle apprend. Le silence de Joseph, début novembre 1915, l'incite à mobiliser ses quelques relations pour en savoir davantage. Elle vit intensément la mort du jeune dragon et évoque, sans honte, les pleurs qu'elle a versés sur la mort de son frère, dont elle veut à tout prix savoir comment il est mort, et « s'il nous a demandés ». Contente d'avoir pu faire poser une couronne sur la tombe de Joseph, dans les premiers jours de janvier 1916, elle conclut : « Comme ça, il sera moins abandonné. »

Dans le même temps, ses lettres nous éclairent sur sa condition d'employée, à laquelle son passage devant le maire, le 4 octobre 1917, avec Marcel Buathier, paraît avoir mis un terme : en août 1918, elle dit travailler dans un grand magasin, « rayon ménage ». Mariage discret, et sans sa famille, à Paris, il dit la dureté des temps, et sans doute les exigences de maîtres qui la mobilisent du matin au soir, sans qu'elle sache jamais quand elle pourra prendre ses congés. Or c'est là un aléatoire que connaissent aussi les soldats, au front, comme si poilus et domestiques partageaient une même condition : celle des classes modestes de ce XIXe siècle dont la Grande Guerre marque la fin. Ses lettres, elle les écrit souvent en vitesse, sur le coin d'une table, à l'insu des patrons. Et pourtant, elle ne cesse de se dire heureuse de ce qu'elle a : des modestes cadeaux qu'elle reçoit à Noël, du montant de ses étrennes, des fleurs ou des fruits que lui envoient ses parents. Des balades en forêt de Fontainebleau ou des petits repas partagés à la cuisine avec ses frères de passage. Mais il passe comme un nuage sur ce cœur simple. Sur les quelques photos qu'on a d'elle, de l'époque ou plus tardives, le regard est triste, le maintien modeste : en 1919, cette femme si affectueuse, si maternelle pour son entourage, perdra, après quelques semaines, à Vézelay, son seul enfant : un garçon.

***Lucien : le Morvandiau au front.***

A chacun sa guerre. Marcel réagit par la colère, Joseph par une certaine légèreté, Marthe dans le dévouement sans bornes. Lucien, lui, fonctionne de manière plus fruste. Lisez ses lettres à haute voix : vous entendrez le Morvandiau, le jeune cultivateur que les règles de syntaxe n'inquiètent pas plus que l'orthographe : « Je vas être piqué mardi », « J'ai reçu une lettre de Joseph [...] qu'elle était datée du 2 janvier », « Je suis été opairé ». Le langage est parlé, les besoins élémentaires chez ce jeune soldat, qui, à la fois, ignore la ponctuation et ne demande rien d'autre à la vie que de manger à sa faim et de boire son coup. Car il se plaint fréquemment d'être mal nourri : « Je suis dans une compagnie qu'on y crève la faim. » Il proteste contre le prix du gros rouge. Et quand il songe à une prochaine permission à Vézelay, il se réjouit avant tout de pouvoir prendre de bonnes « muflées » avec les copains. Et les fromages – ah ! les fromages ! – il demande sans cesse qu'on lui en envoie, en complément d'un ordinaire visiblement déficient. D'où un besoin, non moins pressant, d'argent. Il en réclame à tout moment, quitte à se faire faire la leçon par sa mère. Il insiste, histoire de gagner du temps, pour qu'on le lui envoie sous enveloppe, plutôt que par mandats, plus lents. Tout se passe ici comme si la nourriture (avec son corollaire, la dysenterie), devenait le moyen de gérer son angoisse, d'affronter la mort : autant bien manger, bien boire, fumer de bonnes pipes quand elle vous attend, voilà le message. La mort, au reste, est si familière dans ce milieu qu'on y fait preuve d'une incroyable sécheresse, dès que disparaît un voisin, une connaissance ou même les grands-parents.

Comme son frère Marcel, Lucien aura connu ce qu'il y a sans doute de pire en 14-18. La boue, les rats, les poux, l'ennui, la faim. La peur. Et des combats sur lesquels il donne fort peu de détails, mais s'exprime avec force et brusquerie : « Je te garantis que nous en voyons, des merdes », écrit-il à Marcel. En fait, il y a du saint-bernard chez ce campagnard râblé et résistant, qui sera blessé à deux reprises, en 1915 et 1916, et gazé lui aussi. Et une impassibilité qui épate Marcel (lettre du 2 juin 1915). Voyez le tour humoristique de ce bombardement, terrible, où il a perdu sa musette et tout son contenu au moment de frôler la mort. De la guerre, il ne ramènera pas seulement la médaille militaire, en septembre 1917, et les lauriers d'une citation dans les derniers affrontements d'octobre 1918. Mais un emphysème qui le handicapera à vie.

Rugosité du propos, drôlerie, orthographe buissonnière : Lucien est inimitable.

***Charles et Léon : les benjamins.***

Deux frères encore peuplent cet univers familial : peu de lettres, mais des mots qui complètent le portrait du clan. Vite repéré par ses dons pour la mécanique, le grand Charles, d'abord réformé, finira la guerre à l'arrière des lignes, dans une unité d'aviation (escadre 14, escadrille 109) où il est mécanicien du commandant. Là, Charles Papillon rêve : il songe avant tout à la chasse, au raisin qui mûrit, au bourru qu'on va boire. Il est comme le double – en uniforme – du jeune Lonlon, le dernier de la famille, resté à Vézelay, d'où il raconte à ses frères, dans un ou deux mots d'une fraîcheur intacte (15 février 1915) la vie aux champs. Marcel, attendri, lui écrit une de ses meilleures lettres du front (20 février 1915).

## *L'APRÈS-GUERRE.*

On aurait pu s'attendre à ce que l'armistice, le 11 novembre 1918, puis la paix, rassemblent à Vézelay et aux alentours un clan cimenté par les épreuves. Il n'en est rien. La guerre atomise, comme tant d'autres, la famille Papillon. Elle précipite l'exode rural, ne laissant au Crot que des parents vieillissants, le chef cantonnier Léon et sa femme Emélie (elle disparaîtra en 1937), et deux de leurs fils, Lucien, apprenti maçon et Lonlon, cultivateur.

Autre effet singulier : des quatre poilus, malgré des mariages successifs – Marthe en 1917, Charles en 1928, Lucien en 1930, Marcel en 1935 – seuls Lucien et sa femme, Odette Laurent, auront une descendance : Joseph, dit Daudet, et Robert, tous deux disparus. Daudet a laissé deux fils, qui habitent aujourd'hui la région parisienne avec leurs enfants.

Suivons-les. Peu avant d'être démobilisé, le 8 août 1919, Marcel Papillon, alors sergent fourrier au 22e régiment d'infanterie coloniale, envisage sérieusement de rempiler pour cinq ans dans les colonies. De quoi inquiéter sa mère, qui ne le voit pas s'absenter aussi loin, et son père, qui lui propose un intéressant parti : Marcel n'y est pas prêt. 1921 : dans une lettre, Lonlon parle de son grand frère comme d'un « chef de gare en herbe » : l'ex-clerc de notaire, qui cherchait du travail, s'engage alors aux chemins de fer de l'Etat. Il sera, pour plusieurs années, « facteur mixte » et passe d'une gare à l'autre, en Seine-Inférieure. Métier nomade, qui lui interdit apparemment de se marier. Les éléments dont nous disposons le montrent promu en 1934 au groupe 10 du service du Matériel et de la Traction, à Paris semble-t-il, où il convole un an plus tard avec Odette Rouchaud. A 46 ans. Il en profite pour beaucoup voyager, et la pile de cartes postales qu'il envoie à Vézelay fait un vrai Baedeker des paysages de la France. Constamment attentif au sort des siens, il finira sa vie en Charente-Maritime, à Saintes, où il prend sa retraite en 1947, à 58 ans.

C'est encore à Paris que Marthe et son mari Marcel Buathier s'installent. Ce Marcel-là sera chauffeur de taxi, et le couple, avec les privations de la guerre, est amené à se replier sur Vézelay en 1939, où il reprend, rue Saint-Etienne, l'épicerie tenue par la tante Célénie, souvent citée dans le courrier. Le conflit terminé, les Buathier regagneront Paris, où ils hébergeront, à l'heure de l'apprentissage, leur neveu Joseph. Malgré des rapports semble-t-il difficiles avec la maison du Crot, Marthe conserve, dans sa correspondance, cette patience, cette bienveillance que disent ses lettres de la guerre.

Sur le maçon Lucien, demeuré à Vézelay, les traces sont plus nombreuses. Démobilisé au cours du printemps 19, il rejoint ses parents rue des Escaliers. C'est un artisan qualifié, à ce qu'on peut comprendre. Si qualifié que c'est à lui que s'adressent quelques-uns des intellectuels parisiens qui, dès les années 30, se retrouvent sur la «colline éternelle» : Romain Rolland, Georges

Bataille, le chef d'orchestre Inghelbrecht, l'architecte Badovici. Des petits mots – commandes de travaux et remerciements – en portent la trace. Au Corbusier, autre créateur installé à Vézelay au début de la Deuxième Guerre, Lucien doit même un brin de célébrité. Car l'architecte, dans un essai intitulé *Sur les quatre routes*, dit son admiration pour le savoir-faire des artisans européens (il rentre lui-même des Etats-Unis) et cite deux Vézéliens : le menuisier Rousseau et le maçon Papillon. Dans un livre de souvenirs (*Bird of Time*, New York, 1949) un officier et écrivain américain, Melvin Hall, autre résident à Vézelay, consacre un chapitre à ses habitants, et parle, amusé, de Lucien et ses promesses de Gascon : « Quand il vous promet de venir dans les trois jours, il le pense peut-être sur le moment, mais la seule chose qu'il sache dans son for intérieur est qu'il ne se montrera pas dans les trois jours. Il peut venir dans les trois semaines, dans les trois mois, mais sûrement pas dans les trois jours. »

Lucien quitte le métier en 1956. L'excellent maçon, le chasseur passionné voit ses forces diminuer, et on peut le retrouver, tous les après-midi, assis sur le muret qui borde la place Borot, face à la mairie. Il s'éteindra en 1968.

Hall cite également le garde champêtre Charles, rentré lui aussi au pays. Il habite rue de la Porte-Neuve, avec sa femme, Hélène Lepetit. Le colonel américain lui avait demandé qu'il se serve de l'attribut de sa fonction – le tambour – pour retrouver une écharpe égarée. Mission accomplie dans la demi-heure !

Retour à l'immédiat après-guerre : en 1919, Charles cherche, puis retrouve un emploi. Il quitte la campagne, et les travaux agricoles chez un certain Antoine, pour s'engager avec son frère Léon, chez un mécanicien, M. E. Boudin, à Bléneau, non loin d'Auxerre. Lonlon avait déjà travaillé quelques mois dans un atelier de Vézelay, chez Paul Nottin, « soudure autogène et garage ». Puis le tandem se sépare : Charles gagne Paris, où un acte notarial le signale en 1924. Il se marie à Levallois-Perret en 1928. Il sera chauffeur de taxi. Lonlon, lui, reviendra à Vézelay. De santé fragile, il mourra à Auxerre, à 40 ans, de maladie, sous l'uniforme.

Avec le décès, coup sur coup en 1994, de Robert et Odette, puis, en 1996, d'Hélène, que nous avons encore vue, voûtée, promener son petit chien rue de l'Argenterie, il n'y a plus de Papillon à Vézelay. Seuls nous restent, sur la colline, le caveau familial, le long du mur nord du cimetière et la tombe de Joseph, dans le carré des soldats.

Dans le film de cette famille, le décalage entre les Papillon dans la guerre et ceux de l'« après » se lit clairement. Avant qu'ils ne retournent à l'ordinaire de leur condition, la guerre en fait sinon d'authentiques héros, du moins des acteurs, captivants, de l'histoire, comme le montrent Nicolas Offenstadt et Rémy Cazals dans ces pages. Dans le même temps, ces lettres se lisent comme un roman. Autant de natures, autant de façons d'être et d'écrire, on l'a vu. Mais aussi, dans ce chant à plusieurs voix, s'enchaînent les thèmes – la solitude des soldats, la peur de la mort, la révolte contre la guerre, la solidarité et l'amour fraternel et filial, le rêve de la paix campagnarde, les bonheurs imprévus au front, conjoints de cet enfer annonciateur d'autres horreurs dont le siècle ne sera pas avare. De quoi nourrir un drame qui, pour eux, atteint son paroxysme en novembre 1915. Une littérature spontanée et par accident, née du déchaînement de l'Histoire.

Madeleine et Antoine Bosshard

# LETTRES DE 1914

*Marthe à sa mère*

Paris, le 28 juillet 1914

Chère Maman,

[…] Dimanche, Joseph est venu passer la journée avec nous. Il est parti au train de 10 h 20. Je crois, le pauvre, qu'il peut se préparer ainsi que Marcel. Ça vat vraiment mal malheureusement *.

Chère Maman, je ne vois plus rien à vous dire pour l'instant, en attendant de vos nouvelles ainsi que de tante Célénie, je vous embrasse tous affectueusement

Votre fille Marthe
Je pense que demain j'aurai déjà 21 ans

---

*Joseph à ses parents*

Melun, le 30 juillet 1914

Chers Parents,

Vous devez être inquiet de ne pas recevoir de mes nouvelles.

* Ce jour, l'Autriche-Hongrie déclare la guerre à la Serbie. La crise de l'été 1914 débouche sur la guerre : l'engrenage des alliances est en marche.

Je suis toujours en bonne santé et j'espère que vous êtes tous de même.

J'attendais toujours une réponse de Villeneuve-St-Georges. Je n'ai rien reçu. Par les temps qui courent, ça n'est pas surprenant. Quand tout cela sera passé, j'écrirai une seconde fois à seule fin de savoir à quoi m'en tenir.

Dimanche dernier, je suis allé à Paris. J'ai passé la journée avec Marthe et Hortense. Ça m'a fait plaisir de les revoir, j'ai passé une journée agréable. Marthe part en Suisse le 1er août et Hortense le 3.

Cette année, je vais voir du Pays : il y a de grandes manoeuvres. Nous partons le 20 août et je ne sais pas au juste quand nous rentrerons. Nous quittons le camp de Châlons le 12 pour Amiens, ensuite la colonne embarque à Perronne le 20 et le convoi revient par étapes. Je ne sais pas quel jour nous serons libérer.

Dans votre prochaine lettre, il faudra me donner des nouvelles de Tante Célénie.

Je ne vois plus rien à vous dire. Je vous embrasse tous

Joseph

---

*Marthe à ses parents*

Le 3 août 1914

Chèrs Parents,

Je vous écris dans l'espoir que vous recevrez ma lettre, car maintenant il n'y a plus rien d'assuré. C'est vraiment épouvantable quand on voit tous ces pauvres soldats partir et peut-être pour toujours. A la maison, nous en avons 5 a loger.

Je vous assure que nous leur avons monté de bons lits. Moi, je pensais a ce pauvre Marcel, et Joseph que je suis heureuse d'avoir vu il y a eut dimanche 8 jours. Et combien de temps a être dans l'angoisse, ça ne fait que commencer. Nous sommes parties de Paris samedi soir a 7 h et demi [pour Fontainebleau]. Il fallait voir quel aspect avait cette pauvre capitale. Rien ne marche plus et tout le monde pleure. J'espère que Lucien ne partira pas cette année. C'est suffisant d'en avoir deux [...]

A la maison, nous devons laver tout le linge pour faire des économies et non loing de là, un collège a été transformé en infirmerie. Alors Madame a dit que nous irions toutes soignés les blessés. Je crois qu'elle fait partie de la croix-rouge. Enfin, c'est un triste moment a passé.

Je vous quitte ici. Je ne sais pas trop ce que [je] vous mets. J'espère que vous me donnerez bientôt de vos nouvelles.

Au revoir, Chèrs Parents.

Votre fille qui vous embrasse affectueusement

Marthe

Voici mon adresse : 5, rue Sylvain-Colinet, Fontainebleau (Seine-et-Marne)

---

*Joseph à ses parents*

Troupes d'occupation de la frontière de l'Est, 13e dragons

Le 13 août 1914

Chers Parents,

J'ai reçu votre lettre hier soir. Je crois qu'elle a mis le temps pour venir. Marcel est surement parti. Dans les pays ou nous passons, c'est désert, il ne reste plus que les femmes et les enfants. Si le temps continue, nous serons très bien. Les autobus et les voitures du Bon Marché ont agrandi leurs parcours. Il y en a une grande partie avec nous.

Je suis toujours en bonne santé. J'espère que vous êtes tous de même. Je vous embrasse.

Joseph

*Marthe à ses parents*

Le 16 août 1914

Je suis très inquiette de ne pas recevoir de vos nouvelles. Quoique les lettres ne marchent pas très bien, j'espère que vous avez reçu la mienne que je vous ai écrite il y a aujourd'hui quinze jours. Que faites-vous ? Ou est Marcel et quand est-il parti ? Joseph m'a envoyé une carte de Lorraine le 2 Août. Je l'ai reçue le 8. Il me mettait simplement bonjour. Où est-il maintenant ? J'ai su il y a quelques jours que les dragons de Melun étaient à 40 km de Metz et qu'ils avaient fort envie d'y entrer. Je le sais de main sur[e]. C'est la caissière qui m'a dit que le commandant Grandjean lui avait écrit. Enfin, je suis bien ennuyée de ne pas recevoir de nouvelles aussi bien d'un côté que de l'autre. Je me demande si ça durera longtemps comme ça. Pour comble de bonheur, avec tout le populo qui est a la maison, la cuisinière et valet de chambre viennent de partir. Encore une fois changer de tête […]

*Marcel à ses parents*

Le 20 [août 1914]

Chers parents,

Je vous ai déjà envoyé 2 cartes et 2 lettres. Les avez-vous reçues ? Je suis en bonne santé, tout va bien. Je viens de voir Jeamblanc. C'est lui qui m'a donné le papier et l'enveloppe. Il vous envoie le bonjour. Il fait un temps superbe. On a les reins solides de coucher dans la paille. Bientôt, on couchera dans les tranchées. J'ai vu Simon avant-hier en quittant Toul.

Je ne peux rien vous raconter de la guerre, nous n'en avons pas le droit. Ma lettre n'arriverait pas. Si je reviens, on en parlera. Ne vous faites pas de bile, moi je ne m'en fais guère. Au cantonnement, on se nourrit bien, légumes et fruits ne sont pas rares.

Les pays sont à moitié abandonnés. Ce n'est plus qu'une nuée de soldats de toutes armes.

Avez-vous reçu des nouvelles de Joseph ? Que se passe-t-il chez vous ? A l'instant, j'entends le canon qui tonne. C'est les forts de Metz. Je ne pensais pas résister comme ça : pas de rhume, pas trop fatigué malgré les longues marches, le sac complet et les cartouches. Je souffre légèrement des pieds.

J'attends de vos nouvelles et vous embrasse tous

Marcel

Marcel Papillon, réserviste 356e Régiment d'Infanterie en marche Armée Nord-Est, 73e division - par Troyes

*Carte de Marcel à ses parents*

Le 21 [août 1914]

Suis en bonne santé. Ça devient sérieux.
Nous sommes à 2 k[m] de Pont-à-Mousson.

*Marthe à ses parents*

Le 26 août 1914

C'est avec plaisir que j'ai reçu votre lettre attendue depuis si longtemps. Je n'ai vu aucun soldat de Vézelay dont maman m'a parlé. En ce moment, je vous écrit en servant le déjeuner car la cuisinière et le valet de chambre sont partis depuis quinze jours et nous ne sommes plus que deux pour tout faire. Avec ça, la semaine dernière, j'ai été 3 jours couchée avec 39,4° de fièvre. J'avais un embarras gastric. Maintenant ça vat bien. Madame m'a donné des cachets fortifiants. Ils ont été très gentils. Je n'ai pas de nouvelles de mes frères, en avez-vous ? Je voudrait tant savoir où ils sont, ces pauvres malheureux. Il y a quinze jours, nous avons eu un médecin-major à la maison qui fesait partie du 5e corps et qui devait soigner les dragons de Melun. Il m'a demandé le nom de Joseph. Il m'a dit espéré qu'il n'ait pas besoin de médecin, « Mais si j'ai des dragons, [a-t-il ajouté,] je lui [leur] parlerai de Papillon ». Madame a reçu des nouvelles de ce médecin. Il est dans la Meuse. [...]

Comme nouvelle de la guerre, nous n'avons pas grand chose. Il est probable que vous êtes pareils. Papa travaille-[t-il]

toujours ? Avez-vous encore des provisions ? Ici, jusqu'à maintenant, nous n'avons manqué de rien, mais maintenant, on ne peut plus trouver de sel. Les patrons sont allés en auto assez loing pour en avoir un peu. Et le vin [est à] 1 fr le litre, et il est même mauvais [...]

*Marcel à ses parents*

Le 27 août 1914

Nous sommes ici en attente. Nous avons formé le 356e Régt. de Réserve et par ce fait, nous sommes un peu en arrière. J'ai retrouvé tous les copains, nous sommes avec des réservistes de 30 ans, on ne se fait pas grand bile. Mais du jour au lendemain, on s'attend à se porter en avant.

Tous les jours, le canon gronde. Hier, les allemands ont envoyé quelques boulets sur Pont-à-Mousson, mais ce n'est pas grave. Ce matin, j'ai assisté au canonnage d'un aéroplane allemand. C'est très drôle. Il a tout de même réussi à s'échapper. Pareil fait se reproduit presque tous les jours. Pour le moment, c'est la veillée des armes, toutes les troupes se concentrent et au moment opportun, il y aura un choc terrible et qui sera décisif. Ça a l'air de bien marcher pour nous. Espérons que cela ne durera pas trop longtemps.

Nous avons tout touché neuf. J'ai une bonne paire de chaussures.

Comme nourriture, il ne faut pas se plaindre, ça va. Mais à la cantine, il ne fait pas bon y entrer : 3 fr la bouteille de vin et tout à l'avenant. C'est une bande de voleurs, ils font varier leurs prix selon les besoins. Et il est impossible de descendre à Toul. Tout est consigné, tout est fermé, la majeure partie des habitants ont évacué la ville.

Et Joseph, en avez-vous des nouvelles ?

Je suis en bonne santé et j'espère que vous êtes de même. Que se passe-t-il chez nous ?

Pas moyen d'avoir des cartes pour écrire, je n'en ai encore envoyé à personne. Quand nous aurons changé de cantonnement, j'essaierai de m'en procurer.

Je suis allé voir Jeamblanc hier soir, il attend des nouvelles. Je crois bien que nos lettres n'arrivent pas, tout le monde en écrit, personne n'en reçoit.

Il fait un temps superbe, heureusement pour nous. Bonjour aux amis [...]

Marcel
20e Compagnie du 356e Régiment de Réservistes en marche.
Armée Nord-Est - Toul

---

*Marthe à ses parents*

Le 31 août 1914

J'ai reçu votre lettre hier matin, et j'étais contente d'avoir des nouvelles de mes frères. J'ai aussi reçu une lettre d'Hortense dans laquelle elle m'a mis une carte de Joseph écrite du 15 août. Elle la recevait au moment où elle m'écrivait. Cette carte est d'Etains [Etain] dans la meuse. Il dit qu'il est en bonne santé et qu'il fait beau temps. C'est la seule chose qu'ils peuvent mettre. A la maison, nous avons un soldat qui est revenu de la guerre, parce qu'il est malade. Il nous a raconté un peu comment ça se passe. Il mange la viande crue, il souffre souvent de la soif. Sur 80 qu'ils étaient dans sa compagnie, 3 seulement sont restés debout. Il a sa capote toute trouée par les balles et les éclats d'obus et il a eut la chance de ne pas être blessé. Il ne demande qu'à repartir.

Nous sommes seule[s] à Fontainebleau [...] Ne vous tourmentez pas au sujet de ma santé. Je vais tout à fait bien maintenant. Et ce n'est pas le moment que j'aille manger votre pain.

Sur ma lettre, je vous mets un timbre de la croix-rouge. Ceux-ci coûtent un sou de plus [...]

---

Laissez-passer pour Marthe Papillon, 23 ans - femme de chambre

Fontainebleau-Paris et retour

1er et 2 septembre 1914

---

*Marthe à ses parents*

Le 9 septembre 1914

Je suis très inquiette de ne pas recevoir de vos nouvelles. Je pense que vous êtes en bonne santé, mais je voudrais bien avoir des nouvelles de mes frères. Que deviennent-il ? Peut-être vous ont-ils écrit la semaine dernière. J'ai encore écrit à Joseph pour lui demander s'il avait besoin d'argent. Je crois qu'on peut lui en envoyer. Puis j'avais commencer d'écrire à Marcel et un soldat m'a [dit] que maintenant qu'il était en marche pour la frontière, que ses lettres lui parviendraient difficilement. Dès que vous aurez de leurs nouvelles, écrivez-moi, ça me fera grand plaisir.

Tous les soldats que nous avions a la maison sont partis pour Béziers. A cause que les Allemands prenaient le chemin de Fontainebleau et [que] des Anglais devaient venir les remplacer. Une grande bataille a eu lieu a Coulommiers et Meaux. Nous entend[i]ons hier le canon *.

J'ai dû vous dire que les patrons ont eut peur et étaient partis à Blois. Ils sont rentrés depuis huit jours, car le commandant qui logeait à côté, hier, a dit que les Allemands ne viendrait pas à Fontainebleau et qu'il ne fallait pas être aussi froussard.

Dans la forêt, il y a beaucoup d'émigrants. Des femmes et des bandes d'enfants couchent ainsi à la belle étoile. Ce sont des gens de Meaux et de Coulom[m]iers. Ces deux pays ont été evacués. Ça fait pitié de voir tout cela. Au Collège Carnot, nous avons eu beaucoup de blessés. Il y en avait de tous les régiments et venaient de Toul et des environs. Je suis allée les voir avec Madame. J'ai aussitôt regardé si je n'en reconnaissait pas. Il y avait aussi des Sidis ** et qui parlaient a peine français. Ils ont été également dirigés sur Béziers. [...] Marcel est a Fontainebleau a l'artillerie de campagne. [...]

Madame Fontana est rentrée à Paris. Et si toutefois il y avait de nouveau du danger pour Fontainebleau, nous rentrerions également à Paris. Madame y vat deux fois par semaine et dit que c'est très calme [...]

J'ai vu sur le journal qu'on doit faire le resensement de la classe 1915. De cette façon, Lucien partirait bientôt [...]

---

* La marche des armées allemandes en direction de Paris a fait fuir nombre de Parisiens, tandis que le gouvernement lui-même s'installait à Bordeaux. La « grande bataille » est celle de la Marne – engagée le 6 septembre – qui repousse le danger.

** Sidis : Maghrébins.

*Marcel à ses parents*

Saint Mihiel, le 11 [septembre 1914]

Ça va, suis en bonne santé. Depuis 10 jours, on marche jour et nuit. Je suis passé à St-Nicolas-du-Fort et Nancy. Je n'ai pas le temps d'en mettre plus long [...]

A Nancy, on nous distribuait de tout, oranges, citrons, pâtés, liquides, pastilles de menthe, tabac, cigarettes, on ne pouvait pas se débarrasser du civil. Jamais je n'avais vu cela

---

*Marthe à ses parents*

Le 14 septembre 1914

Je m'ennuie beaucoup de ne pas avoir de vos nouvelles. Je ne sai a quoi penser.

Seriez-vous malade ? Je vous en prie, ecrivez-moi par retour du courrier, car je vous écris pour la troisième fois. J'ai reçu votre dernière lettre il y a eut dimanche quinze jours. Je trouve le temps long surtout en ce moment. Et donnez-moi des nouvelles de mes frères, et comme vous en avez encore trois à nourrir et sans travail, je vous enverrai un peu d'argent. Et peut-être en avez-vous envoyé a mes frères qui combattent.

Ici [à Fontainebleau], il fait un temps abominable, froid. Je pense souvent a eux.

Les patrons rentreront a Paris a la fin du mois a cause du magasin. La semaine dernière, le patron a conduit deux prisonniers allemands en auto a Orléans qui avaient été arrêtés non loing de Fontainebleau.

Aurevoir chèrs Parents, j'attends bientôt de vos nouvelles.

J'espère que vous aurez pitié de moi [...]

*Marcel à ses parents*

Le 14 septembre [1914]

Nous venons d'en voir de grises. Nous avons été 4 jours au combat nuit et jour dans les bois, avec la pluie sur les reins et défense de faire du feu. Il m'est passé plus de 1 500 obus sur la tête. Quel sifflement ! J'ai les genoux brisés à force de se coucher à plat ventre. J'en ai tiré cette conclusion, c'est que l'artillerie allemande est loin de valoir la nôtre. Nous les avons repoussé chez eux. Ils sont en débandade. Nous sommes dans un village ou les allemands ont [été] cantonés. Les maisons riches sont saccagées, tout est retourné. On commence d'en avoir assez. Vivement la fin. Aujourd'hui, il fait un temps abominable, temps froid et pluie fine *.

Je suis toujours en bonne santé, pas de rhume. Je suis étonné moi-même quand je vous aurai dit que j'ai été 2 jours mouillé jusqu'à la chemise. Aux avants-postes, accroupi dans des broussailles, sans feu bien entendu. C'est triste la guerre, les pauvres gens en voient de grises. J'ai vu des villages incendiés par le bombardement, c'est sauvage. L'infanterie active du 20e corps français a subi de *très grosses* pertes.

P.S. J'ai vu des uhlans ** et des fantassins bavarois prisonniers. J'ai vu Simon et Jeamblanc ces jours derniers

---

* Le régiment a participé à la bataille du Grand-Couronné (les Allemands échouent à prendre Nancy) puis à la délivrance du fort de Troyon dont la résistance empêcha les Allemands de franchir la Meuse. L'artillerie allemande bombarda âprement le fort. Le village évoqué est Lavignéville. Voir la lettre de Marcel du 30 janvier 1915 et le compte-rendu publié en annexe, p. 388.

** Cavaliers de l'armée allemande, très actifs en août 1914, en reconnaissance aux devants de la grande offensive.

*Joseph à ses parents*

Le 16 septembre 1914

J'ai bien reçu votre [lettre], je n'ai pas eu le temps de vous répondre plutôt, car le soir, nous arrivons très tard et partons de bonne heure le matin. Quand vous m'écrirez, il faudra me donner l'adresse de Marcel, je ne sais pas dans quel régiment il est. Vous pouvez être tranquilles, tout va pour le mieux. Je ne me rase plus. J'ai un bouc plus long que celui de la bique [...].

P.S. Quand vous m'écrirez, il faudra l'adresser directement à Melun et bien mettre l'escadron, sans quoi elle se balade partout : 2e escadron 1 Pel.

---

*Marcel à ses parents*

Le 18 septembre [1914]

Ça va, je suis en bonne santé. Je vous ai déjà envoyé 2 lettres depuis notre débarquement à Saint-Mihiel, les avez-vous reçues ? Il fait un temps abominable. Nous sommes dans un pays moitié français moitié luxembourgeois, il y a beaucoup à se méfier. J'ai vu l'appel de la classe 1915. Pour Lucien, le *meilleur* pour lui serait je crois le Génie.

Et là-bas quoi de neuf ? A-t-on des nouvelles des absents ? Les vivres sont-ils chers ? Et les petits chiens ? [...]

P.S. Je rajoute un mot. Je viens de faire un tour sur le champ de bataille. C'est macabre. Notre canon de 75 fait de la belle besogne. Les Allemands ont eu 2 grosses pièces de brisées, ils ont abandonnés tout un train de combat. Je ne vous en mets pas plus long, le reste serait trop triste. Je vous mets ci-joint un carton de cigarettes de Boches. Nos pertes sont insignifiantes. Les Allemands ont perdu pas mal de monde.

Je crois que ça marche bien pour nous.

---

*Marthe à ses parents*

Le 24 septembre 1914

Je viens enfin de recevoir votre lettre attendue depuis si longtemps. Je ne savais quoi m'imaginer Je ne pensai pas que les lettres mettaient tant de temps a venir. Le télégramme que vous avez reçu a mis quatre jours. Je l'ai envoyé le samedi matin et revenu le mardi.

Je suis tranquillisée de vous savoir tous en bonne santé.

Par ce même courrier, j'écris à mes deux frères. Marcel ne m'a jamais écrit. Peut-être qu'il ne sait pas mon adresse. Quant a Joseph, il m'a envoyé une carte le 16 que j'ai reçu le 22 (même jour que le télégramme), sur laquelle il me dit qu'il est en bonne santé, que je ne peux pas lui envoyer d'argent et qu'il n'est pas aussi malheureux que je crois. Que je lui écrive assez souvent, que ça lui fait grand plaisir. Je lui ai déjà écrit deux lettres, il n'a reçu que la seconde. La carte qu'il m'a envoyée a l'entête d'Etain, mais il n'y a aucun cachet de la poste.

Nous rentrons a Paris le 29 de ce mois. Donc la prochaine fois que vous m'écrirez, il faudra m'adresser [votre courrier] a Paris.

Lundi, il doit arriver des Indous a Fontainebleau. En ce moment, on fait des tranchées pour les faires campés. Il y a aussi quelques Anglais […]

P.S. Maman, j'oubliai de te dire que tu fasse couvrir Lucien avant de partir, de lui donner des flanelles, ceinture, caleçon car [allez] savoir comment il vat être habillé.

Papa doit être fier d'avoir [2] soldats en ce moment […]

*Carte de Marcel à ses parents*

Le 24 septembre [1914]

Ça va, suis en bonne santé. Nous venons de passer un triste moment, le régiment est bien éclairci. Jeamblanc a reçu une balle dans le bras. Jojot de Blanay et Mathey, garde aux Chaumots, sont au 353 […]

*Marcel à ses parents*

Le 25 septembre 1914

Je viens encore de passer au travers une fois. Je croyais bien ne plus jamais vous revoir. Le régiment a beaucoup souffert pendant 2 jours. Quelles tristes journées ! Nous n'avons presque plus d'officiers, le 1/3 du régiment (plutôt la 1/2) manque à l'appel. Tous morts ou blessés. Si vous entendez parler de la bataille de Lironville, vous vous souviendrez.

Les copains sont encore là. Le 13e de Nevers est dans notre région. Pauvre infanterie, c'est un carnage. Les autres armes n'ont presque pas de pertes. Les Allemands ont reculé, mais à quel prix ! Ce pauvre Jeamblanc a été blessé. Lui au moins a des chances d'en revenir, car à voir tout cela, on commence à désespérer. Enfin, la destinée est là ? Mais c'est dur à digérer *.

Et comment ça va là-bas ? Pour Lucien, quoi de neuf ? Qu'il s'évite d'aller dans l'infanterie, car ce n'est pas encourageant. Avez-vous des nouvelles de Joseph ? Lui doit être à l'abri. Il doit suivre le train de combat.

Bien le bonjour aux amis, au patron et à Marie Rousseau.

Je n'ai pas le temps de leur écrire. Quand on a un moment c'est pour se reposer, car la fatigue ne nous est pas épargnée [...]

*Carte de Joseph à ses parents*

Le 26 septembre 1914

Il y a longtemps que j'ai reçu de vos nouvelles, mais cela ne me surprend pas beaucoup, car les moyens de communication sont assez difficiles. Ce qui m'étonne, c'est que Marcel ne

* Marcel évoque la bataille de Limey-Lironville. Le 20 septembre les Allemands ont repris l'attaque des Hauts-de-Meuse. Le 22, le 356e doit s'emparer de Lironville en contre-haut. Les tranchées allemandes sont dissimulées au ras du sol. Le premier assaut est repoussé dans la panique sous un feu d'artillerie et de mitrailleuses. Le 23, le JMO (Journal des marches et opérations) évoque des « attaques furieuses » sous un « feu violent ». C'est effectivement une hécatombe : plus de 600 hommes sont hors de combat. « A la date du 24, en raison des pertes considérables subies par le régiment, le colonel a été obligé de procéder à un nouvel ordre de bataille des cadres du régiment en attendant l'arrivée de nouveaux officiers et des hommes de renforcement fournis par les dépôts. » *L'historique du 356e régiment* note après ces épisodes : « A partir de ce moment commence la guerre de tranchées. » Voir aussi la remarque de Marcel dans son compte-rendu.

m'a jamais écrit. Moi je ne peux pas lui donner de mes nouvelles, je ne sais pas dans quel régiment il est.

Je suis toujours en bonne santé et j'espère que vous êtes tous de même.

Voilà le temps qui commence à se rafraîchir. Ce matin, il y avait de la gelée blanche, mais dans la journée, il fait beau [...]

---

*Carte de Marcel à ses parents*

Le 29 septembre [1914]

Suis en bonne santé. Pour l'instant, c'est un peu plus calme. On couche toujours dans les bois sous les obus. Durand, le camarade à Savelly, qui était venu me voir, a été déchiqueté par un obus. Gourlot Octave a été grièvement atteint de 3 balles. Jeamblanc a été blessé, les uns disent au bras, les autres à l'épaule. Je n'ai pas d'autres renseignements.

Prévenez les parents à Gourlot avec ménagement. Dites-leur que ce n'est pas grave [...]

---

*Marcel à ses parents*

Le 4 octobre [1914]

Depuis que j'ai reçu votre dernière lettre, en voilà déjà 4 ou 5 que je vous envoie sans recevoir de réponse. En somme, depuis 2 mois que je suis parti, voilà 2 lettres que je reçois de vous. C'est pas beaucoup. Je voudrais bien être renseigné sur ce qui se passe au pays. Lucien ne va pas tarder à partir, mais j'espère bien que la guerre sera finie avant qu'il vienne sur la ligne de feu. Nous habitons les bois * à 4 ou 500 mètres des tranchées Boches. Les nuits ne sont pas chaudes. Gare les douleurs en rentrant ! […]

Il apparaît que Gourlot n'aurait reçu qu'une balle dans le bras. Il va mieux […]

*Joseph à ses parents*

Le 6 octobre 1914

J'ai quitté la frontière de l'Est pour aller voir de meilleurs pays. Nous avons fait un long voyage, 44 h de chemin de fer. C'est incroyable, l'accueil qui nous est fait. Les gens nous donne tout ce qu'ils ont : café, chocolat, pain, tout ce que l'on peut manger. Le tabac et les allumettes ne manque pas. J'ai plus de 20 boîtes d'allumettes et 2 kilogs de maryland. C'est la bonne vie.

Hier, j'ai couché dans un lit la première fois depuis le commencement de la campagne. Il m'est impossible de vous raconter toutes les gentillesses qui nous sont faites, j'en aurai trop à vous dire. Nous sommes choyer comme les enfants du pays. En ce moment, le temps nous est favorable, heureusement. Je suis allé à 10 k[m] d'ou Marcel était en garnison.

Lucien ne va pas tarder à passer le conseil de révision […]

* Au bois dit « le Brûlé », à l'ouest de Limey. Voir le schéma dans le cahier photos.

*Marthe à ses parents*

Le 11 octobre 1914

J'ai reçu votre lettre que le 8. Vous n'aviez pas encore reçu ma lettre sur laquelle je vous disait que nous rentrions à Paris le 29. C'est très calme et aussi triste. On ne voit que des ambulances, des camions militaires. Tous les grands hôtels sont transformés en ambulances.

Je suis contente que vous m'ayez donner des nouvelles de mes frères.

J'ai reçu une carte de Joseph hier datée du 26 septembre. Il me l'a également envoyée a Fontainebleau. Ma lettre ne lui était pas encore parvenue, je lui avais écrit le même jour qu'à vous. Il est en bonne santé, c'est la chose principale. [Il] me dit que Marcel ne lui a pas écrit depuis le début de la campagne, [il] me demande des nouvelles de tante et de lui écrire souvent. Quant a Marcel, toujours rien. Je lui met cependant l'adresse exactement comme vous me l'avez donnée.

L'Autrichienne qui est toujours à la maison, elle est salve [slave], non allemande. Néanmoins, elle est sujet autrichien, elle est allée a la mairie faire sa déclaration. On l'a priée de ne pas bouger d'où elle était ou sans quoi on l'enverra a St-Nazaire auprès des prisonniers [...]

*Carte de Marcel à ses parents*

Le 21 octobre 1914

Je suis toujours en bonne santé et depuis le *8 septembre*, j'attends une lettre de vous. Je commence à trouver le temps long, vous devez le comprendre. On est toujours dans les bois et on couche dans les tranchées, ce n'est pas la pause. Vivement la fin de tout cela. Ecrivez-moi donc aussitôt le reçu de ma carte. Dites-moi si vous avez reçu mes lettres et cartes.

Ecrivez-moi par Toul

Un bonjour de Savelly [...]

---

*Marthe à ses parents*

Le 22 octobre 1914

Je commence a m'inquiéter de ne pas recevoir de vos nouvelles.

Depuis que je suis a Paris, j'ai simplement reçu votre lettre datée du 25 septembre et adressée à Fontainebleau, qui m'est donc parvenue le 10 octobre seulement. J'ai également reçu une carte de Joseph, datée du 22 septembre, puis une lettre datée du 9 octobre et sur laquelle il me dit qu'il est passé a Fontainebleau le 3 octobre. [Il] ne me dit pas sur quelle direction il s'est dirigé. Il est probable qu'on les a fait monté dans le nord où c'est le plus dur. J'ai vu sur le journal qu'un colonel du 13$^{e}$ dragon avait été tué à l'ennemi. Joseph me dit aussi que partout on les accueillent. Dans chaque gare, les dames de la croix-rouge leur donne à boire, à manger, des cigarettes et dans les pays, les gens les traitent comme leurs enfants. Je me demande si je dois lui écrire toujours a la même adresse.

Et Marcel, que devient-il ? Toujours pas de nouvelles. En

avez-vous reçu ? Voici deux lettres que je lui écrit, pas de réponse. Je me demande s'il se trouve toujours a la même adresse que vous m'avez donnée.

En ce moment, Madame tricote des gilets de laine, des passe-montagne, des genouillères, des cache-nez, des chaussettes qu'elle envoie a tout les soldats qu'elle connait.

Elle m'a demandé combien j'avais de frères et leur adresse exactement. C'est probablement pour faire les petits paquets, car les pauvres doivent avoir joliment froid a coucher dans les tranchées. Vous avez du voir sur les journaux que les taubes * sont venus il y a eu dimanche 8 jours jeter des bombes. Cette fois, ça a porté : Notre-Dame a été bombardée. Il y eut une 20aine de victimes, dont 4 morts et au Trocadero, non loin de l'avenue Kléber, une fillette de 11 [ans] a eu la jambe mutilée. On a été obliger de [la] lui couper. Maintenant, quand on entend des aeroplanes, tout le monde se gare [...]

*Joseph à ses parents*

Le 30 octobre 1914

J'arrive de Belgique **. Le régiment se retire dans le Nord pour y prendre un peu de repos, car depuis le 1er août, il n'a guère arrêter. Je m'empresse de faire réponse à votre lettre.

---

* Des taubes : des avions allemands.

** Le régiment de Joseph a participé, vers le 25, aux combats autour de Langemark, où, un peu plus tard, de nombreux volontaires allemands se sont lancés dans une vaine attaque contre les Britanniques. L'épisode a été mythifié par les Allemands autour de l'exaltation du sacrifice héroïque de la jeunesse, attaquant en chantant *Deutschland, Deutschland über alles*... (G. L. Mosse, 1990, p. 70 et 1999, p. 83).

C'est inutile de m'envoyer gilet de laine chemises et caleçons, j'en ai touché, mais j'accepterai flanelles, chaussettes, passe-montagne, cache-col, mouchoirs et serviette et surtout le chocolat parce qu'on ne trouve plus grand chose à manger. C'est dommage que papa ne soit pas avec moi, il pourrait fumer à son aise. Pour deux sous, on a une pleine cartouchière de Maryland. J'ai écrit à Marcel, je n'ai pas eu de réponse. Pour les colis, ça arrive très bien. Je vous remercie d'avance [...]

*Marthe à ses parents*

Le 5 novembre 1914

Vous devez vous impatienter de ne pas recevoir de mes nouvelles. Nous avons été a Fontainebleau passer les fêtes de la Toussaint. Nous sommes rentrés qu'hier matin.

A la gare de Lyon, j'ai vu un dragon du 13e. Je croyais que c'était Joseph, de loing il lui ressemblait. Le 27 octobre, je lui ai envoyé un mandat-carte de 15 [fr]. Je n'ai pas encore de réponse. J'ai hâte de savoir s'il le recevra. Lundi dernier, j'ai reçu la première carte de Marcel datée du 28 octobre et me dit qu'il venait de recevoir une lettre de papa.

Madame prépare les paquets. Je te récrirai le jour qu'elle les expédieras. Je ne crois pas qu'elle m'en donne pour Lucien. En tout cas, je lui acheterai un chandail ou gilet de laine que je t'enverrai, car je vais demander a sortir la semaine prochaine. Surtout, fait-le habiller chaudement. Tu devrais lui faire mettre des flanelles. Avec ça, il serait moins exposé au chaud et froid. J'enverrai également un autre paquet a Joseph et Marcel qui se composera d'une flanelle, chaussettes, chocolat, cigarettes, épingle double, crayon. Je recommanderai les paquets pour plus de sûreté. […]

---

*Marthe à ses parents*

Le 9 novembre 1914

Madame a expédié les deux colis de Joseph et de Marcel. Par le chemin de fer. Je n'en connait pas le contenu, mais elle m'a dit qu'elle leur avait mis de belles choses, et aussi du chocolat. Elle voudrait bien qu'il les reçoivent. Aujourd'hui, j'ai reçu une carte de Joseph ou il me dit qu'il rentre de Belgique et que maintenant il se repose. Je lui avait demandé s'il avait besoin de linge, il m'a répondu que c'était inutile que je lui en envoie, qu'il avait été habillé à neuf par les dames de la croix-rouge […]

---

*Marthe à ses parents*

Le 12 novembre 1914

J'ai reçu votre lettre hier soir. Vous avez du également recevoir la mienne hier ainsi que le chandail de Lucien. Puisque vous me demandez deux flanelles, je tacherai de vous les envoyer aujourd'hui ou demain. Quant a Joseph, je lui ai demandé je ne sais combien de fois de ce qu'il avait besoin. Il m'a répondu que c'était inutile de lui envoyer du linge. Je lui ai donc adressé un mandat-carte de 15 [fr] dont je n'ai pas encore de réponse.

J'ai reçu une lettre de Marcel lundi, datée du 4 novembre, où il me demande différents objets que je vais m'empresser de lui envoyer. Ce qui me fait le plus de peine, c'est de savoir qu'il a des caleçons de toile à cette époque, tout ce qu'il y a de plus froid. Madame m'a dit qu'elle lui en avait mis un en laine, un chandail, des chaussettes, passe-montagne, des conserves, porte-cartes avec cartes, gants. Je crois a Joseph la même chose, sauf du chocolat et des gateaux a la place des conserves. A Joseph je vais aussi lui envoyer des flanelles, pas de passe-montagne. Hortense est entrain de lui en faire un ainsi qu'a Marcel [...]

---

*Marcel à ses parents*

Le 14 novembre 1914

J'ai bien reçu le paquet de chocolat et la lettre. J'en ai assez pour l'instant, il ne faut pas m'en envoyer avant le 1er Décembre. J'ai bien reçu une carte postale de quelques mots de Vincent, mais je n'ai pas encore vu sa lettre ni le paquet que vous m'annoncez de lui.

J'ai reçu une carte de Marthe m'annonçant que sa dame m'a expédié en même temps qu'à Joseph un colis par le chemin de fer depuis le 7 novembre. Je l'attends. J'ai envoyé deux cartes à Joseph, mais je n'ai pas encore eu de réponse. Aussitôt que vous aurez de ses nouvelles, il faudra m'en donner.

Vous me parlez de certains réformés pris bon pour le service. Mais il y en a bien d'autres, Vincent, Neterpelle et Mandron par exemple, et bien d'autres encore. Que se passe-t-il pour eux ?

Vous me demandez pourquoi Simon a rendu ses galons. Pour moi, c'est parcequ'il n'a pas été nommé adjudant ou sous-lieutenant à son régiment. Plusieurs sergents ont été nommés sous-lieutenant. Il y avait droit, mais il n'a sans doute pas été favorisé *. Plus tard, on reparlera de cela. La question des galons, il faut être dans un régiment de réserve pour voir cela.

Je suis toujours en bonne santé, malgré la pluie qui fait rage avec un temps froid.

Nous sommes assez bien abrités dans nos tranchées – heureusement. Les nouvelles sont bonnes. Les Russes font de la bonne besogne. Vivement qu'ils fassent leur entrée à Berlin !

Malgré tout, je compte bien passer l'hiver avec l'habit militaire [...]

Plus rien d'intéressant à vous raconter, en attendant... la paix tant désirée [...]

---

*Marcel à ses parents*

Le 22 novembre [1914]

J'ai reçu votre lettre hier soir. Avant-hier, j'ai reçu une longue lettre de Vincent et en même temps un petit colis de Marthe dans lequel il y avait du chocolat, une flanelle et diverses autres choses que je lui avais demandé. Actuellement, j'ai un kilog de chocolat dans mon sac. Il ne faudra rien m'envoyer avant le 10 décembre. Je n'ai pas encore reçu le colis de

* D'après les indications du fils de Raymond Simon, Raoul, il semblerait que son père ait été sanctionné en raison du comportement de ses hommes, qui auraient dérobé du champagne à l'un de leurs supérieurs sans qu'il réagisse.

Vincent, ni celui de la dame de Marthe. Je suis toujours en bonne santé.

Nous sommes dans les tranchées depuis 1 mois et demi, en 1ère ligne. Ces temps derniers, nous n'étions pas à la noce. La pluie, qui est tombée pendant plusieurs jours, a fini par traverser la toiture de nos tranchées. On était dans l'eau et la boue jusqu'à la cheville, mais depuis, le temps a changé. Depuis la nouvelle lune, il fait un froid terrible, si bien qu'on a fini par allumer un peu de feu dans les tranchées. Mais la nuit seulement pour que la fumée ne se voie pas. On ne pouvait plus y tenir. Les Boches étaient logés à la même enseigne. On les voyait tout près du pays, qu'ils vidaient l'eau de leurs tranchées avec des baquets.

Pour l'instant, je n'ai besoin de rien. Ce que j'attends avec impatience, c'est… la signature de la paix. Donnez-moi des nouvelles de Joseph. Et Lucien ?

J'ai reçu une carte de Jeamblanc, qui me demande des nouvelles de Vézelay. J'ai écrit au patron le 19. Savelly est toujours en bonne santé et vous donne le bonjour. De temps en temps, Je vois Grossin Brazil (parent à Perraud d'Asquins) et ce vieux Rudo. On parle du pays.

Aujourd'hui dimanche, le canon sonne la messe et fantaisie, les grosses pièces ne cessent de cracher. Je n'ai pas encore eu la visite d'Alfroy, sa compagnie n'est pas à côté de la mienne. Lorsque je suis monté vers lui dans la voiture, c'était presque la fin de l'étape, je m'étais décollé la plante du pied (la grosse peau de dessous le pied). C'était l'effet des souliers neufs. Ça ne m'a pas empêché de marcher le lendemain après avoir été pansé. Et ça a fini de se guérir pendant les quelques jours que nous nous sommes reposés à Toul. Dans un moment, je me suis trouvé à avoir de la corne sous les pieds aussi épaisse qu'une pièce de cent sous. Je ne peux plus écrire, j'ai les mains gelées […]

*Marcel à ses parents*

Le 25 novembre 1914

Voici la neige, depuis ce matin elle tombe, tout est blanc, et le canon tonne toujours. Ce n'est pas drôle. Je crois que si rien n'arrive d'ici le printemps, nous passerons l'hiver dans les tranchées, tout me le fait croire. Avant-hier, nous avons touché une paire de galoches avec chaussons. On touche aussi du linoléum, de la feuille de tôle et du papier goudronné pour couvrir les tranchées de manière que l'eau ne traverse pas. Quelques-uns pensent que la fin est proche. Ce serait bien à souhaiter. Pour la question du chauffage, petit à petit on s'est émancipé. On a commencé par faire un petit feu de bois sec, maintenant on brûle des madriers, si bien que la nuit dernière le feu avait commencé à prendre dans la baraque. Ça n'a pas été grave heureusement, c'est les Boches qui se seraient payés notre tête sans doute, avec accompagnement de quelques obus. Je couche tout à côté du feu et comme il claire [brûle] toute la nuit, je n'ai pas froid. Tout à côté de nous, au Bois-le-Prêtre, ou les tranchées ne sont guère qu'à 50 mètres les unes des autres, on devient sociable. Il paraît que les sentinelles se donnent des pipes de tabac. Il est vrai que ces Boches sont Alsaciens, Lorrains. Ces temps *derniers*, une centaine se sont constitués prisonniers. Tout de même, depuis le 2 août, on ne s'est pas déshabillés. Ça commence à compter […]

La neige tombe de plus en plus fort. De la façon que le temps est pris, il y en aura une célèbre couche […]

*Joseph à ses parents*

Le 26 novembre 1914

[…]

Pour le moment, je ne suis pas en danger. Je ne suis jamais aller au feu. Comme ouvrier, je suis au convoi. Je vois les obus éclater, mais de loing. Pendant que les copains combattent, je vais leur chercher à manger. L'autre jour, il m'est arrivé un petit accident qui heureusement n'a pas été grave. La pluie tombait tellement fort et le vent soufflait [si] fort que l'on ne voyait pas à deux pas devant soi. Il était environ 9 h du soir. Je suis tombé à l'eau avec mon cheval sans m'en apercevoir. Je m'en suis tiré sain et sauf.

*Marcel à ses parents*

Le 29 novembre 1914

J'ai bien reçu le paquet et la lettre du 22. Merci. J'écris à M. Roubier.

Je n'ai besoin de rien, absolument de rien, ni chocolat, ni linge, ne m'envoyez plus rien *avant que je le demande*. Tous les jours, on touche des affaires. Hier, j'ai touché une paire de chaussettes et une chemise. On va encore toucher un passe-montagne, un cache-nez, une paire de jambières et une deuxième paire de brodequins neufs. Nous ne sommes pas dans la purée. Pour la cuisine, c'est même un peu meilleur qu'à la caserne. L'ennui, c'est qu'il faut aller chercher la soupe à trois kilomètres en arrière. En outre, on touche tous les jours un quart de vin et environ un tiers d'eau-de-vie, et de temps à autre, souvent même on touche en supplément des sardines, du saucisson, du gruyère, du chocolat ou des confitures, l'un ou l'autre. Hier on a même touché du beurre salé. Pour la nourriture ça va.

Pour Notin, ça n'a rien d'extraordinaire. L'autre jour, on a demandé à la Cpie ceux qui savaient souder à l'autogène et les tourneurs sur métaux pour travailler aux canons de 75 et aux aéroplanes. Notin a saisi l'oiseau au vol, il a eu raison : si je pouvais en faire autant…

Avant-hier, je suis allé faire une visite à Limey, pays où nous nous sommes battus il y a deux mois. Pauvre patelin, il ne reste pas dix maisons intactes, tout est calciné, il ne reste plus que les quatre murs des maisons, le clocher est démoli. Et dans les murs qui restent debout, ce n'est que trous d'obus et traces de balles : beau spectacle ! Bien entendu, il n'y a plus aucun civil.

J'ai rapporté de mon exercice une grande plaque de tôle et un tuyau de poële pour faire tirer notre cheminée et un bon drap de grosse toile que les Boches avaient laissé dans l'Eglise et qui m'est bien utile pour me tenir chaud la nuit. Je me roule dedans par dessus ma couverture, j'ai chaud comme dans un lit.

Un grand Christ grandeur naturelle, qui était adossé a un pilier de l'Eglise, a eu les 2 jambes et le haut du corps brisés par les éclats d'obus.

Mais dans la plaine, c'est encore plus triste, en passant a côté des croix qui marquent l'endroit ou reposent les camarades.

Je suis toujours en bonne santé. Demain, j'irai coucher a la belle étoile au petit poste en avant de nos lignes […]

---

*Marcel à ses parents*

Le 6 décembre 1914
(Beau St-Nicolas !)

Je viens de recevoir votre lettre du 1er, vous avez dû en recevoir encore une de moi depuis celle du 22. Je m'étonne que mes lettres mettent plus longtemps que celles de Savelly pour arriver à destination, car elles partent exactement par le même chemin. Je vois que Joseph a meilleur temps que moi, tant mieux. Ce n'est pas étonnant car la cavalerie ne sert plus à rien avec cette guerre de tranchées. A notre régiment, les voituriers, le vaguemestre, les officiers et sous-officiers d'approvisionnement, en un mot tous ceux qui avaient des emplois ont été relevés et remplacer par des dragons. Ainsi hier, c'était un maréchal [des] logis du 29e dragons qui faisait le fourrier de distribution. C'est toujours ces pauvres bobosses qui trinquent.

Depuis le 2 août, nous n'avons pas eu d'autre repos que les quelques jours que nous nous sommes arrêtés à Toul, et un point c'est tout. Et depuis les premiers jours d'octobre (2 ou 3), date à laquelle nous avons pris les avants-postes, dans les bois où nous sommes, on y est toujours restés. On a creusé des tranchées et nous sommes toujours là. Il n'y a *rien* entre nous et les tranchées Boches (à part des pieux et des fils de fer). Je pense que l'on peut bien se considérer en première ligne *. Toutes les nuits, il faut prendre la faction et tous les 8 jours le petit poste en avant des lignes. Ce jour-là, c'est le moment d'ouvrir l'oeil et le bon.

Le régiment à Marcelot est plus veinard que le nôtre sans doute ! Je n'ai jamais reçu de lettre de Joseph et moi, voilà 3 cartes que je lui envoie. C'est comme au téléphone : j'attends la communication.

Je suis toujours en bonne santé ainsi que Savelly qui vous envoie le bonjour. Grossin aussi. J'ai reçu une carte de Simon. Lui non plus n'a pas l'air de se faire de bile.

---

* Le secteur (les bois à l'est de Limey, voir le schéma du cahier photos) est relativement calme, même si les soldats subissent des bombardements intermittents et sont astreints à de durs travaux. Le 3 octobre, un soldat du même régiment que Marcel écrivait du secteur en question : « Je dois te dire, cependant, avant d'aller plus loin, que les positions que nous occupons en ce moment sont des positions de tout repos, comparées à la situation où nous nous sommes trouvés dans les mémorables journées des 21-22 et 23 septembre dernier » (Lettre d'Albert Gotteri, recopiée par son père, document relié à la suite d'un ouvrage sur le Bois-le-Prêtre, document Régis Tessier).

Voilà Noël qui approche. En partant, j'étais loin de penser que je serais dans les bois à ce moment.

C'est ennuyeux que Tante Célénie ne se remette pas plus vite. Après la guerre ce n'est pas l'ouvrage qui manquera, il faudra se remuer. Hélas, combien y a-t-il de plus malheureux qu'elle à l'heure actuelle. Combien de pauvres malheureux, qui étaient dans l'aisance et la prospérité hier, n'ont plus que leur chemise aujourd'hui. Ils seront indemnisés après la guerre il est vrai, mais ils seront loin de toucher ce qu'ils ont perdu. Il faut avoir vu celà pour juger du malheur de ces pauvres gens. Avec ce qu'elle a devant elle, elle peut bien faire sa petite vie. Enfin…

Il fait mauvais temps, la pluie tombe, il faudrait mieux de la gelée. Avec nos toiles de tente, on est un peu mieux à l'abri […]

P.S. Il ne faut pas croire qu'en 1re ligne, on est plus malheureux qu'ailleurs. De temps en temps, nous avons des alertes, il est vrai, mais on commence à s'y faire, on se fait à son sort. A côté de cela, j'ai joué à la marelle jusqu'à 10 h du soir hier. Ça passe le temps. S'il arrivait quelque chose, le fusil est là.

*Carte de Joseph à ses parents*

Le 13 décembre 1914

Je viens de recevoir une carte de Marcel. Hier, j'ai eu une lettre de Marthe et une d'Hortense. Elle est dans son pays près de sa mère qui est malade. Elle n'a pas beaucoup de veine. Elle fait un passe-montagne pour Marcel. Il se plaint d'être mal dans les tranchées. Nous sommes tous pareil - je suis en B… et je t'assures qu'il n'y fait pas bon. Les tranchées sont pleines d'eau, les routes impraticables, tellement elles sont détrempées par la pluie. A chaque instant, les fourgons restent en panne. Ce n'est pas la vie. On nous a remplacer les carabines par des mousquetons avec des baïonnettes. Vous parler d'un travail […]

*Lucien à ses parents* *

Le 22 décembre [1914]

Je suis été à l'ézercice ce matin. On est pa mal nourits. Le matin, on [a du] café. A 10 heures, on a la soupe. A 5 heures, on remange la soupe. On couche sur la paille. On à touché une bonne couverture. Je suis habillé. J'ai touché une culotte de velour, une paire de soullié, une vareuse. On est campés dans un couvant droit devant l'église.

Je ne voit plus granchose à vous dire. Je vous ambrasse tous

P.S. Voici mon adresse : Papillon Lucien, 25e compagnie, 89e régiment d'infanterie. Sens

* Première lettre de Lucien qui entre à la caserne.

*M. Papillon à Lucien* *

Vézelay, le 23 décembre 1914

Mon cher Lucien,

Je répond à ta lettre d'arrivée. Je suis content que tu sois resté à Sens, car j'ai apprit qu'il y en avait qui sont été envoyés dans des villages autour de Sens. Je pense bien que tu doit coucher sur la paille. Avez-vous assez chaud ? Tu me diras qui [quels] sont les pays qui sont avec toi dans ta compagnie. Beugnot de Loeuvre va rejoindre le dépôt du 89 dans huit jours. Il m'a dit qu'il tâcherait de te voir. Henri Doré est à Sens de ce moment, il a quitté Orléans.

Tu me diras aussi si l'exercice est dure et si la cuisine est bonne ; si tu as assez a manger : il ne faut pas être timide, il ne faut pas avoir peur. Il faut manger à ta suffisance si tu le peut, ne te laisse pas souffrir. Dépense ton argent à te soigner. Sois convenable, surtout ne fréquente pas les gens que tu sais bien. Tu me diras aussi comment vous êtes habilés et si l'on vous a tenu compte de ce que vous avez apporté comme linge. Je pense que le manger que tu as apporté a bien dû te servir. Fais attention de ne pas te laisser barboter ta garde-robe, car le linge que tu a emporté va te tenir chaud. Nous avons reçu des nouvelles de Marcel lundi. Il se porte toujours bien.

Voici sa nouvelle adresse : Papillon Marcel, 20e Compagnie du 356 d'infanterie.

Secteur postal No 84.

Tout le monde se joint a moi pour t'embrasser de tout coeur.

Ton père : L. Papillon

Tu m'écriras vendredi. Je pense que tu auras le temps.

* C'est la seule lettre qui reste de Léon Papillon à l'un de ses fils.

*Marcel à ses parents*

Le 26 décembre 1914

Je profite d'un moment de repos pour vous écrire, car notre escouade a confectionné une nouvelle tranchée, quelque chose de bien. On y tient debout, c'est une véritable salle de chambrée, c'est moi qui ai confectionné la cheminée, j'ai la spécialité de faire les cheminées qui ne fument pas. On a des planches à paquetage, on est comme à la caserne (on tient [à]18).

Le temps s'est mis au froid depuis la nouvelle lune, la neige a tombé. J'ai passé la nuit de Noël (de 9 h à 2 h du matin) dans la plaine en avant des lignes, accroupi dans une raie de champs. Il faisait si peu froid que les canons des fusils étaient couverts de glace par la buée de notre souffle. Il gèle de plus en plus fort. Beau réveillon !

Les Boches ont l'air de nous narguer, ils ont hissé leur pavillon en haut d'un poteau télégraphique en avant de leurs tranchées.

Nos territoriaux finissent par s'apprivoiser. Je crois qu'ils n'ont pas à se plaindre, car on prend la garde et les avants-postes pour eux. Aujourd'hui, il nous en est encore arrivé venant de Bordeaux. Le 6e d'artillerie à pied en a reçu venant d'Alger.

Pour Noël, on a touché en supplément 1 paquet de tabac gros, 1 de fin et un papier à cigarette. A part ça, c'est toujours la même vie. Aujourd'hui, le canon gronde sans arrêt vers les Hauts de Meuse.

J'ai reçu une carte de Joseph et une lettre de Marthe.

Les réformés repris ne doivent pas l'avoir à la bonne, c'est bien l'armée du salut *.

---

* A cause des pertes considérables, les conseils de révision ont réexaminé le cas des ajournés pour raison de santé.

Je suis satisfait de savoir que tante Célénie va chez nous, donnez-lui connaissance de ma lettre. Je lui écrirai ces jours-ci. Il fait tellement froid que mes doigts ne veulent plus marcher. Donnez-moi des nouvelles de Lucien ainsi que son adresse.

Il faut espérer que d'ici la fin de février, il y aura du nouveau. Sans quoi j'ai bien peur que la danse recommence au printemps.

Je suis toujours en bonne santé, j'ai été vacciné contre la typhoïde pour la 2e fois ; ça rend malade. J'ai eu une fièvre de cheval pendant 3 jours. Maintenant c'est passé, ça va bien. Dans notre nouvelle tranchée, nous sommes bien. Seulement, ça manque de paille, on couche presque à même sur la terre.

Lorsque vous recevrez ma lettre, l'année 1915 sera commencée. J'espère qu'elle sera meilleure que celle écoulée et que bientôt nous serons tous réunis dans le quartier du Crot.

Je vous adresse à tous, ainsi qu'à marraine Célénie, tous mes meilleurs voeux et souhaits pour l'année 1915 [...]

---

*Lucien à ses parents*

Le 29 décembre 1914

Il n'y a rien que le comi à Ferrant de Versosse [Versauce], qui est dans la même compagnie. Mais on ne couche pas dans la même chambre. Dans mes habits, il[s] on tenu conte que de mon chandaille, seinture de flanelle, 2 paires de chaussette, mes deux chemise, mes gans, mes deux calessons, mais il nous ons pas dit combien il nous les pairais [paieraient]. J'ai vue Doré vendredi dernier. Je suis été voir Guillemot. J'ai mis ma valise chée lui. Il m'a dit qu'il voudrait bien te revoir. J'ai soupé chées eux. Il ont l'ère d'être des bonnes gans [gens]. Il vous envoie bien le bonjour.

Il[s] nous fonts bardés. Lundi on à fait une marche de nuit : on est parti à 9 heures du soir, on est rentré à 1 heure de matin. Moi, je n'i suis pas été, je me suis porté malade : j'était un peut enhrumé. Aprésant je suis g[u]éri, on m'a mit des vantouses, on a été presque tous enrhummé. La chambre est humide. Le matin au réveil, les murs sonts umides, l'eau coule […]

P. S. Esque tante Célénie vient toujour chez nous ? Tu lui soitra [souhaiteras] le bonjour de ma pare. Et Lonlon va toujour à chan [aux champs avec] la bicqu ? Et Cala est toujours chez Antoine et la meute va toujours bien ? J'ai écrit à Joseph, à Marcel, à Marthe : voilà déjà un moment [qu']elle n'[a] pas encore répondu. Quant tu va menvoyé mon briquet, tu m'enverra mon amadou, je l'ai laissé en haut, dans la caisse qui est au pied du lit.

*Marthe à ses parents*

Le 29 décembre 1914

J'ai bien reçu vos lettres. Merci des adresses de Marcel et Lucien. J'ai écrit a Tante Célénie hier.

Il m'est impossible de trouver de la chicorée. J'ai aussi demander a Fontainebleau.

Le chocolat vaut 1.50 et 1.80 la livre. Maintenant, du café il y en a à 3 [fr] la livre, au bon Nègre, qui est bon. Demande a Tante, c'est là que Hortense se servait. J'ai eut de ses nouvelles hier, sa mère ne vat pas mieux. Son garçon est toujours à Valence.

J'ai reçu une lettre de Joseph et une de Lucien. Il a l'air tout satisfait du régime militaire. Tant mieux. Et me demande son briquet. Je lui en ait trouvé un beau. Il est à essence et à molette. Il sert à deux fins, de la mèche et une douzaine de pierres. J'en ai également deux dz pour papa.

Il y a quelque temps que je n'ai rien reçu de Marcel. Je lui ait écrit et demandé s'il voulait que je lui envoie un coli postal de victuailles.

Nous retournons à Fontainebleau jeudi. Ce n'est pas agréable en ce moment. Il fait un temps de chien. Il y a toujours foule dans les gares. [...]

Je vous envoie mes souhaits de bonne année et de bonne santé.

Espérons que 1915 sera plus favorable que cette année.

---

*De Marthe à Lucien*

Paris, le 30 décembre 1914

J'ai bien reçu ta lettre. Merci. Je vois que tu t'est bien accoutumer a la vie militaire. Tant mieux.

J'ai reçu une lettre de Joseph, il est toujours en bonne santé. Je t'ai trouvé un beau briquet avec une douzaine de pierres et de la madoue [l'amadou], ce briquet est a essence aussi, mais ce n'est pas la peine d'en mettre. Tu feras comme tu voudras. Fais attention, car il n'y a pas de plaque de contrôle. Je te l'envoi par la poste recommandé. Tu m'écrira quand tu l'auras reçu.

Chèr Frère, je ne vois plus grand chose a te dire. Reçois a l'occasion du jour de l'An mes meilleurs souhaits de bonne année pour 1915 [...]

*Marcel à Lucien*

Le 31 décembre 1914

Ta lettre m'a bien fait plaisir, écris-moi de temps en temps. Avec tes frusques de pompier, tu dois ressembler à un franc-tireur. Ne te fais pas de bile. Si tu as besoin, demande chez nous. Si tu te sens malade, ne crains pas d'aller à la visite et si tu as besoin de savoir quelque chose, écris-moi.

Ça doit te sembler drôle de coucher dans la paille. Pour le jour de l'an, on va toucher champagne et oranges, pommes de table, saucisson, un demi-litre de vin en plus de notre quart d'ordinaire et cigares… c'est la bombe en plein. Les Boches n'ont qu'à bien se tenir.

Je suis toujours dans les tranchées. On finit par s'y faire. On n'a pas trop froid, ça va.

Je te souhaite une bonne année, je te serre la cuillère.

Ton frangin

*Marcel à ses parents*

Le 31 décembre 1914

Vous trouverez dans cette enveloppe une lettre pour marraine Célénie.

Je suis toujours en bonne santé. J'ai reçu une lettre de Lucien, je lui réponds en même temps qu'à vous. Avec ses frusques de pompier, il doit ressembler aux francs-tireurs de 1870. Il a l'air de prendre le métier du bon côté.

On a touché des peaux de moutons pour prendre la garde. Ça tient chaud. On a également touché une embraielle * bleue pour mettre sur le pantalon rouge : avec ça, on ressemble à des chasseurs à pied. Pour demain, 1er de l'An, on va toucher : 1 bouteille de champagne pour 4, 1 demi-litre de vin en plus de notre quart habituel, oranges, pommes de table, saucisson et cigares, ça va être la bombe en plein. Il faut espérer qu'on finira l'année aussi bien qu'on va la commencer. Il ne fait toujours pas chaud, ça sent encore la neige.

Bonne année et bonne santé

[Jointe à cette lettre une lettre pour sa marraine Célénie.]

Je suis heureux de savoir que tu montes chez nous presque tous les jours. Continue, ça va te désennuyer. Depuis que je suis parti, j'en ai vu de toutes les couleurs, nous avons commencé par de longues marches après notre débarquement dans les Vosges. Nous avons pris part à la défense du Grand Couronné de Nancy. Aussitôt après, nous sommes partis pour Saint-Mihiel dégager le fort du Troyon et ensuite nous sommes redescendus sur Toul, après avoir pris part à des combats très meurtriers. Depuis 3 mois, nous sommes dans les tranchées à 6 km de Pont-à-Mousson, non loin de Toul, dont nous formons avec 5 autres régiments la défense mobile. Nous gardons un passage très convoité par les Boches. Maintenant, on ne désire plus qu'une chose, la paix !

J'espère que la nouvelle année te sera plus favorable que celle écoulée, c'est ce que je te souhaite de tout coeur et que bientôt nous nous retrouverons tous réunis autour de la table de la mère Maratras ** [...]

---

* Embraielle : Marcel parle probablement de braies, survêtement ample.

** La Mère Maratras : Mme Papillon.

# LETTRES DE 1915

*Joseph à ses parents*

Le 2 janvier 1915

J'ai reçu votre lettre hier et une de Lucien. Elles n'ont pas mis longtemps pour venir – quatres jours. Nous avons quitté la Belgique le 31, maintenant je suis tout près de Dunkerque. Je suis bien installé pour travaillé dans une école. Le poêle ronfle toute la journée. A l'occasion du jour de l'an, nous avons été très bien soigné. Il y avait jambon, gruyère, vin, champagne, tabac fin, cigarettes, cigares. Dans le colis que vous voulez m'envoyer, ce n'est pas la peine de mettre de fromage. Le voyage le briserait et tout serait perdu. J'espère que vous aurez reçu ma lettre à temps. J'ai mis le secteur postal. Si toutefois elle n'est pas arrivée, c'est le no. 19 […]

P.S. Lucien se plaint qu'il couche dans la paille. Quand il aura couché sur la terre, il sera bien content d'en trouver. J'ai écrit à Tante Célénie. J'espère qu'elle a reçu ma lettre. Quand vous m'écrirez, il faudra me dire combien mes lettres mettent de temps à vous parvenir.

---

*Mme Papillon à Lucien*

Le 5 janvier 1915

R'écrit-nous par retour du courrier si tu es guéri, si tu es à l'infirmerie ou à l'hôpital. Je t'enverrai ta mèche ces jours-ci.

Marthe a écrit : alors elle nous dit qu'elle t'a acheté un beau briquet qu'elle va te l'envoyé [et] qu'elle a reçu une lettre de toi. Joseph et Marcel ont écrit aussi. Il sont toujours en bonne santé. Le garçon au père Jossier de Givry est mort à Avignon d'une maladie contagieuse [...] La mère Lobroh m'a dit que Ferrand avait été rejoindre directement à Toul, mais ils ne lui ont pas dit dans quel régiment il avait été versé. Raffatin est encore blessé pour la seconde fois à la tête et au talon. Il est soigné à Dijon.

Je ne vois plus rien à te dire. Tu souhaiteras bien le bonjour chez Guillemot pour nous. Si tu as besoin de chocolat, dis-le moi : je t'en enverrai avec ta mèche.

Dit, quand tu écrit cantonnier, met dont voir 2 nn, cantonnier.

---

*Marcel à ses parents*

Le 5 janvier 1915
[datée par erreur du 5 décembre]

J'ai reçu votre lettre hier (datée du 28). J'en ai envoyé une le jour de Noël et une autre le 31 décembre. J'ai répondu à M. Mollion * le 1er janvier.

Je suis toujours en bonne santé. Il fait un temps abominable, la pluie tombe tous les jours. J'ai reçu plusieurs cartes de Joseph et une lettre de Lucien. Nous avons bien fêté le 1er janvier. Voici le menu : porc frais, jambon, pommes de table, noix, 1/2 litre de vin en plus de notre quart habituel, 1 grande bouteille de champagne pour 4, tabac offert par les enfants de France (Ecoles), cigares, café, thé, eau de vie, et le matin, on a fait du chocolat au lait avec du lait concentré.

Les Boches ont voulu se mettre de la partie à minuit,

* Me Henri Mollion, notaire, patron de Marcel.

lorsque l'on débouchait le champagne ; ils se sont mis à tirer des coups de fusil sur toutes leurs lignes, on croyait à une attaque, mais ça n'a rien été. Le feu ayant pris dans une de leurs tranchées, c'était peut-être pour empêcher qu'on les surprenne ou bien simplement... pour nous souhaiter la bonne année. Nous avons passé le reste de la nuit à jouer aux cartes et à se désenuyer comme on a pu. Enfin, nous avons gaiement commencé l'année. Je vous envoie un bout d'étiquette du champagne et la bande de mon paquet de tabac.

Ces jours derniers, il y a eu de violentes attaques dans le bois de [Mortmare], dont une de nuit. J'ai assisté au spectacle juché dans les branches d'un hêtre à 10 h. du soir. Quelle tempête ! Feu de canons, éclatement des obus, crépitement de la fusillade et des mitrailleuses, le tout embrasé par les phares électriques et les fusées éclairantes. Pour le coup d'oeil, c'était un beau feu d'artifice. Nos territoriaux nous ont quitté pour un moment, ils sont dans un cantonnement dans un petit pays en arrière. Ils tombaient tous malades, il n'en serait plus resté, le régime des tranchées [ne] vaut pas le soleil du Midi.

Les permissionnaires ont de la veine, tandis que nous, depuis six mois de campagne, on n'a pas encore trouvé les moyens de nous faire reposer une journée. Nous autres, nos permissions sont dans les caissons des Boches. Enfin, il ne faut pas désespérer. Un jour viendra ! Vézelay ne doit pas être gai, bientôt il ne restera plus personne de valide. Je ne pensais jamais voir les feuilles repousser dans notre bois, mais je vois que je me suis trompé, il faut espérer qu'on en verra tomber, mais pas celles-là [...]

P.S. Le Lonlon soigne toujours la bique, et le terrible Cala, il se dispute toujours avec Rocas * ?

---

* Lonlon : le jeune Léon Papillon, cadet de la famille ; Cala : son frère Charles ; Roc[h]as : un de leurs amis.

*Lucien à ses parents*

Le 8 janvier 1915

J'ai reçu une letre de Joseph hière, q[u']elle était datée du 2 janvier. Il me dit qu'il avait quité la Belgique le 31 Décembre. A présant il [est] près de Dinkerque. J'ai tougé l'argent de mon linge, g'ai touché 15 frs pour le chandaile, les deux chemise, les deux calsons, le sinture de flanelle, deux paire de chausettes, les gans. Il ne peillais pas moitié de ce que sa valait. Si tu trouve un petit calandrié, tu me l'enverait. Ge ne voit plut granchose à vous dire. Je suis toujours en bonne santé. J'espaire que vous êtes tous de même [...]

*Marcel à ses parents*

Le 10 janvier 1915

J'ai reçu votre lettre du 4 janvier hier. J'écris tous les 5 jours les 1er – 5 – 10. Comme cela, vous verrez bien si mes lettres arrivent. Nous avons eu distribution de vin, quelques effets et conserves offert par M. Delaroue, maire et député de Melun *. Son fils est [de] la 17ème Cie. J'ai causé avec lui l'autre jour, c'est un camarade d'études à Flandin, le

* Eugène Delaroue (1864-1935), maire radical de Melun depuis 1904, député de Seine-et-Marne de 1914 à 1919.

député *. Il me disait que leurs robes d'avocat étaient raccrochées l'une à côté de l'autre au vestiaire. Il est simple soldat, il ne me paraît pas avoir les mêmes idées que son camarade. Il me disait même : « Si Flandin repasse, ça m'étonnera ».

Savelly est revenu vers nous, il m'a dit – je ne sais si c'est exact – mais il paraît que Mathey, le garde-champêtre des Chaumots, qui est avec Simon, a été tué par un obus au moment où il revenait dans sa tranchée. Pas de chance non plus ! Savelly a reçu une carte de son copain Defert. Il est à l'hôpital à Montceau-les-Mines. Ses pieds commencent à désenfler. Du 167e qui est près de nous, il y en a un grand nombre qui ont les pieds ou les mains gelés. Leurs tranchées sont plus exposées et moins confortables que les nôtres.

Il fait un temps abominable, la pluie tombe tous les jours. Ce pauvre Lucien n'a pas de chance, mais s'il se sent malade, qu'il n'hésite pas à aller à la visite.

Alfroy est plus veinard que nous : il passera la guerre au dépôt. Je viens de voir Grossin : on va écrire à la Croix-Rouge pour avoir des nouvelles de son frangin. C'est terrible tout de même de ne pas avoir des nouvelles des Baroy et de Michel. Les parents doivent être dans un drôle d'état.

Je viens de recevoir une lettre de Marthe. J'ai reçu aussi une carte de Joseph.

Savelly et Grossin vous envoient le bonjour [...]

P.S. Ça me fait plaisir de savoir que M. Vallué est à Vézelay. Je vais lui envoyer une carte (un souvenir des tranchées), ça lui fera plaisir.

---

* Pierre-Etienne Flandin, député de l'Yonne, de la droite modérée. Il sera plusieurs fois ministre après la guerre, président du Conseil de novembre 1934 à mai 1935, et puis, un court temps, sous Vichy.

*Joseph à ses parents*

Vest-Capel, le 11 janvier 1915

Je vous envoie ces quelques lignes pour vous donner de mes nouvelles qui sont toujours bonnes. Je suis toujours au même endroit. En ce moment, nous prenons des bains, cela nous fait grand bien, ce n'était pas du luxe. J'ai changé ma tunique pour une tunique de pompier, elle a un liseré rouge tout autour. Il ne me manque plus qu'une boîte aux lettres et j'aurai tout du facteur. Ces tuniques ont été envoyées par les sociétés de sapeurs-pompiers. On croirait bien que la France ne peut plus nous habiller.

Nous sommes très bien nourris, nous mangeons du pain qui n'a que 4 jours. Il y a du vin tous les jours. J'ai reçu une carte de Marcel : il n'a pas l'air plus malheureux que moi, il a lui aussi bien fait le jour de l'An. Je vous envoie ci-joint le nom de tous les pays où nous avons cantonné depuis le début de la campagne. Il faudra me dire si vous l'avez reçu. Je pourrais vous donner d'autres renseignements. Si toutefois je reviens comme je l'espère, je vous apporterai des souvenirs de la guerre […]

*Lucien à ses parents*

Le 12 janvier 1915

Je va être vassiné aujourdui pour 2 [la 2e] fois. Cette fois-là, c'es[t] la plut [plus] forte : on va avoire la fièvre. On à trois jours de repos. Esercisse n'est pas trop dur : on fait 2 heures d'ésercisse par jours et 3 heures de déorie [théorie]. J'ai touché le pri[x] hier : 7 sous et un baquet de tabac. J'ai vu Cafel Dimanche et Beugnot. On a bu un litre de cidre ensamble. Voilà déjà trois fois que je vas au lavage dans un bâteaux sur l'Yonne. Picar est tombé de maladie Dimanche dans la rue. Il est à l'opital, parceque il s'est fait vasciné [et] qu'il avait déjà eu de la fièvre tifoide [...]

P.S. E[s]t-[ce] que la meute va bien ? Ravaude mange toujours les poules et Léon va toujours en chans sa bigue [aux champs avec sa bique] ? Et Charles est toujours avec Rocasse ? Tante Célénie vas toujours bien : tu lui soitra [souhaiteras] le bonjours pours moi. Tu soitras le bonjours à Brisdoux pour moi. Je termine, je vais allé me faire piqué l'épaule.

*Marthe à ses parents*

Le 13 janvier 1915

Il y a longtemps que je n'ai pas eut de vos nouvelles. J'espère que malgrés tout, vous êtes toujours en bonne santé. J'ai eut des nouvelles de Marcel, Joseph et Lucien, qui et content de son briquet et m'as envoyer sa photo. Comme je vous l'ai dis sur ma dernière lettre, nous avons passé le jour de l'an à Fontainebleau. Pour une année de guerre, j'ai eut de belles étrennes – 80 frs – et la caissière * m'a donné une boîte de six jolis mouchoirs fantaisie. Jamais je n'en ait eut autant. Nous

* Il s'agit de la caissière du magasin dont les patrons de Marthe sont les propriétaires.

avons beaucoup de travail mais en revange nous sommes récompensées […]

---

*Mme Papillon à Lucien*

Le 14 janvier 1915

On à reçu ta lettre de ce matin. Méffie-toi bien de ne pas te laissé avoir froid. Il faut mettre ton plastron si ce n'est pas fait. Charles ne va plus se disputé avec Rocasse : il a été ensevelis samedi de 9h 1/2 à 10 h. du matin dans le terrier à Basseporte, sur la petite route entre Asquins et Saint-Père. Charles n'était pas à 1 mètre de lui quand c'est arrivé. Charles lui disait de ne pas creusé en dessous, alors il lui a répondu : « On a déjà tirer de la terre », mais il n'en retirera pas. Sa l'a tué raide. Il avait plus de 6 mètres cube de terre sur le rable et Charles en avait jusqu'à la hauteur de ces poches. Il n'avait plus d'outils, il c'est déprit * avec ces mains. Le père André Gros a été enterré lundi et Jean de la Croix, mardi […]

P.S. Mon cher Lucien, j'ai demandé des petits calendriers, je n'ai pas put en trouver. Pour quand à Ravaude, elle n'a pas remangé de poules.

---

* Déprit (pour dépris) : dégagé.

*Marcel à ses parents*

Le 15 janvier 1915

Hier, j'ai reçu une carte de Joseph, il est plus veinard que moi. Il me raconte qu'il travaille et qu'il couche dans une école près de Dunkerque ; tandis que moi, depuis les premiers jours d'octobre, je n'ai pas remonté sur une route et n'ai pas revu une maison. Ces temps de pluie deviennent inquiétants, quelques abris et tranchées ont dû être abandonnés, l'eau s'étant mise à y sourcer comme dans un puits. L'eau suinte partout dans ces fameuses tranchées, on s'en pare comme on peut avec des toiles de tentes, des gamelles et des plats. C'est très curieux à voir, nos installations, mais je vous assure que cela n'a rien d'agréable.

Quant aux chemins, je n'en parle pas. On a de la boue jusqu'aux genoux, on a été obligé de les garnir de fagots que nous faisons tous les jours pour pouvoir circuler.

Depuis quelques jours, nous avons comme commandant de compagnie un lieutenant de réserve comme nous : M. le Comte de [Maumigny], originaire de Nevers. Il est à peu près de nos âges, M. Dicquemare doit connaître cela. Il a fait son temps a Nevers au 13e. On a parlé du 356e sur le journal Excelsior no. du 18 décembre, [de] ce que nous avons fait depuis la guerre. C'est un résumé un peu fantaisiste, et l'auteur a oublié de parler de notre randonnée de Nancy. Mais enfin, il n'a pas exagéré : on en a fait même plus qu'il n'en dit *.

Je n'ai pas reçu de nouvelles de Lucien, son rhume est-il passé ? Si en tirant au cul, il pouvait rester au dépôt, ce serait déjà pas si bête. Je suis toujours en bonne santé, ainsi que Savelly, qui vous envoie le bonjour.

Les jours commencent déjà à rallonger, ce n'est pas dommage, les nuits de garde seront moins longues, mais en attendant, la paix ne vient pas vite. Je me demande si jamais on en sortira. Tout de même, depuis le temps qu'on mène cette vie,

---

* T. Trilby, « Les régiments de France. Le 356e d'Infanterie », *Excelsior*, 18 décembre 1915, p. 9.

on s'en lasse, on se fatigue et l'on s'épuise. Tout a une fin. C'est ce qui me fait croire que la guerre ne devrait pas encore durer bien longtemps [...]

---

*Marthe à ses parents*

Le 16 janvier 1915

J'attendais pour envoyer les pierres à papa d'avoir une occasion, mais puisqu'il en a absolument besoin, je les lui envoie immédiatement. J'ai profiter aujourd'hui dimanche pour vous faire un petit colis de quelques oranges et mandarines que je vous expédierai demain. Vous trouverez les pierres dans une petite enveloppe blanche. J'ai également fait un paquet de victuailles à Marcel. Je crois qu'il souffre de la faim. C'est terrible de penser à ça : où est la fin de cette maudite guerre ? Voici ce que je lui ait mis : quatre boîtes de sardines, 2 boîtes de pâté de porc, un petit saucisson, 1 livre de chocolat, quatre oranges, 1 fromage coulommier, 1/2 livre de confiture aux fraises, 1 paquet de tabac. Madame lui en a envo[y]é un samedi. Quant à Joseph, il me dit qu'il est en repos et que ça lui sera utile plus tard. Marcel m'a dit que Lucien avait été malade. Vous ne m'en avez pas parler, qu'a-t-il donc eut ? Il m'a envoyé sa photo, je vous l'ai peut-être déjà dit. Hortense m'a écrit et me dit qu'elle n'a pas de nouvelles de tante. Que fait-elle ?

Voici les Zeppelins qui menacent de nouveau à bombarder Paris. La tranquillité [n'a] pas été longue. Au sixième, nous sommes aux premières loges pour recevoir les bombes. Il faut espérer que les aviateurs ne les laisseront pas venir jusqu'ici.

Vous m'excuserez, ma lettre est écrite plus ou moins

bien, une malle me sert de table. Comme il fait froid dans ma chambre, je me suis installée dans celle des malles qui est chauffée par les cheminées des cuisines [...]

*Joseph à Lucien*

Le 18 janvier 1915

J'ai reçu ta lettre avant-hier. Je suis heureux de te savoir en bonne santé. Le lendemain, j'en ai reçu une de chez nous. Je ne sais pas si on t'a écrit que Rochas s'était fait tuer par un éboulement de terre. Charles l'a échappée belle. Il était à un mètre de lui. Moi je suis tranquille pour le moment. Si tu pouvais être comme moi, tu ne serait pas malheureux. J'espère que tu dois commencé à savoir te servir de Mademoiselle Lebel *. Tu ne dois pas avoir trop chaud, car en ce moment il fait un temps abominable : la grêle, la pluie, la neige, tout s'enmêle. Heureusement que nous allons du côté du beau temps. Tu me dis que tu as été vacciné contre la typhoïde : t'es plus veinard que moi et bien d'autres. Aucun du régiment ne l'a été. Tu as souffert, c'est vrai, mais tu es tranquille. Il ne faut pas [te faire] de bile, prend le temps comme il vient et c'est tout [...]

* Le fusil Lebel.

*Joseph à ses parents*

Le 18 janvier 1915

J'ai reçu votre lettre et le colis que vous m'avez adressé hier. Je vous remercie beaucoup. J'ai reçu également une lettre de Lucien. Il m'a dit qu'il devait aller déjeuner avec Doré dimanche matin. Il n'a pas l'air de se faire trop de mauvais sang. Ce pauvre Charles l'a échappé belle. Ça serait été malheureux qu'il se fasse prendre si bêtement. Quant à Rochas, ça lui a plutôt rendu service, et Vézelay est bien débarrassé. Les Barons, que sont-ils devenus depuis le temps que les parents n'ont plus de nouvelles d'eux ? Dans votre prochaine lettre, il faudra me le dire [...] En ce moment, ça barde pour la correspondance. On est puni de prison si on marque le nom du pays où l'on est, et derrière la lettre que l'on envoie, il faut mettre son adresse. Il y a un peu de temps que j'ai reçu des nouvelles de Marcel et de Marthe. Moi c'est toujours la même chose. J'ai souffert un peu des dents [...]

*Lucien à ses parents*

Le 22 janvier 1915

Je ne suis été malade la 3ème fois, mais la deusième fois, j'ai eu mal au bras pandan trois jours *, c'est cette fois-là que j'ai vu Doré. J'ai bu un litre avec lui et puis Beugnot. J'ai encore une fois à être piqué : je vas être mardi. Il y en à déjà la moitié de la compagnie qu'on déjà touché des fusils. J'en n'ai pas encore touché, [et] puis j'en n'ais pas besoin. Je m'en pas-

* Allusion à la troisième injection de vaccin contre la typhoïde.

serai bien. Je n'ais pas vu Doré. Je n'ai pas pu lui donné ma valise : mon linge n'es pas mal où qu'il est. Il est dans une armoire et ma valise aussi. Quant Doré retournera à Vézelay, je lui donerai ou bien je vous l'enverai. Je vourébien [voudrais bien] que tu m'envois une grosse pipe.

Maintenan, j'ai changé d'adresse : je suis à la 4e section, 16e escoide [escouade] [...]

---

*Mme Papillon à Lucien*

Le 23 janvier 1915

J'ai donné se matin à Henri Doré pour toi 3 fromages et ta mèche à Briquet. Il va arrivé à Sens demain dimanche à 10 heures du matin. Si tu ne peut pas aller au devant de lui, tu iras le trouvé dans la maison ou tu sait bien qu'il va boire son café tous les soirs et tu iras avec lui chercher les fromages dans sa chambre. Pour quand à ton linge, fait-le donc installer à Madame Guillemot pour qu'il ne moisisse pas dans la valise et Henri Doré nous a dit ce matin qu'il te l'apporterait dans un mois quand il allait revenir à Vézelay. Il a avancé son voyage d'un jour : au lieu de venir vendredi, il est venu le jeudi. Sa permission partait du vendredi. Il est venu en civil, ça lui a coûté place entière. Si toutefois tu allait au devant de lui, tu le verra en civil. Il va s'habiller en sa chambre avant de se rendre à son service. Quand tu ira chercher tes fromages, il faut y aller tout seul, à seule fin que les autres n'aient pas l'occasion de t'en demander. Mercredi prochain, on va expédier à Guillemot un colis qui va se composé d'un lapin et d'un cent d'escargots que vous mangerez dimanche 31 janvier à notre santé. Tu n'oublieras pas de prévenir chez Guillemot. Donne donc tes flanelles et tes chaussettes à lavé à sa femme, en la payant bien entendu. Au moins on ne te les voleras pas en les fesant sécher. Si elles sont déchirées, elle te mettra un point. Joly, le gendre de la Morvandelle, va à Sens aussi. Eumène est prisonnier du [depuis le] 9 janvier avec le garçon à Gaillot, l'héritier à Pierrot Gaillot. Dasnoit est prisonnier. Aussi le garçon à Octave de Cray. L'Hérissé est mort en Allemagne : la dépêche est venue ce matin. Tes frères ont écrit tous les 2 ce matin. Marcel et Joseph, ils sont toujours en bonne santé [...]

*Carte de Marcel à Lucien*

Le 24 janvier 1915

Je viens de recevoir ta lettre du 9 janvier. Je t'ai déjà envoyé une carte. L'as-tu reçue ?

Je suis toujours dans les tranchées. Il fait froid, la neige tombe, on commence à se faire vieux, depuis 6 mois que ça dure. Et toi, ça va ? Ne te fais pas de bile, prends le temps comme il vient, on verra peut-être la fin de tout cela. J'ai reçu des nouvelles de chez nous et une lettre de Marthe. Ne te laisse manquer de rien, ne crains pas de demander chez nous ou bien à Marthe. Si quelquefois tu pouvais dénicher une petite permission pour une occasion quelconque, ne rate pas l'occasion [...]

*Marcel à ses parents*

Le 25 janvier 1915

Je viens de recevoir une lettre de Lucien. Ça a l'air d'aller. J'ai aussi reçu une carte de Vincent, qui me dit qu'il est affecté à la 5e section d'infirmiers. Tant mieux pour lui. Mais le maniement du fusil et un peu de la vie des tranchées lui auraient montré à vivre.

Il passera la guerre à faire la bombe, tandis que nous autres, depuis déjà 6 mois de souffrance, n'apercevons pas encore la fin de nos peines. Et c'est toujours ceux-là qui auront la plus forte gueule en rentrant. Enfin… Il fait toujours très froid, la neige tombe : quels tristes moments à passer la nuit ! Nous avons bien gagné à Bois-le-Prêtre *. La nuit d'avant-hier, les Boches ont attaqué et contre-attaqué nos positions 5 fois de suite, sans résultat. Que de vies sacrifiées pour des lambeaux de terrain ! Et les blessés : quelle position, dans la neige, sur la terre gelée ! Ce n'est pas une guerre qui se passe actuellement, c'est une extermination d'hommes.

Je suis toujours en bonne santé ainsi que Savelly et Grossin qui vous envoient le bonjour.

Quoi de neuf à Vézelay ? Comme partout, les marchandises ont dû repiquer […]

Dernière heure : on vient de nous dire que nous allons être relevés et partir sans doute demain pour soi-disant nous reposer.

---

* Ce lieu, croupe boisée (et bon observatoire) qui domine le sud de la plaine de la Woëvre, à l'ouest de Pont-à-Mousson, sur la rive gauche de la Moselle, fut un lieu de combats terribles et continus d'octobre 1914 à mai 1915, date à laquelle le bois est pris par les Français. La division de Marcel sera dénommée la « division du Bois-le-Prêtre » (à cette date cependant le régiment de Marcel n'y est pas encore engagé). Une mémoire combattante spécifique en garda le souvenir à travers des associations et l'érection de monuments du souvenir. Voir *Le Bulletin de la Division du Bois-le-Prêtre* après guerre. Il existe à Paris un boulevard du Bois-le-Prêtre.

*Les parents Papillon à Lucien*

Le 28 janvier 1915

Le colis pour vous faire à manger chez Guillemot est expédié d'hier, comme je te l'avait écrit : 1 lapin et un cent d'escargots. Et ta pipe, tu la demanderas si on ne pensait pas à te la donner. Le colis est expédié à Guillemot à domicile. On lui a écrit une lettre en même temps, en lui disant que la pipe, c'est pour toi. Tu peut aller dimanche soir, sans faute, dîner […]

*Marcel à ses parents*

Le 30 janvier 1915

J'ai reçu hier votre lettre du 21. Je suis toujours en bonne santé ainsi que les amis. Nous ne sommes pas encore relevés, mais nous devons partir ces jours-ci.

Si Mathey n'est pas dégonflé, tant mieux, mais on avait bien expliqué à Savelly que c'était lui. Quant à Eumène – un camarade qui a son frère au même régt (le 46e) – m'a dit que le régiment avait bien souffert il y a une quinzaine. 2 compagnies avaient été faites prisonnières. Je n'en sais pas plus.

Cette nuit, on a fait un prisonnier, c'est un Saxon, il était pris dans les fils de fer, il gueulait « Kamarad Franzious ». Ils sont comme nous, ils auraient grand besoin d'être rétamés à neuf.

Répondez-moi si mes lettres de tous les 5 jours arrivent régulièrement.

Vous me dites que M. Combes est impatienté de ne pas partir. S'il en avait goûté, il ne serait sans doute pas si pressé. Souhaitez-lui le bonjour pour moi. Quand j'aurai un moment, moi aussi je vous enverrai mon itinéraire. Nous étions à Saint-Mihiel lorsque nous avons dégagé le fort du Troyon et repoussé les Boches. Joseph y était lorsque les Boches ont pris Saint-Mihiel. Nous avons fait jonction avec une division indépendante de cavalerie, 3 régiments de Dragons et une batterie du 8e volant, sous le fort du camp des Romains et nous avons cantonné à Saint-Mihiel, rue du Calvaire chez un médecin. Le génie français avait fait sauter les ponts. Dans les premiers jours de septembre, nous avons pris part à la défense du Grand Couronné de Nancy, nous gardions la rive droite de la Moselle. Nous avons quitté ce coin (Rosière-aux-Salines, Dombasle et Saint-Nicolas-du-Port) pour accourir à Saint-Mihiel. Nous sommes arrivés à Toul pour embarquer en une seule tirée (35 km par nuit). On commençait à en avoir plein les jambes – car le chargement se pose là – sac réglementaire et 150 cartouches.

Il fait toujours froid, tout est blanc de neige, on suit les traces des lièvres, on pose des collets, on a déjà pris un chat. Cette nuit, lorsque Grossin était de faction, il y a un capucin * qui est venu se mettre sur son cul à 30 mètres de lui.

Grossin vous envoie le bonjour. Savelly est parti pour quelque jours comme volontaire pour apprendre la mitrailleuse. Le prisonnier Boche nous a dit qu'il y avait des Autrichiens avec eux. Il avait bien peur qu'on le fasse capout [...]

---

* Un capucin : un lièvre.

*Lucien à ses parents*

Le 1er février 1915

Je n'ai pas pu allé mange le coli chez Guillemot, parce que le cartier est consigné. Il y a un cas de scarlatine et de rougeole. On a été consigné pendant au moins 30 jours. Cela ne me va g[u]ère mais ce qui a d'enmerdant, c'e[s]t qu'on va toujours à l'esercisse. Aujourd'hui, on a bouché les tranchées que la classe 14 avait fait. J'ai reçu une carte de Marcel hier, du 24 janvier. Il me dit qu'il ne fait pas chaud dans les tranchées. Aprésan, il fait moins froid. Dimanche progain, j'étais invité à manger avec Doré, mais je peut pas y allé, il ne fait pas bon a sortir. Il y en a 10 qui sont sortis, ils ont attrapés 8 jours de saldepolisse [salle de police], cela ne donne g[u]ère envie de sortir […]

Esque Léon tue des merles ?

*Joseph à ses parents*

Le 4 février 1915

Je ne vous ai pas fait réponse plus tôt pour cause de santé. Voilà plusieurs jours que j'ai mal aux dents. Hier, j'ai été forcé de me coucher tellement que je souffrais. Heureusement qu'il y a un dentiste à la division, sans quoi je n'aurai pas fini de souffrir. J'ai reçu également une lettre de Lucien et une carte de Marcel. Ils sont toujours en bonne santé. Je ne sais pas si mes lettres font la même chose. Depuis quelques jours, elles vont beaucoup moins vite qu'au commencement du mois de janvier. A cette époque, elles ne mettaient que quatre jours pour venir. Je suis toujours au même endroit tout près de la mer, à 15 km environ *. Je fait quatre à cinq kilom. tout les

* A Drincham, dans le département du Nord.

jours pour aller travailler, cela me donne de l'appétit. Charles et Léon, que font-ils maintenant ? […]

---

*Marcel à ses parents*

Le 5 février 1915

J'ai reçu votre lettre du 28. Chaque fois, je trouve la feuille et l'enveloppe, puisque je réponds avec. Nous sommes au repos depuis 2 jours à Villers-en-Laye [Villers-en-Haye] – ça semble bon après 6 mois de campagne dont 4 de tranchées.

C'est la bonne vie, nous avons de la bonne cuisine et le vin à discrétion à 0.60 le litre.

Le lieutenant-colonel, médecin-chef de la division, a dit que nous avons bien besoin de repos, après avoir passé sa revue.

Je bois mon litre à chaque repas, je suis devenu soiffard depuis la guerre. J'ai encore 25 fr. Quand il n'y en aura plus, j'en demanderai. Pour l'instant, nous sommes bien nourri. On use le bonni de la compagnie.

Savelly est dans le pays voisin à 2 km de moi.

La veille de notre départ, un homme de la compagnie à Grossin a eu la tête fracassée (étant de faction) par un obus. Il était de Guillon. Depuis 8 jours, ces sales Boches nous carillonnent les oreilles avec des pièces autrichiennes de 210. Un obus qui était tombé entre 2 tranchées à la compagnie voisine a fait un trou de la taille d'un homme.

Nous couchons dans une maison abandonnée, paille à volonté, nous sommes bien.

Les habitants sont un peu plus complaisants qu'au mois d'Août, depuis qu'ils ont fait connaissance avec les Boches. Nous avons passé à Martincourt, Gézancourt et Griscourt […]

P.S. Je pars avec un copain chercher une salade de Doucette et de Pissenlis

---

*Marthe à ses parents*

Le 8 février 1915

Oui, en effet, j'ai été longtemps sans vous donner de mes nouvelles j'attendais [de] recevoir une lettre de Marcel, comme vous me disiez que vous étiez sans nouvelles depuis quelques jours. Samedi matin, j'ai reçu une lettre de lui datée du 31 janvier. J'avais l'intention de vous écrire aujourd'hui, car dimanche j'étais à Fontainebleau. Nous sommes rentrés ce matin au train de 6 h 50. Il faut se lever à 5 h. Comme nous arrivions à la gare, on transportait 130 malheureux blessés. Ce n'était plus que des loques. Ils étaient plein de boue, à moitié déshabillés. Entre autre, il y avait aussi cinq boches blessés grièvement. C'était un spectacle plutôt navrant.

Marcel n'a pas encore reçu les colis, c'est ennuyeux. Il devait partir en repos le 1 février, vous le savez probablement. J'ai aussi reçu une carte de Joseph. Je sais quand il change de place par la caissière qui correspond avec le commandant Grandjean. J'ai eut des nouvelles de Lucien, je vais lui envoyer le passe-montagne qu'Hortense a fait pour Marcel. Je ne sais pas si je vous ait dit que Marcel, le fils d'Hortense, était au front dans le Nord.

Hier, c'était la journée du 75 * Madame nous a donner [à] chacune une médaille que je conserve […]

* Journée du canon de 75 : une des journées (avec celles des Serbes, des Troupes coloniales, des Orphelins, du Poilu, etc.) organisées pour collecter de l'argent pour diverses œuvres.

P.S. Il faut bien soigner petit Lonlon pour qu'il se guérisse complètement.

---

*Lucien à ses parents*

Le 9 février 1915

Je suis été consigé de Samedi. G'ais mangé les escargots dimanche, il était bon. Il [Guillemeau] a reçu le colli dimanche matin. J'ai vu Doré dimanche. On a bu un ver ensemble. J'ai vu le gendre au père Pacots et deux de Domecy. Beugnot est parti au feu mercredi dernier : je l'ai vu à la caserne. Je suis été aujourd'hui au tir. J'ai fais un bon carton. Demain, on va toucher des fusils de pompier en plasse de baïonette. C'es[t] des coupe-choux aussi long que deux doigts. Vendredi, on a fait une marche de 20 km avec le sac plein de linge. J'ai reçu une carte de Joseph aujourdui. Il me dit qu'il n'est pas loin de la mer. Il y a une lettre de Marcel ces jours derniers. Guillemot vous souhaite le bon jour. Doré m'a dit qu'il allai dimanche à Vézelay. Je va lui donner ma valise et un paquet pour Charles et Léon. Est-ce que Léon est guéri ? Il doit mieux allé apresan [...]

---

*Joseph à ses parents*

Le 10 février 1915

Je viens de recevoir votre lettre à l'instant, ce qui m'a fait grand plaisir. J'ai changer de cantonnement encore une fois : je suis dans le département de la Somme. J'ai eu la veine de tomber chez une brave femme qui fait tout ce qu'elle peut pour m'être agréable. Nous mangeons ensemble. J'ai un bon lit le soir. Nous passons la veillée au coin du feu, chacun dans un fauteuil. Je passe de bonnes journées, je vous assure que [ça] vaut bien la vie de bivouac. Je crois que nous y sommes pour un bout de temps. Il y a longtemps que j'ai reçu des nouvelles de Marthe. Le commandant Grandjean m'a appelé l'autre jour. Il m'a dit qu'il venait de recevoir une lettre de la dame de Marthe et que ma soeur était en bonne santé [...]

*Marcel à ses parents*

Le 11 février 1915

Je viens de recevoir votre lettre du 4. Je n'ai pas eu le temps d'écrire hier, nous sommes allés faire une forte marche à Saizerais.

Ce matin, la pluie tombe à verse, sale temps. J'ai reçu un colis de Marthe et un de sa dame, deux beaux colis je t'assure. Celui de sa dame était fameux. Nous sommes toujours au repos, que ça continue assez longtemps. Tous les soirs on fait le vin chaud avec Savelly et Moreau. On ne se croirait pas en guerre puisque tous les soirs il y a concert dans les granges ; ça change les idées on a le temps de se faire des cheveux lorsqu'on retournera dans les tranchées. On touche de la compagnie un demi-litre de vin par jour. J'ai reçu une lettre de Lucien et une carte de Simon. Je vous envoie trois cartes qui ont été tirées d'après des croquis au crayon pris dans nos tranchées [...]

---

*Léon (Lonlon) à Lucien*

Le 15 février 1915

Cher frangin,

J'ai écrit une lettre à Marcel hier. Sur sa dernière lettre, il nous dit qu'il est au repos à quelques lieues seulement de la ligne de feu. Quand il est parti des tranchées, il nous a dit que c'était des pièces Autrichiennes de 210 qui les bombardait.

Grand-mère est morte dimanche matin à 5 h et demie des suites d'une congestion.

Voilà Charles en pied à la maison Antoine, il commence déjà à tenir la charrue. Il est content. De temps en temps il charille du bois. Si tu le voyait avec ses trois chevaux comme il se dresse. Rochas à bon remplaçant. Sa patronne lui a demandé s'il voulait absolument s'occuper des chevaux, car elle prendrait un homme pour soigner les vaches. Les petits chiens sont épatants. L'autre jour, ils ont levé un renard en Chauffourd * : si tu avait vu comme ils filaient ! Ils lui ont fait faire une belle promenade. L'autre jour, j'ai trouvé un hibou dans la cabane des larrons. Il était sans doute tombé par la cheminée. Il avait tout renversé. Il est crevé de faim. Ça m'a bien un peu surpris lorsque je l'ai vu par terre au milieu de la carrée. Car je ne m'attendait pas à faire cette drôle de trouvaille. Tu nous dit que tu as

* Le Chauffour : un bois situé au nord-ouest de Vézelay.

touché un fusil de pompier et un coupe-choux en place de baïonnette : tu doit être chic avec ça. Lorsque les Prussiens vont t'apercevoir, ils vont tourner les talons et décamper. Sur sa dernière lettre, Joseph nous a dit qu'il souffrait terriblement des dents et qu'il allait s'en faire arracher quelques-unes. Il nous dit qu'il est à peu près à 15 kilomètres de la mer. Doré n'a pas apporté la valise parce qu'il nous à dit qu'il n'avait pas eu le temps de retourner en sa chambre. Je suis complètement guéri.

Je ne vois plus grand chose à te dire. J'espère que tu est toujours en bonne santé.

Ton frangin qui t'aime

Léon

---

*Marthe à ses parents*

Le 15 février 1915

Je réponds aussitôt a votre lettre. Oui je sais par la caissière et même par Mde [Madame] qui correspond également avec le Commandant quand le régiment change de cantonnement.

En ce moment, il occupe le département de la Somme, mais je ne connais pas le nom du village. J'ai reçu une lettre de Joseph hier, qui me dit lui aussi qu'en ce moment, il est heureux ; qu'il habite chez une brave femme ; que tous les soirs il fait la causette au coin du feu. Une chose bien simple à faire puisque Mme Chauvau n'a pas de nouvelle de son fils, c'est d'écrire à Joseph. Dernièrement, Mde a parlé de Joseph au commandant. Il lui a répondu qu'en effet Papillon était sellier au 2e Escadron ; qu'au début de la campagne, étant entre Thionville et Metz, il conduisait son deuxième cheval et s'étant permis de le monter, ils n'étaient pas devenus très bons amis. Mais qu'à l'avenir, il sera plus indulgent. Mde m'a dit qu'elle avait fait ça pour le faire appuyer un peu. Dans le courant de janvier, elle a envoyer un colis à Marcel qu'il n'a pas encore reçu. Il ne faut pas désespérer. Il y a quelques jours un soldat lui a écrit pour la remercier d'un colis qu'elle avait envoyé au mois d'octobre : quatre mois, ça commence à compter.

Ça me fait tout de même de la peine d'apprendre la mort de grand'mère. Dimanche prochain, je dois aller à Fontainebleau, nous y allons chacune notre tour. Cette année, à cause des evénements, il n'y a pas de fête pour le mardi gras. Les magasins restent ouverts [...]

---

*Marthe à Lucien*

Le 17 février 1915

Que deviens-tu ? J'ai un peu tarder a répondre a ta lettre car j'ai un passe-montagne a t'envoyer. Je remettai toujours pour aller a la poste J'ai joint deux tablettes de chocolat. Si ce passe-montagne ne te sert pas beaucoup cette année, tu le garderas pour l'hiver prochain. Il est beau et chaud. J'ai eut des nouvelles de Joseph. En ce moment, il est en repos dans le département de la Somme, couche a l'abri et au chaud. Il parait qu'il a affaire a une brave femme. Tant mieux.

Sais-tu que grand-mère est morte ? Elle a été enterrée hier matin. Tante est toujours pareille. Aujourd'hui il fait un temps de chien. Vous ne devez pas être bien pour faire l'exercice. Surtout, il parait qu'à Sens il y a toujours beaucoup de boue. [...]

*Lucien à Léon*

Le 17 février 1915

J'ai reçu ta letre ce matin qui m'a fait plaisir. Je voudrai bien voire Charles a la charrue avec ces trois chevaux. Il doit être comme Rochas, il doi toussé. Tu me dis aussi que les petits chiens chasses bien. Tu ferai pas mal d'allé a la Fontaine nouvelle leur faire chasser un lapin, le prendre et me l'envoiyé. Je voudrai bien en gouté. Il doit y en avoir apresan. Tu n'a pas tué de merles cet hiver. T'a du la faire ronflé, la barre à mine *. Si je pouvais t'envoillé mon fusil de pompier et le coupe-choux, t'irai à la chasse au sanglier. Le coupe-choux est aussi large que trois dois. Tu n'as qu'a voirre la largeur comme une lamme de s[c]ie. Tu me dit [dans] ta letre que grand-mère est morte dimanche soir. Cis [si] vous m'avies envoillé une dépêche, j'aurai eu une permission. C'était une occasion pour moi.

Ma valise est toujour dans la chambre à Doré. Il n'y a pas de linge sale dedan. Je va allé ces jours cis la cherché et la remètre chez Guillemot. Voilà déjà un mois que je n'ai pas reçu de nouvelles de Marthe. Voilà déjà un moman que je n'en nes [n'ai] pas reçu de Joseph et de Marcel. Le commi à Ferrand de Versosse [Versauce] est parti à Vincennes aux dragons. Ils sont partis 6 de la compagnie. Il[s] en ons pris dans toutes les compagnies du 89.

P.S. Il faudrai mécrire de tan en tan me raconté tes esplois.

---

* Faire ronfler la barre à mine : faire chauffer le canon du fusil de chasse.

*Carte d'Auguste Scheidler à Lucien*

Le 18 février 1915

Cher copain,

Voilà 2 mots pour te dire que jusqu'à présent, je ne regrette pas Sens. Nous sommes d'abord mieux équipés et nous couchons dans un lit. Je suis à côté de Heno et de Pissier. Nous avons touchés des manteaux gris ciel tout neufs, c'est batte [...] Tu donneras ma nouvelle adresse au vaguemestre.

Plus rien à te dire pour le moment. Bonjour à tous les copains et au sergent Ferrand.

Scheidler Auguste
13e Dragon, 12e Escadron, Vincennes

*Charles à Lucien*

Le 18 février 1915

On vient de recevoir ta lettre ce matin ou tu dis que je tousse. Je ne peu pas. Je ne suis pas enrhumé.

A propos des chiens, ils ont chassé un renard aux Chaumots et un lièvre, et mon vieux, ça chauffait. On a recu une lettre de Marcel et de Joseph hier. Il est dans le département de la Somme, chez une vieille, et ils font la causette le soir au coin du feu. Marcel est au repos. Ils sont plus heureux que dedans les tranchées. Quant à moi, mon vieux, ça va. Je va aller à la charrue demain si la pluie ne tombe pas. Je ne vois plus rien à te dire, tout le monde est en bonne santé. C'est ma première lettre que j'écris depuis que je ne suis plus à l'école. Tu verras, j'ai la main lourde.

Je te serre la main, ainsi que Doudou qui [est] entrain de se foutre de ma gueule.

Charles

---

*Joseph à ses parents*

Le 18 février 1915

J'ai reçu votre lettre hier. Je suis heureux de vous savoir en bonne santé et ce qui me fait le plus plaisir, c'est de savoir Marcel au repos. J'ai reçu une lettre de Lucien. Il ne se plaint pas de trop. Il ne faut pas vous faire de la bile pour moi. Je ne suis pas encore aller au feu et j'espère bien ne pas y aller. Je suis le convoi. Je vous envoie un sou belge : c'est tout ce que j'a pu rapporté comme souvenir de la Belgique. Il faudra le conserver. Je crois que le père Papillon ne sait plus écrire, c'est Lucien qui me donne des nouvelles de la meute. Nous allons être vaccinés contre la typhoïde ces jours-ci [...]

---

*Joseph à ses parents*

Le 20 février 1915

J'ai reçu votre lettre hier soir, je vous fait réponse aussitôt. Je suis dans la Somme à 15 km d'Ambleville. Je suis très bien. Nous allons être vacciné contre la typhoïde ces jours-ci. Quand à Pierre Chauveau, je ne l'ai pas vu depuis que nous étions en Belgique vers la fin de Décembre. Chaque régiment de cavalerie a formé un escadron à pied qui est armé comme les fantassins. Il a été versé à cette escadron, depuis je ne l'ai pas revue. Si toutefois je vois Dethier, je pourrai vous donner des détails plus précis […]

*Marcel à Léon*

Le 20 février 1915

Mon petit ours,

Pour un bleu, tu te dégourdis singulièrement. Pour moi, depuis 7 mois que le canon me tonne autour des oreilles, c'est permis de faire des fautes d'orthographe. Je te dirais même que des moments, lorsque je relis mes lettres, je remarque que je mange la moitié des mots. J'en ris tout seul. Mais pour toi, mon professeur, ce n'est pas fort, car dans ta lettre il y en avait une rafale (pas d'artillerie) mais de fautes d'orthographe. Pour un peu, je te la renverrais corrigée ! Bref, ta lettre est très bien tournée. Elle m'a bien fait plaisir. Je t'en remercie, je ne croyais pas que tu écrirais si bien que cela.

Tu diras à Cala ( la classe 17) qu'il sera bon pour le train des équipages.

Tu me dis que le père Papillon n'était pas content, parcequ'il est rentré mouillé. Dis-lui donc un peu que tous nos parapluies sont en réparation depuis qu'il est tombé une giboulée de grenailles et que quelques fois, lorsqu'on est bien mouillé, on prend la garde pour se réchauffer ! Je les ai vu, les soldats de Sens (168e) qui sont venus renforcer leur régiment : des rudes lapins. Presque tous étaient de la classe 14. Si la guerre n'est pas finie dans 3 mois, il est bien possible que Lucien fasse aussi connaissance avec les tranchées. Puisque l'on parle de la guerre, eh bien moi je n'en vois pas la fin de cette guerre. Je prends les jours comme ils viennent… et un petit bonheur au jour le jour.

Nous sommes toujours au repos mais je crois pas encore pour longtemps. Nous avons avec nous des artilleurs du 5e lourd de Valence (canons Rimailho 155 court * : les Boches ne l'aiment pas celui-là. Ces jours derniers, ça a donné près de nous. Il était moins cinq qu'on s'en aille, affaire de de Norroy – côte de Pont à Mousson.

Aujourd'hui je suis de garde au lavoir, pour empêcher de laver dans les auges des chevaux – ça passe le temps !

Aujourd'hui, au rapport, on a demandé les employés des Ponts et Chaussées (agents voyers – chef cantonnier) cantonniers et je ne sais pour quel motif.

Je viens de recevoir un fameux colis de Delaroue, le député de Melun, c'est Savelly qui m'avait fait inscrire…. et envoyez toujours !

Il est une chose qui est remarquable, c'est qu'ici, dans la zone des armées, à 2 h de marche de la ligne de feu, des paysans disponibles travaillent comme si de rien n'était : ils labourent, mènent le fumier, bèchent et sèment – au son du canon.

Demain, c'est dimanche et – dame – il y a grand messe : le curé n'a jamais vu tant de monde dans sa bicoque […]

---

* Rimailho, du nom de son concepteur, Emile Rimailho, qui est surtout connu pour la mise au point du frein hydropneumatique du canon de 75.

*Lucien à Charles*

Le 22 février 1915

J'ai reçu ta letre l'autre jour. Elle m'a bien fais plaisir. Tu me dit que tu vas à la charrue. Je voudrais bien te voir entrain de labouré : tu doi faire des jolis rai[e]s. Il ne voudrai [faudrait] pas que Rocas revienne *, il te ferais bien courrire vers les cheveaux. Tu vas dire à Léon qui mécrive ces jour-cis.

Dimanche, je suis été voir Guillemot. Ils vous souhaite le bonjours à tousses [tous]. Dimanche, jétais de piquet d'incendie. Fallai que je sois rentrer à 5 heures du soir. Je n'ai pas pu voir Doré. Le commi à Ferand de Versosse [Ferrand, de Versauce] est parti au 23e dragons de Vincennes. Samedi, il est venu 300 bleus. Il en et venu 30 bérichons à la 23e, des gar de 25 ans à 35 ans. Picard d'Asquins a du passé le conseil de réforme. Pessin de Domecy sur Cure est réformé. Vendredi, on a été en marche. C'es[t] moi qui fais le cuisinier. J'ai fais du bon jus […]

*Marcel à ses parents*

Le 22 février 1915

Je vous ai adressé un petit colis ce matin par la poste, c'est une paire de gants, un maillot neuf et un caleçon que j'ai

---

* Rocas (ou Rochas), l'ami de Charles Papillon avec lequel celui-ci a failli être enseveli sous un éboulement (voir plus haut).

porté pendant 3 mois. Tous les copains ont ce qu'il leur faut ; moi j'en ai plus que ma part ; j'ai encore 3 caleçons, 4 chemises etc… ça commence à gonfler le sac. Comme je le peux, je préfère vous l'envoyer que de le jeter, car c'est honteux quand on songe à tout le linge neuf que l'on a jeté sans le laver. Les gants et le maillot étaient dans mon colis de Melun. Le caleçon vient de la dame de Marthe. Je l'ai fait expédié par un civil, car moi je n'ai pas le droit. Je n'ai pas encore reçu votre colis.

Nous sommes encore au repos, la santé est bonne.

Ce matin, il y avait revue du bataillon par le colonel et remise de la croix de la légion d'honneur à un officier.

La France n'est sûrement pas encore dans la purée, on a des souliers neufs à regorger et on touche des capotes neuves couleur bleu clair : c'est la nouvelle tenue, tous les hommes seront pourvus. On a également touché ces temps derniers des bandes molletières.

Savelly et Moreau vous envoient le bonjour.

P.S. Le colis est pour papa. Les gants sont solides pour aller en bécane. Vous avez dû recevoir une lettre hier, réponse à la lettre de ce brigand de Lonlon.

Je leur ai fait cracher 12.50 pour mes souliers, je les ai encore intacts sur mon sac.

---

*Marthe à ses parents*

Le 25 février 1915

[…] Mme Chauveau a-t-elle eu des nouvelles de son fils ? Samedi dernier j'ai vu des prisonniers Boches a la gare de Fontainebleau. Ils étaient dans le même train que moi. Les gendarmes ont baissé les vitres pour qu'on les voient mieux. Il y en avait même qui avait les menottes […]

---

*Marcel à ses parents*

Le 25 février 1915

Depuis hier soir, nous sommes revenus dans nos trous à lapins (3 semaines de repos) *.

C'est fini de boire le canon. Maintenant, il faudra manger froid et passer la moitié des nuits à la belle étoile – ce qui n'a rien d'agréable car la neige tombe. Tout est blanc.

On trouve ça drôle après avoir été un peu à son aise dans un cantonnement.

Enfin, les beaux jours reviennent […]

En venant j'ai vu des voitures de ravitaillement de nos Sénégalais.

---

*Léon Papillon à Lucien*

Le 26 février 1915

Cher Bichetri,

J'ai reçu ta lettre voilà quelques jours. Sur sa dernière lettre, Joseph nous dit que c'est toi qui lui donne des nouvelles

* Au nord du Bois de la Chambrotte, toujours dans le même secteur, depuis l'automne 1914 (voir le schéma du cahier photos).

de la meute. Ce soir, le célèbre Calas a été chercher un demi-muit * à la gare. Nom de giou, mon vieux qui va en chercher un aussi pour lui. On l'a partager avec Baron et Gustave Ciceri. A prèsent on peut prendre des bonnes muflées à bon marché. Marcel nous a écrit. Il nous dit qu'il est toujours au repos. Tu dit que tu voudras bien goûter du lapin. Moi aussi, car voilà longtemps que je n'en ai pas mangé. Hier il est tombé de la neige, il fait très froid. Tu ne dois pas avoir chaud dans ta maison du Jésus.

Dufour est sur le front tout près de Soissons. De ce moment-ci, il [se] pourrait que ça tape dur en Champagne. Tante Célénie va mieux. De ce moment, elle est chez nous. Hier soir, le père Papillon avait une célèbre cuite, car c'était le jour de la foire. Si tu étais à Vézelay, tu rigolerais un peu : Populo est embauché chez Jojot. Il est comme garçon charcutier. Si tu le voyais comme il se dresse : il est heureux. L'autre jour il me disait : « J'ai huit matous à soigner. Je te parle si j'ai du turbin, il ne faut pas s'amuser ! » Ce soir, le temps veut se remettre au beau, il fait soleil [...]

Mon pauvre Lucien, je suis obligé de décacheter ma lettre pour t'écrire un accident. En amenant son vin, Rougeot était à une centaine de mètres devant Calas. Il avait le cheval noir à Henri Gourlet d'Asquins. Il essayait de maitriser le cheval mais il s'est emballé et ce pauvre Rougeot a passé sous une des roues de la voiture. C'est Charles qui est allé vers lui. Le médecin a dit qu'il avait les deux jambes contusionnées. Tant mieux, s'il peut s'en tirer à bon compte.

* Un demi-muid : 134 litres.

*Joseph à Léon*

Le 26 février 1915

Mon Petit Léon,

Tu es bien gentil de m'avoir écrit. Tu diras au père Papillon que c'est un vieux flemard qui ne m'a pas écrit depuis la mobilisation. Si tu étais vers moi, tu en verrais des capucins. L'autre jour, j'en ai vu six l'un vers l'autre. Les copains sont rentrés des tranchées. Aujourd'hui, il n'y a pas eu grand mal. Seulement, ce qui m'ennuie beaucoup, c'est que je va bientôt quitté mon lit pour aller surement coucher dans la paille. Aujourd'hui, il y a vin blanc et gruyère en plus : on nous soigne. Je va être capable de rempiller [...]

*Carte de Marcel à Lucien*

Le 27 février 1915

J'ai reçu ta lettre hier, tu as dû recevoir une carte de moi ces jours derniers. Nous avons passé 3 semaines au repos. Maintenant, nous sommes revenus dans nos tranchées.

Il fait froid, la neige tombe et comme réception, les Boches nous ont envoyé quelques marmites. Lonlon m'a écrit aussi. C'est lui qui m'a dit que grand-mère était morte.

Depuis 7 mois qu'on est là-dedans, on se demande quand tout cela finira.

Les feuilles vont repousser dans notre bois et les beaux jours approchent, il faut espérer que l'on sera rentré cet été pour aller prendre une fritée de goujons en Chaudon [...]

*Lucien à ses parents*

Le 28 février 1915

J'ai reçu ta letre et celle de Léon. Quand Léon va m'écrire, il ne faut pas qu'il colle la letre avec l'enveloppe. Je n'ai pu en lire que la moitié. J'ai vu qu'il me parlait de Rougeot. J'ai écri une letre à Joseph, j'en ai reçu une de lui avant-hier. Il me dis qu'ils vons etre vassiné ces jours contre la typhoide. Nous, ça barde aprèsan. Tous les jours, on marche ou on tirre. Depuis une semaine, ça barde. Voilà trois jours cette semaine qu'on mange déhorre. Je suis cuisigné. Le jus que je fais est meileur que le tien. Il n'y a pas de chicorré. L'autre jour, on à fais une marche de 30 kilomètres. Il y en a déjà 6 de parti au feu de la classe 13. C'es[t] ceux qui on déjà fais 19 jours de tolle. On va être mobilisable le 10 mars […]

*Marcel à ses parents*

Le 5 mars 1915

J'ai reçu votre lettre du 25. Avez-vous reçu mes lettres et mon paquet ? Il y a bien 15 jours que je n'ai pas eu de nouvelles de Marthe et 1 mois et 1/2 que je n'ai rien reçu de Joseph.

Rien de nouveau à vous apprendre, c'est toujours la même chanson. Depuis le mois d'octobre que l'on mène la vie des tranchées, l'on y est tellement habitué qu'on trouve ça tout naturel ; et lorsque par hasard, on passe une journée à peu près calme, on se dit : « C'est extraordinaire, comment se fait-il que l'on ait pas reçu d'obus aujourd'hui ? » Souvent, ils nous envoient tout en gros le lendemain. De temps en temps, on se divertit avec une chasse d'aéroplanes. Cette nuit, les cigognes ont passé : nous les avons vues partir, on les voit revenir, et nous… nous restons là !

Depuis deux jours, le temps s'est bien radouci, il fait bon. Les oiseaux chantent, dans notre bois, les bourgeons poussent : c'est le printemps. Mais le canon tonne, c'est la guerre, et l'on se tue ! [...]

Mon vieux Lonlon, voilà le huitième mois de guerre. Ne fais pas engraisser tes lapins trop vite, mais mets de l'algérie en bouteilles, il sera meilleur pour faire la soupe […]

P.S. Recommandation à la mère Maratras. J'espère que tu n'as pas payé ma taxe personnelle de l'année dernière et que tu payeras encore moins celle de cette année. Je suppose que je l'acquitte largement.

---

*Mme Papillon à Lucien*

Le 5 mars 1915

Tu nous dis sur ta dernière lettre que vous allez être mobilisables le 10 mars. Quand tu verra le moment que l'on va vous fait partir, r'écris-nous au plus vite. Tu nous dira ce que tu à encore d'argent et je t'en enverrai. Tu demandais l'autre jour se que Lonlon voulait te dire au sujet de Rougeot. Voilà. Aujourd'hui, il avait été avec Charles chercher un demi-muid de vin pour lui avec le cheval noir de son cousin Gourlet. Alors le cheval s'est emballé et la voiture à passé sur la cuisse à Rougeot, vers la Croix du Gué. C'est Charles ton frère qui l'a relevé et qui à appelé au secours. Alors [les] Larrible son venus. Il l'ont mit dans la voiture de Meunier et il l'on ramené à Vézelay. Jamais il ne retournera à la chasse.

Le commis à son cousin Gourlet qui était à Varennes-lès-Nevers est mort l'autre jour de la Rougeole. Ta tante Célénie est chez nous. On à reçu une lettre de Marcel avant-hier. Il est toujours au repos. Une de Joseph se matin qui nous dit qu'il va bientôt quitter son lit pour coucher sur la paille. Marthe à écrit aussi qu'elle t'avait envoyé l'autre jour un passe-montagne. Paul Rousseau est blessé. Il a le tympant percé [...]

*Lucien à ses parents*

Sens, le 7 mars 1915

J'ai reçu votre letre aujourd'hui. J'en ai reçu une de Marcel l'autre jour. Il me dis qu'il est retourné dans les tranchées et que les Boches leurs ont envoillé quelque marmitte. Je ne sais quant on va partir, ce ne va pas tardé. Tu me demande ce que j'ai encorre d'argants : j'ai encorre 10 francs. Ci tu veu m'envoillé, cela ne ferai pas de mal. Samedi, on a fais une marche de nuit. On est partis à 7 heures du soir et on est revenu à 3 heures du matin. Toute la semaine, on a été en marche et au tirre, ça barde [...]

*Joseph à ses parents*

Le 8 mars 1915

J'ai bien reçu votre lettre. Je suis heureux de vous savoir tous en bonne santé. Je suis toujours en bonne santé et au même endroit. Je crois que nous allons changer de cantonnement ces jours-ci. J'ai été voir ma logeuse ces jours derniers : elle était contente de me voir. C'est dommage que nous n'y soyons pas retourner : mon lit était prêt ! [...]

---

*Mme Papillon à Lucien*

Le 10 mars 1915

Doré est à Vézelay depuis samedi. Il m'a apporter ta valise et ton linge, mais tu m'avait dit que tu avait mit 2 paquets de tabac dedans l'autre fois. Mais je n'en n'ai pas trouver.

Doré part ce soir par la voiture de 9 h. 30 du soir. Quand tu aura reçu ma lettre, tu ira trouvé Doré où tu sais bien. Je lui ai donné un paquet pour toi. Il y à 2 fromages et 4 tranches de jambon et je va lui donner 10 fr pour te remettre : c'est 2 pièces de 5 fr en argent. Tu vas essayer dans [d'en] faire le meilleur usage. Sa n'est pas d'ordonnance que tu dépenses 0,55 centimes tous les jours avec tous les fromages que je t'ai envoyé et les paquets de tabac de 100 grammes que tu à pour 0,15 cent [15 centimes]. Tu aurait pu en dépenser un peu moins que sa. La femme de Moisson de L'Etang me l'avait dit que Massé leur avait écrit que vous fesiez la bombe. Je l'avait même dit à ton père. Il me disait : « Pense-tu que c'est vrai ? ». Mais maintenant, vue se que tu à déjà mangé, l'on voit que c'est vrai. Comme les fromages que je t'envoie et le jambon, tu va essayé de ne pas allez chercher 2 ou 3 « goltrut » * pour manger tout d'un coup. Si jamais on ne me le dit, tu ne serait pas prêt dans r'avoir. On ne te dit pas de te privé, mais l'on achète pour soit [soi] que le nécessaire.

Quand tu va partir sur le front, il faut te munir de papier à lettre et d'enveloppe, car sur le front, tu ne va pas en trouvé et il faut nous écrire tout de suite, nous envoyé ton adresse et le n° de ton secteur. Je t'en aurait bien mit dans ton paquet du papier mais j'avais peur que les fromages le salisse. Marcel que voilà 8 mois qui [qu'il] est partit, qui avait emporter 50 fr, voilà 1 mois, il avait encore 25 fr. Il ne l'avait pas mener si vite que toi [...]

*Joseph à ses parents*

Le 10 mars 1915

J'ai bien reçu votre lettre, merci. Je suis toujours au même endroit et en bonne santé. J'ai reçu une lettre de Marcel ces jours derniers, elle a mis vingt jours pour me parvenir. Il me dit qu'il était au repos. En ce moment, il fait un drôle de temps : la pluie, la neige, la gêlée, tout s'enmêle. Heureusement que j'ai un bon lit. Je vais être vacciné pour la dernière fois cette semaine. C'est pas dommage : j'en ai assez comme ça. Quand vous m'écrirez, il faudra m'envoyer la façade de l'église. Comme les gens sont assez bigots, je vais leur en mettre plein la vue [...]

* Des goltruts : des goinfres ?

*Marcel à ses parents*

Le 10 mars 1915

J'ai reçu votre lettre du 4. Ce pauvre Rougeot n'a pas eu de chance. Si je rentre, je ne veux plus voyager avec Calas, ses compagnons ne sont pas veinards !

J'ai reçu une lettre de Marthe ce matin. J'ai aussi reçu une carte de Vincent. Il me dit que tout est complet : ils reçoivent les blessés de Perthes et de Beauséjour *. Il y a eu des pertes terribles dans ces coins-là. Il m'a aussi appris que ce pauvre Mijean avait été tué.

Je ne reçois toujours pas de nouvelles de Joseph.

Depuis plusieurs jours, il fait un froid noir, de la neige et de la gelée. Jamais je n'ai eu si froid de l'hiver.

Ces jours derniers au 367, j'ai rencontré plusieurs de mes anciens et de mes copains du régiment. Ça fait plaisir de se revoir, mais malheureusement pas mal manquent à l'appel. Mon ancien sergent d'active a été tué le mois dernier dans le bois de Mortmare. Il était de la Côte-d'Or [...]

P.S. Calas peut graisser ses bottes. Ça va être bientôt le tour de la classe 17. Encore un petit effort et Lonlon sera aussi de la partie. Bientôt on les prendra en maillot. Et envoyez toujours : autant de soldats, autant de martyrs !

---

* Perthes-les-Hurlus et Beauséjour dans la Marne. Il s'agit de la première offensive de Champagne.

*Marthe à Lucien*

Le 11 mars 1915

Oui j'ai un peu tardé à t'écrire mais je suis bien à excuser, j'ai beaucoup de travail.

Tu m'annonce ton départ pour le front. Quand tu es parti au mois de décembre, je ne croyais pas que tu y serais allé. Que veux-tu, il faut être courageux. Tu mécriras le jour que tu partiras. Je crois que Charles est de la classe 17, donc il passera le conseil de révision au mois de mars. Aujourd'hui, la mi-carême : on ne s'en aperçoit pas. On travaille comme à l'ordinaire, ce n'est pas le moment de faire la fête. J'ai eut des nouvelles de Joseph il y a déjà quelque temps. Il paraît qu'il a été vacciné, ce qui l'a rendu malade : et toi, l'as-tu été depuis que tu es au régiment ?

Maintenant, tu me dis que tes fonds baissent. Je n'en doute pas : je te joints à la lettre un billet de 5 f. Il faut faire attention, car en ce moment tout augmente. J'ai envoyé un colis à Joseph : j'en avais pas gros pour bien cher [...]

*Marcel à ses parents*

Le 13 mars 1915

Comme je n'ai pas grand chose à faire, je vais vous raconter une petite histoire qui est arrivée à Savelly ce matin.

En faisant une inspection dans sa chemise ce matin, il s'est apperçu avec plusieurs de ses camarades que ce n'était plus une escouade, mais un régiment de grenadiers qu'il y avait dans la tranchée. Oui, les poux commencent à nous dévorer. Ça n'a rien d'étonnant, depuis 8 mois que l'on dort habillé et que l'on couche un peu partout. Ce pauvre Savelly est allé se faire désinfecter, tout son linge en grouillait, il n'était pas tout seul à l'infirmerie, il y en avait plus de cinquante dans le même cas. Et il faut bien penser que l'on en aura chacun sa part, surtout par les temps doux qui vont venir. Il y en avait bien eu des cas isolés de temps en temps, mais de ce moment, ça grouille.

Gagneux de Foissy doit avoir mobilisé ses troupes.

La guerre nous réservait bien des surprises, et ce n'est pas fini.

Le temps s'est remis au doux [...]

---

*Lucien à ses parents*

Sens, le 14 mars 1915

J'ai reçu ta letre l'autre jours. Tu me dis que Doré a apporté ma valisse. Le linge qui était de dans doit être toujours en bon étas. Je n'ais pas mis de tabas dedans parce que je ne savais pas quans Doré allais allé à Vézelay. J'ai reçu le paquet de jambon et les deux fromages et les 10 francs. Tu me dis que je suis été trop vitte à mangé mon argent : en effet, je l'ai dépensé trop vitte, j'en ai dépansé beaucoup quant je suis été malade, je suis été pandans 45 jours sans pouvoir manger de leur patate. J'étais obligé de mageté [m'acheter] à manger pour ne pas crevé de fain. Tu me dis aussi que je fesais la bombe avec Rasse. Je ne l'ai pas [vu] 4 fois depuis que je suis à Sens. S'il a écri chez Moisson, tu peut leur dirre que ses [c'est] de[s] manteurs ou bien Rasse.

Plus on vas mieux, ons est couché. L'autre jour, on à touché un sac à couchage. Je suis aussi bien que dans mon lit sur mons matela coupé en trois. J'ais aussi chaud que dans un lit [...]

*Marthe à ses parents*

Le 14 mars 1915

Aujourd'hui dimanche, je suis de congé. Je suis allée aux Invalides pour voir les trophées de guerre. Il y avait tellement de monde que j'ai dû rentrer sans avoir rien vu. Il fesait beau temps, une vrai journée de printemps […]

*Joseph à ses parents*

Le 16 mars 1915

J'ai changé de cantonnement vendredi avec regret. Quand le régiment est parti, tout le monde pleurait. Aujourd'hui, nous sommes en pleine campagne. On a de la peine à trouver de la paille pour coucher après avoir été si bien. Ça fait du changement. Je vous écrit dans un pré, assis sur ma caisse, les genoux au feu. Et comme table, j'ai un morceau de cuir : ce n'est pas la vie de château. Heureusement qu'il ne fait pas froid * […]

* Gouy-en-Artois/Tangry (Pas-de-Calais).

*Marcel à ses parents*

Le 20 mars 1915

Comme il faisait beau hier, j'ai fait une petite note résumant mes journées de campagne.

C'est très court, il m'aurait fallu trop de temps pour raconter tout au long. Enfin, ça vous donnera une idée du trajet que nous avons fait depuis le début de la guerre *.

J'ai numéroté les pages de 1 à 8. Je suis toujours en bonne santé ainsi que les amis. Rien de nouveau pour l'instant. Depuis 3 jours, ça bombarde sans arrêt vers les Hauts-de-Meuse. Les fleurs commencent à pousser dans les bois.

J'ai reçu une lettre de Lucien. Il s'attend à partir d'un moment à l'autre. Maintenant, il n'aura toujours plus à souffrir des rigueurs de l'hiver [...]

*Lucien à ses parents*

Le 21 mars 1915

J'ai reçu votre laitre hiaire à Vil[l]eneuve-l'Archevêque. On a été en marche. On a couché à Villeneuve. G'ai couché dans un graigné [grenier], il avais des ras qui nous sussais les doits de piets [pieds]. On n'as maneuvré avec la 28ème, et mercredi prochin on va allé à Singullin-du-Sau [Saint-Julien-du-Sault]. On va partire pour 3 jours. G'aime mieux faire ça que de resté à Sens fairre le con. Quan on est partis, on à mangé tous sons sou [son saoûl] et on à un demi-litre de vin à chaque repas et du café à chaque repas. Picard est toujours à

* Voir, en fin d'ouvrage, le compte-rendu de Marcel.

l'opital. L'autre jour, il saute du 2ème étage : il ne sais [s'est] pas fais de mal. Il n'a cassé [que] ses deux galoches. Je croi bien qu'il va devenir comme con [son] cousin. Voilà 15 jours, il étais sorti de l'opital. Sa premiaire sortie, c'étais de s'atablé avec un litre de rhome. J'ai vue son père Dimanche [...]

*Joseph à ses parents*

Le 21 mars 1915

J'ai bien reçu votre paquet ainsi que votre lettre. Je vous remercie beaucoup. J'espère que vous avez reçu ma lettre qui vous annonçait mon départ. Je suis dans le P.D.C [Pas-de-Calais]. Il y a beaucoup de changement avec le pays où nous étions. Je travaille en plein air, heureusement, il fait beau. Les copains sonts parti dans les tranchées hier. Nous avons un nouveau capitaine, c'est un lieutenant qui vient de mon ancien régiment et que je connais très bien. Il y a un peu de temps que je suis sans nouvelles de Lucien. Je crois qu'il ne va pas tarder à partir au feu [...]

*Marthe à ses parents*

Paris, le 24 mars 1915

Vous avez du voir dessus les journaux que nous avions eu la visite des zeppelins. La première fois, j'étais à Fontainebleau. J'ai donc dormi tranquille. Mais lundi, ça n'était plus la même chose. A neuf heures, je me dépêchais de finir mon travail pour aller me coucher, m'étant levée le matin a cinq heures, quand tout a coup ont entendi la sonnerie des clairons. Dans quelques minutes, Paris fut plongé dans l'obscurité complète. Et les gens, au lieu de descendre dans les caves comme il est bien recommandé, étaient sortis pour mieux voir. Nos avions ont dû les faire battre en retraite, car ils ne sont pas arrivés. Ce n'est pas amusant, si l'idée les prends souvent de venir nous empecher de dormir *.

J'ai eut des nouvelles de Marcel et de Joseph le même jour que j'ai reçu votre lettre. Joseph est en pleine campagne et n'est pas aussi bien que chez sa bonne vieille. J'ai reçu une lettre de Marguerite. Elle m'a anoncer la mort de son frère qui était au 4e ligne. Il a été tué le 28 février en Argonne. La Mère Brun est morte depuis quelques mois. Le frère de Marguerite a été tué d'une balle française. Lucien m'a aussi écrit pour me remercier du petit billet. Il m'a dit qu'il avait dépensé beaucoup d'argent, parceque, étant malade, il ne pouvait pas manger de la ratatouille du régiment [et] qu'il achetait à manger dehors [...]

Dimanche, c'est les Rameaux. L'année dernière, j'étais près de vous, mais je crois que cette année se passera sans vacances. Cependant, la cuisinière doit aller voir son mari à Pâques. Et je serais étonnée que Mme donne des vacances à l'une et pas à l'autre [...]

---

* Le raid – le premier sur Paris – de deux zeppelins a lieu dans la nuit du 20 au 21, sur l'ouest de Paris et la proche banlieue : voir la une du *Petit Parisien* du lundi 22 mars dont le haut se compose d'un bandeau de photos des destructions. Le 22 au soir l'alarme est de nouveau donnée à Paris vers 21 heures, puis encore le 24 au soir (voir *Le Petit Parisien* du 23 et du 25 mars, *Le Petit Journal* du 25 mars, etc.). Il est recommandé aux Parisiens de rester chez eux en cas d'alerte pour éviter non seulement les bombes allemandes mais aussi les projectiles qui pourraient venir de l'aviation et de l'artillerie de riposte. Ces premières attaques de zeppelins donnent lieu à de nombreux commentaires dans la presse.

*Marcel à ses parents*

Le 25 mars 1915

J'ai bien reçu votre lettre du 18. Evidemment, il faut espérer que l'on rentrera, mais ça vous tombe sur le coin de la figure au moment ou l'on s'y attend le moins. Ainsi avant-hier, il y en a un qui a eu la jambe cassée par un éclat d'obus et pas plus tard qu'il y a une demi-heure, j'étais assis derrière un foyard *, occupé à écrire une carte a Grossin quand subitement j'entends zie… paf. Un obus de 77 était venu tomber à 10 mètres de moi, j'étais plein de terre, je me suis collé derrière l'arbre car quand ils en ont envoyé un, la giboulée n'est pas loin et si l'on se sauve, on risque bien plus de se faire moucher. J'ai attendu une minute et comme les colis n'arrivaient plus, j'ai fait vite à me carapater dans la cabane. Un instant après, un 2e obus arrivait mais les lapins étaient au terrier.

On est tellement habitué à ces histoire-là que l'on se gondole de rire après.

Nous ne sommes pas des bleus dans le métier.

Je suis toujours en bonne santé, je ne me suis jamais mieux porté que depuis la guerre. Je ne suis pas été arrêté une seule journée et je ne demande pas à être malade. J'espère que ça va continuer.

Nous touchons régulièrement un demi litre de vin par jour et notre ration d'eau-de-vie. Maintenant qu'il ne fait plus froid, on va supprimer l'eau-de-vie et nous aurons un quart de vin en plus, ce qui nous fera trois-quarts de vin par jour.

Nous avons du pain qui est réellement bon et bien fait, il est aussi blanc que le pain de boulanger et je le trouve meilleur que celui que l'on avait dans l'active. Pour le moment, nous en avons suffisamment, il y en a toujours du perdu.

* Foyard (fayard) : hêtre.

Maintenant, nous sommes tout près des artilleurs. On va leur rendre visite de temps en temps. Ils sont contents qu'on aille les voir dans leurs casemates. Il y a souvent un quart de jus pour les visiteurs. Ils sont crapules aussi ces brigands-là. Un logis * nous racontait que dernièrement l'observateur leur signalait des boches qui remplissaient un tonneau monté sur une voiture à une source. Aussitôt… à tant de mètres… pan… pan, les Boches faisaient vite pour déménager. Au 3e obus ils ont foutu le tonneau le cul en l'air.

C'est curieux à regarder dans leur longue-vue, on voit les sentinelles boches comme si on était à côté.

Savelly et Moreau vous envoient le bonjour.

Je ne sais pas encore si nous allons rejoindre le 6e bataillon. Nous ne sommes pas mal où nous sommes [...]

P.S. Les goujons doivent peupler En Chaudon. Et les lapins de Granfond ?

---

*Télégramme des parents Papillon à Lucien*

Vézelay – 29 mars 1915 14h30

Venir. Grand-Père décédé. Enterrement mercredi 10 heures Papillon devra rapporter extrait de l'acte de décès

---

* Un logis : un maréchal des logis.

*Lucien à ses parents*

Le 29 mars 1915

J'ai reçu votre carte. Tu me dis que le rois des manteurs est mort. J'ai reçu une carte de Marcel du 21, il me [dit] qu'il touche trois quarts de vin par jour. Il me dit : vivement la fin, qu'on aille faire l'ouverture de la pêche en Chaudon. L'autre jour, on a été à Sing juillin du Seau [Saint-Julien-du-Sault] en marche. On était [à] 10 km de Joigny. J'ai couché dans un lit. Ge l'ais trouvé bons. G'enfoncais dedans jusqu'au oreilles. Le Fillot à Poirrié est cuisigné à la 25ème, il étais à Avallon chez Jiver. Tu va dir à Léon qu'il m'envoie des nouvelles de la meute. Il n'as dons plus le tan de m'écrire. Esque Charles va toujours à la charrue ? Il doit fairre des avoinne en ce momans […]

*Marcel à ses parents*

Le 29 mars 1915
3 h. du soir

J'ai bien reçu votre lettre du 18. Je crois déjà l'avoir reçue avant d'envoyer ma lettre du 25.

Je suis toujours en bonne santé ainsi que Savelly et Moreau.

Nous avons touché des bottes et des demi-bottes en caoutchouc feutré. Ça tient les pieds chauds mais c'est au mois de novembre qu'il aurait fallu nous les donner.

J'ai eu des nouvelles d'Alfroy par un de ses camarades, instituteur, qui est à la 17e compagnie. Il paraît qu'il trouve du changement entre la vie des tranchées et celle du Dépôt. Je n'ai pas de peine à le croire.

Pour le moment, nous étions à peu près tranquilles, mais… je crois que nous allons passer de drôles de fêtes de Pâques.

Enfin… c'est le métier ! […]

---

*Marcel à ses parents*

Le 1er avril 1915

Depuis cette nuit, nous sommes cantonnés et pour quelques jours au repos à Blénod-lès-Pont-à-Mousson. Ensuite, nous irons où ? Sûrement pas à la noce.

Depuis le 29 au soir jusqu'à la nuit du 31, nous avons soutenu une attaque d'infanterie sur Faix [Fey]-en-Haye. Notre artillerie a bombardé pendant 10 heures les positions de l'ennemi. Quel vacarme, c'est incroyable ! L'odeur de la poudre nous suffoquait, la plaine paraissait en feu. On se demande comment des hommes peuvent faire pour rester au milieu d'un pareil enfer.

Les Boches ont pris une bonne raclée, mais malheureusement on ne fait pas d'omelette sans casser d'oeufs. Ce maudit Bois-le-Prêtre fera bien parler de lui. Tout a bien marché pour nous. Encore une fois, nous avons passé à côté.

Pour l'instant, je suis dans un jardin avec Moreau et Savelly où nous écrivons tous trois en prenant un bain de lézard, car aujourd'hui le soleil est bon, ce n'est pas comme hier : tout était blanc de neige […]

P.S. Les Boches faiblissent, leur artillerie est loin d'égaler la nôtre. Il faut espérer que ce carnage finira bientôt.

*Marcel à ses parents*

Le 2 avril 1915,
Jour de Vendredi Saint

[…]

Nous sommes dans le patelin où nous sommes arrivés hier *.

Depuis ce matin à 8 heures, notre section est de garde de police à la Mairie.

Ce matin à 8 heures, j'ai pris la suée. Un de nos aéro ayant été obligé d'atterrir dans la plaine par la suite d'une panne de moteur, il a fallu y courir en vitesse pour le garder et faire disperser le populo qui s'était rassemblé autour. Les civils sont fort curieux par ici. Ils voient pourtant assez de soldats.

J'ai revu ce vieux copain Grossin. Je viens de savoir que le 353 est à une demi-heure de marche devers nous. Demain, s'il y a moyen, je tâcherai d'aller voir Simon.

Il est passé pas mal de prisonniers, ils n'ont plus la pointe à leurs casques. Nous avons causé avec l'un d'eux qui à travaillé 2 ans et demi à Nancy et qui parle très couramment le français. Ces cochons-là croient toujours dans la victoire, ils sont parfaitement au courant de la défaite des Autrichiens**. Ils sont toujours bien nourris, nous dit-il, mais il a tout de même avoué que la population civile était réduite à manger du pain K.K ***.

Ci-joint un bout du journal qui nous intéresse.

Je viens de recevoir une lettre de Lucien, mais toujours rien de Joseph et de Marthe […]

P.S Violettes de mon jardin [jointes à la lettre]

---

* Blénod-lès-Pont-à-Mousson.

** La ville fortifiée de Przemysl, sur le San, défendue par les Autrichiens, a été prise par les Russes le 12 mars.

*** *Kaiserliches Kriegs-brot* (pain de guerre allemand).

*Joseph à ses parents*

Le 4 avril 1915

Vous m'excuserez si j'ai été un peu long pour vous répondre. Nous avons changé encore une fois de cantonnement. Je suis à 6 km du pays ou j'avais été si bien reçu. J'y suis allé deux fois. Tout le monde était content de revoir ses soldats. Je devais y aller aujourd'hui mais le temps est si mauvais que je ne vais pas sortir. Dans le pays où nous sommes, nous avons été très mal reçus. Presque tout le monde couche dans la paille. Heureusement que nous allons partir bientôt. Cette fois, je crois que ce sera pour de bon [...]

*Carte de Marcel à Lucien*

Le 4 avril 1915

J'ai bien reçu ta lettre qui m'a fait plaisir, je viens d'en recevoir une de Joseph.

Il fait un triste temps pour un jour de Pâques. La pluie tombe à verse. Nous ne sommes plus dans les tranchées pour le moment mais c'est aussi moche. Le Calas ne va pas tarder à passer la révision.

Vézelay doit être bien triste, il ne doit pas rester beaucoup de monde [...]

*Marcel à ses parents*

Le 7 avril 1915

Depuis quelques jours, ça chauffe fort, pis que jamais, bombardement nuit et jour sans arrêt, c'est incroyable, il faut que les Boches déménagent. Mais…

Hier la compagnie à Grossin a été à moitié démolie, je n'ai pas eu l'occasion de le revoir, je ne sais pas s'il lui est arrivé quelque chose.

Je viens de rencontrer Mathey, il m'a dit que Simon n'était plus avec lui. Ce pauvre Jojot a été tué ce matin. Sur l'escouade à Mathey, ils ne restent plus que 3. C'est la boucherie qui recommence, plus acharnée que jamais. Il n'est pas possible que l'on puisse encore passer au travers d'un pareil massacre *.

C'est triste tout de même de voir tout cela. Avoir souffert pendant 8 mois déjà et se faire casser la figure après, c'est dur à digérer.

Simon est au 6e Bataillon, j'essayerai de le voir s'il y a moyen.

Savelly et Moreau sont encore là.

Voilà 3 nuits que l'on ne dort pas, et dans l'eau et la boue

---

* Le 356e est engagé à son tour dans les combats du Bois-le-Prêtre (bataille de la Woëvre). Le 5 avril, les soldats (mais la compagnie de Marcel ne prend pas part à l'assaut lancé par le bataillon de Simon) attaquent dans de mauvaises conditions avec des parallèles de départ mal faits, une préparation d'artillerie « nulle », des tranchées et des réseaux de barbelés intacts. En face : « les tireurs allemands pouvaient tranquillement ajuster les hommes qui paraissaient devant eux : les mitrailleuses qui nous prenaient de flanc n'avaient pas été contrebattues » (JMO). Le 6, la compagnie de Marcel est chargée de creuser un parallèle et un boyau sous le tir des mitrailleuses (voir schéma du cahier photos).

jusqu'à mi-jambe, c'est affreux. On est littéralement enduit de boue.

Nous n'avons réellement pas de chance. Dans le pays où on était, il est tombé un obus Boche au beau milieu de la rue, faisant 42 victimes dont 20 morts, y compris un petit gosse. C'était un joli tableau. Tout cela ne donne guère de courage et à quand la fin ? Pauvres fantassins !

Je remets ma lettre au 168e. A ce régiment, il y a Dellier d'Avallon, l'antiquaire [...]

---

*Lucien à ses parents*

Le 8 avril 1915

J'ai quité Sens. Aprèsant, je suis à Saint-Denis, à 3 km de Sens. On est partis 60 à la 28 et le reste de la 25 est parti à Vo[i]sinne[s], à 10 kilomètres de Sens. On est encore plus près de Sens, on est pas si bien qu'à Sens : je couche dans une écurie ou qui [il] a des rats qui ons des queues aussi grosse qu'un manche à balait. On a quitté le cantonneman de Sens pour fairre de la plasse [place] à la classe 16. Il y en a du 168 de la classe 15 qui parte servir. On est plus tranquil à Saint-Denis : on a pas de garde à monté et on saure [sort] comme l'on veu. On est à 15 m de l'yonne, ce n'est pas difficile pour lavé [...]

---

*Marthe à un de ses frères*

Le 9 avril 1915

J'ai bien reçu ta lettre, merci. Tu m'excuseras de ne pas t'avoir répondu plutôt. J 'ai eut la grippe pendant quinze jours, maintenant ça vat mieux. Nous sommes à Fontainebleau pour quelques jours. L'année dernière, j'avais passer les fêtes de Pâques chez nous, c'était plus gai. Tu sais probablement que grand-père est mort. Il a suivit grand-mère de près. Que vat faire tante Célénie maintenant ? Pourvu que ça ne la rende pas plus malade.

En ce moment, nous ne sommes pas dans une période de chance. J'espère que tu es toujours en bonne santé. Quand pense-tu partir au feu ? Tu as le temps. La semaine dernière, il a neiger a Paris. Tu ne dois pas avoir bien chaud a coucher dans la paille. Tu sais, nous avons eut la visite des Zeppelins, ont aurait crut que c'était le 14 juillet *.

---

*Marcel à ses parents*

Le 10 avril 1915

Voilà notre dernier jour de repos qui s'écoule. Nous remontons demain. Toujours rien de nouveau, le beau temps continue, la santé est bonne. Hier avec Savelly, j'avais remarqué des poules d'eau dans une espèce de mare. Je suis allé les épier et en deux coups de fusil à balles, j'en ai descendu 2 belles, je vais les déguster demain avec mon adjudant-chef,

* Le raid des zeppelins évoqué ici est le même que celui mentionné dans la lettre du 24 mars.

en vidant un bidon de vin blanc. Je les ai tirées à une trentaine de mètres, les copains ont été épatés [...]

---

*Marthe à ses parents*

Le 11 avril 1915

J'ai bien reçu vos deux lettres. Je profite d'un instant pour vous répondre.

Nous sommes a Fontainebleau comme tous les dimanches. J'espère la semaine prochaine rester a Paris. J'ai dû vous dire que la cuisinière devait avoir huit jours de vacances. Elle rentre ce soir. J'ai donc eut du travail, en plus la grippe pendant quinze jours. Maintenant ça vat. Il y a très longtemps que je n'ai pas eu de nouvelles de mes frères, sauf par vous. Il est vrai que moi-même, j'ai été longue à leur répondre. J'espère que malgré tout, ils sont en bonne santé. Je sais par la caissière que Joseph est toujours dans le même cantonnement.

Ce pauvre grand-père a été bientôt parti. Quand j'ai appris la mort de grand-mère, ça a été ma première pensée [...]

Que fais Lonlon ? Qu'il m écrive donc. Il parait qu'il a envoyer une lettre à Joseph qui était rigolotte. Soigne-t-il toujours mon jardin ?

Et Charles ? Je crois qu'il sera appellé cette année [...]

J'ai parlé que je voulais vous envoyer un paquet de vêtements qui ne me servent plus.

Trouvez-vous de la chicorée ? Maintenant je pourrai vous en dégoter quelques paquets. Je vais vous quitter ici pour faire les emballages pour demain. Chaque semaine, nous emportons des provisions a Paris. C'est tout un travail. Ce qui est le plus agréable, c'est que le train a maintenant 2h. ou 2h. 1/2 de retard. Enfin, c'est la guerre [...]

---

*Marcel à ses parents*

Le 13 avril 1915

3h du soir. Je suis avec Simon, Moreau et Savelly. Hier soir, nous avons dîné ensemble et pour le moment, nous buvons un verre ensemble. Nous sommes au repos en attendant que l'on nous reforme. Nous n'avons plus d'officiers. Dans le bataillon, il nous reste un lieutenant et un sous-lieutenant.

Nous avons passé une semaine terrible, c'est honteux, affreux ; c'est impossible de se faire une idée d'un pareil carnage. Jamais on ne pourra sortir d'un pareil enfer. Les morts couvrent le terrain. Boches et Français sont entassés les uns sur les autres, dans la boue. On marche dessus et dans l'eau jusqu'aux genoux.

Nous avons attaqué 2 fois au Bois-le-Prêtre, au quart en réserve *. Nous avons gagné un peu de terrain – qui a été en entier arrosé de sang.

Ceux qui veulent la guerre qu'ils viennent la faire, j'en ai plein le dos et je ne suis pas le seul.

Savelly m'a prêté 5 francs, inutile de m'en envoyer pour

* Le « Quart en Réserve » désigne la partie ouest du Bois-le-Prêtre, en lisière, qui chevauche la crête. Les tranchées allemandes y semblent dans l'ensemble solidement aménagées et les bombardements sont incessants. Le 10 avril, alors que le régiment devait être relevé, une attaque est lancée sur la tranchée Sud Hors-Bois. Le commandant du bataillon est blessé. « Les effectifs fondent sous les projectiles de tous calibres », note l'historique régimentaire (voir schéma du cahier photos).

le moment, vous ferez remettre ces 5 fr au père Savelly par Brisdoux.

Dans la passe où nous sommes, la mort nous attend à tout moment. Donc inutile de rien m'envoyer.

Je n'ai pas reçu de lettre de chez nous depuis le 25 mars.

Enfin, il ne faut pas désespérer, on peut être blessé. Quant à la mort, si elle vient, ce sera une délivrance.

Il n'est pas croyable qu'on puisse faire souffrir et manoeuvrer des hommes de pareille manière pour avancer de quelques mètres de terrain. Si jamais l'on rentre, on en parlera de la guerre ! Tas d'embusqués et de planqués, qu'ils viennent un peu prendre notre place, ensuite ils auront le droit de causer […]

*Mme Papillon à Lucien*

Le 15 avril 1915

Tu croit penser que l'on ne pense plus à toi, mais on était ennuyé de Marcel, de voir des batailles tous les jours en le Bois-le-Prêtre. Il a écrit hier et aujourd'hui. Il est toujours en bonne santé, mais il nous dit qu'il a eu du fil à retordre dans la semaine de Pâques à Quasimodo, mais malgré tout cela, qu'il est encore une fois passé à travers. Marcel Fourrey est enterré aujourd'hui à 1 heure. Il a été blessé par un éclat d'obus en se promenant dans un pays. Célestin Jojot a été tué le 9 avril au matin. Grossin et Mude sont blessés aussi. Charles Perreau est en Belgique, ils sont en troisième ligne. Gaulon est au camp de Mailly. Rougeot se promène en la rue avec des béquilles […]

*Marthe à ses parents*

Le 16 avril [1915]

J'ai reçu vos fleurs ce matin. Elles sont jolies et sentent bon, ça me fait beaucoup plaisir. Merci. Je vois que mon jardinier s'y connait toujours bien.

J'ai reçu une lettre de Lucien lundi. Il a changé de compagnie et est plus mal. Il m'a dit qu'il avait été en permission. Marcel et Joseph, toujours rien. Je suis rassurée puisque vous en avez des nouvelles. Je ne sais encore combien de temps cette guerre durera. Des personnes disent que d'ici quelques mois, ce sera terminé. D'autres racontent qu'il y en a encore pour un an. Lesquels croire ? Pour moi, personne n'en sait rien, il faut prendre patience et attendre.

Je pense vous envoyer ce colis en question la semaine prochaine. Hier, je suis allée au Bon Marché m'acheter des souliers. Par la même occasion, j'ai acheté un jupon noir à maman. J'espère qu'il lui conviendra, depuis si longtemps que je remettai. Il est un peu long, il faudra faire un plis.

C'est triste que Anne Simon n'aille pas mieux, elle était gentille. Nenie doit être bien tourmentée.

Tant mieux que tante soit remise si ça peut continuer.

Dimanche, je suis de sortie, je passerai la journée avec Hortense.

Lundi dernier, je suis revenue de Fontainebleau en auto en passant dans la forêt. Nous avons vu beaucoup de biches. Il faisait beau mais un peu froid. Nous sommes partis à 6h. 1/4, a 9h. 1/2 nous étions à la maison : ça vat un peu plus vite que par le train [...]

*Joseph à ses parents*

Le 18 avril 1915

J'ai bien reçu votre lettre. Je suis content de vous savoir tous en bonne santé. Quant à moi, c'est toujours pareille. Je suis encore au même endroit. Il fait un temps superbe, on entend les oiseaux chanter, ça sent l'été. Ce n'est pas dommage, nous avons eu assez de mauvais temps [...] Calas va bientôt passer la révision : ça va faire un beau cuirassier. J'ai reçu une lettre de Marthe et de Lucien. Avec Marcel, il faut beaucoup plus de temps [...]

*Marcel à ses parents*

Le 18 avril 1915 [1re lettre]

On vient de nous reformer encore une fois, mais pas avec des vieux, avec de la classe 1915 venant de Troyes. Ces petits gars-là n'ont pas l'air de se faire de bile. Maintenant dans notre régiment, nous avons des hommes depuis 19 jusqu'à 42 ans.

Nous avons passé la journée d'hier avec Levrault de Givry. Maintenant, nous occupons le même coin que son régiment, son père sait parfaitement où nous sommes *, car il a fait 4 ans à Pont-à-Mousson.

Je voudrais bien en être sauvé, de ce maudit Bois-le-

---

* Sans doute Montauville (au sud du Bois) à ce moment.

Prêtre, c'est un sale coin. Vous avez dû voir sur les journaux que l'on s'est cogné fort dans nos parages.

Vous avez du recevoir une de mes dernières lettres dans laquelle je vous disais de remettre 5 f au père Savelly. Vous me direz si vous l'avez fait. Comme je n'avais plus de pognon, Savelly m'en avait prêté. Dans les conditions où nous nous trouvons, il ne faut pas beaucoup d'argent à la fois.

Envoyez moi 5 F par mandat-carte et gardez bien le reçu.

Je viens de recevoir une carte de Lucien. Lui non plus ne tardera pas à partir. J'ai vu Mathey hier, je pense voir Simon tout à l'heure. Au 353 aussi, les rangs s'éclaircissent. J'ai reçu une lettre de Jeamblanc. Il me dit que ça va maintenant, mais qu'il a encore un bout de temps à se guérir. Il fait beau temps, mais froid. Moreau est aux tranchées, nous y remontons ce soir les remplacer […]

Je rouvre ma lettre.

En cherchant après Simon, je rencontre Mathé qui me paralyse tout net. C'est terrible. Ce pauvre Simon a été tué avant-hier par un éclat d'obus qui lui a enlevé le derrière de la tête. Il n'a pas souffert. Il est enterré ce matin à 9 h. 1/2. J'irai si possible. Nous avions bien dîné et fait une petite réjouissance la veille avec Savelly et Moreau. C'est abominable de voir une boucherie pareille. Nous n'en sortirons pas. Marcelot a écrit la triste nouvelle chez lui en disant d'en informer la famille à Simon.

De votre côté, je compte sur vous pour en informer la famille le plus doucement possible. Vous direz que j'ai écrit qu'il avait été assez gravement blessé et dirigé sur un hôpital. Comme je crains que le coup fasse trop d'émotion, papa pourrait peut-être commencer par en aviser la famille de Saint-Père. Enfin, je compte sur vous pour cela. Ce pauvre camarade, nous avons passé ses derniers instants ensemble, nous ne pensions pas à un tel malheur.

Il est enterré à Montauville dans le cimetière militaire. à 50 mètres du cimetière civil.

Du reste, je suis là pour tous renseignements quelconques.

P.S. Marcelot l'a vu tué dans la tranchée et Mathé l'a vu mort à Montauville, il n'y a pas d'erreur.

[2e *lettre du même jour, dans la même enveloppe*]

Je reviens de l'enterrement de ce pauvre Raymond. Il est bien enterré ou je vous l'ai dit dans ma 1ère lettre : Cimetière militaire de Montauville, à une centaine de mètres du cimetière civil.

Ils sont 8 dans la même tranchée, lui de la 21e et les autres de la 17e.

Ils sont chacun dans un cercueil en bois blanc. Raymond est le premier en commençant par le bas.

J'étais là avec Savelly et Levrault quant on a recouvert les cercueils de terre.

Je suis démoralisé complètement, on en voit de trop. Et ce n'est pas fini [...]

*Carte de Marcel à Lucien*

Le 18 avril 1915

Mon vieux Lucien,

Je viens de recevoir ta lettre qui m'a fait plaisir. Je suis toujours en bonne santé ainsi que Savelly. Le régiment a été bien éclairci depuis une quinzaine. Grossin a été blessé.

Jojot de Blanay, qui est avec Simon, a été tué. *Simon a été tué hier*. C'est terrible. Nous avons été reformés avec de la classe 1915. Comme toi.

Ce que je te souhaite, c'est de rester au dépôt le plus longtemps possible […]

---

*Lucien à ses parents*

Le 19 avril 1915

J'ai reçu votre letre vandredi. Je suis été plus de 2 semaines sans rien recevoire. J'ai reçu une carte de Marcel du 4 avril. Il y avai aumoins un mois que je n'en avais pas reçu de lui. L'autre jours, on a été au S.yullin du Seau [Saint-Julien-du-Sault], on a maneuvré avec les vieux territoriaux qui ons 20 ans de plus que nous. On doit être habillé mardi. Je croi bien avoir vu le charbonnier à St-Clément à la 28. On n'es pas si bien nouri qu'à la 29 : on n'a pas encore touché de vin et le mangé ne veau [vaut] rien. C'e[s]t brûlé ou pas cuits […]

---

*Joseph à ses parents*

Le 20 avril 1915

Je vous envoie ces quelques lignes pour vous donner de mes nouvelles qui sont toujours bonnes. Aujourd'hui, je suis à Abbeville pour acheter des fournitures. C'est la bonne vie, il fait un temps superbe. Ça se trouve à 20 km du cantonnement. Ça me donne des envies de voir Paris. Je suis toujours à Domléger et je ne sais pas quand nous en partirons [...]

---

*Mme Papillon à Lucien*

Le 22 avril 1915

On a apprit une drôle de nouvelles hier soir, que Raymond Simon a été tué le 19 d'un éclat d'obus en montant dans les tranchées. C'est la loi. [C'est] Mathey le garde qui l'a écrit hier. Gaillot le rouge d'Asquins est mort de maladie à Verdun. Quand son père a appris la nouvelle, il est tombé paralysé [...]

P.S. Charles va se faire inscrire dimanche 29 avril [...]

---

*Marthe à Lucien*

Le 23 avril 1915

Je vois par ta dernière lettre que tu n'es pas satisfait de ton changement de compagnie. Tu peux faire la chasse aux rats en attendant que tu la fasses aux boches. J'espère que malgré tout, tu es en bonne santé. J'ai reçu une lettre de Marcel qui est triste et voudrait bien que la guerre finisse. Je crois qu'il n'est pas le seul. Quant à Joseph, il ne se fait pas de bile. Il me dit que dans l'endroit où il est, on ne s'apperçoit pas de la guerre. Il y a quelques jours, Maman m'a envoyé des fleurs de mon petit jardin qui m'ont fait grand plaisir. Tante Célénie est maintenant chez elle et tient son commerce seule. Je souhaite que ça marche. Puisque tu es allé à Vézelay, tu dois savoir s'il y a des blessés et des ambulances à l'hôpital peut-être. Maman ne m'en parle pas. Dimanche prochain, pour changer, je vais à Fontainebleau. Ici, il fait beau, et vers vous ? Vous serez mieux pour faire l'exercice […]

*Lucien à ses parents*

Le 24 avril 1915

J'ai recu votre letre aujourdui. Tu me dis que Simon est mort, je le cavais [savais] déjà, c'est Marcel qui me l'a écrit. Il ma envoillé une carte qui était du 18. Il me dit que Simon a été tué hier le 17, et que son régiment, à Marcel, à été bien éclairsis. Ils son [ont] été renforcé par la classe 15. Moi je croilait [croyais] bien partirre mardi. Il y en est parti 150 de la 28 et autans de la 29, et 150 aussi de la 31 et autan de la 32. Nous, c'est pour le prochain dépars. On reforme une compagnie : le reste de la 29 viens à S[aint]-Denis à la 28. On va êt[r]es problamement changé de compagnie encore une fois. On va êt[r]es à la 29. On nous à dis qu'on allait ptêtres [peut-être] bien partirres la semaine prochainne […]

*Joseph à ses parents*

Le 25 avril 1915

Je viens de recevoir votre lettre à l'instant. Je suis très surpris que vous ne receviez pas de mes nouvelles. Je vous ai écrit lundi dernier, aujourd'hui j'ai beaucoup de correspondance. J'ai reçu une lettre de Marthe et une d'Hortense. Je suis toujours au même endroit et en bonne santé, on mène la vie de quartier, ce n'est pas rigolo pour ceux qui ont des cheveaux. Vivement qu'on reparte en campagne, c'est la bonne vie. J'ai reçu une carte de Marcel il y a quelques jours, ça n'a pas l'air d'aller tout seul dans la région où il est. Quand vous verrez Etienne Gravelin, il faudra lui donner le bonjour de ma part et lui dire qu'il m'écrive. Je change d'adresse souvent. Maintenant je suis au 3e peloton [...]

*Marcel à ses parents*

Le 26 avril 1915

C'est devenu un peu plus calme par ici ces jours-ci. Mais ça ne durera pas sûrement ! La santé est toujours bonne. Il a fait un vilain temps ces jours derniers, qui n'avait rien d'agréable pour nous, car nous étions dans les tranchées. Nous nous sommes fait tirer par un copain, mais le cliché a été raté, il faisait trop de soleil ! Néanmoins, je vous en envoie un exemplaire, moi je suis à peu près reconnaissable. Nous nous ferons retirer à une prochaine occasion. Il y a deux bleus de la classe 15 avec la nouvelle tenue, celui qui est debout, c'est Léaudari de Montillot, à côté c'est Moreau, le dernier c'est Savelly. On les reconnaît à peine. Moi je suis assis. Les autres sont des copains. Les amis sont en bonne santé [...] J'ai reçu une lettre de Paul Rousseau, lui aussi en a soupé de la guerre. Il n'est pas le seul.

---

*Lucien à ses parents*

Le 27 avril 1915

J'ai reçu une letre de Marthe. Elle est toujours en bonne santé. Aprésan, je suis à la 29. De samedi, on va faire un bataillon de marche. On doit être habillé mercredi. On est mieux nourri à la 29 qu'à la 28 : on mange de la bonne cuisinne. Dimanche, j'ai soupé chez Guillemot. Il vous envoi bien le bonjour. On m'a dit que Picard est réformé, il ne dois plus être malade. Aprésan, je couche dans une bergerie. On est 55 dedans. On est les uns sur les s'autres [...]

P.S. Lonlon n'a donc plus le tan de m'écrire. Il doi fairre bon a allé en chasse. Il ne doi plus avoir de tabac.

---

*Marthe à ses parents*

Le 28 avril 1915

J'ai bien reçu votre lettre qui m'a fait beaucoup plaisir. Ce pauvre Raymond a été bientôt parti. Chez eux, le savent-ils déjà ? Oui Marcel est découragé. Sa dernière lettre du 14 avril est triste. Tout au contraire, Joseph n'a pas l'air de se faire de bille en ce moment. Hortense est entrée en place aujourd'hui. Sa mère vat de plus en plus mal, c'est la fin, elle souffre martyr. Et son fils doit partir pour les Dardanelles. Tout s'en mêle.

Vous me direz si le café est bon. Maman, fais-en donc une fois une bonne tasse à papa : tu ne mettera pas de chicorée et une cuillerée à soupe pour une tasse. Vous remarquerez quelle chicorée est la meilleure. Elle vaut 1,90 [fr.], comme à Vézelay.

Maman, il y a une vieille jupe que tu mettra pour le matin. Tu deferas les plis derrière pour te donner de l'ampleur. Vous trouverez aussi le portrait du gle [général] Joffre et un petit canon, c'est pour Lonlon. Il gardera ces deux objets en souvenir de la guerre.

Aujourd'hui, il a fait une chaleur étouffante, même à présent qu'il est dix heures du soir. Tous les soirs nous sommes gardés par les aviateurs. Anne Simon, comment vat-elle ? [...]

*Mme Papillon à Lucien*

Le 29 avril 1915

On est bien contant que tu n'es pas encore parti. Quand tu seras sur le front, si toutefois tu vois des obus, il ne faut pas y touché, car l'autre jour, 4 soldats en on touché une. Elle est partie et les a tué tous les 4. C'est M. Gameau qui était hier à Vézelay qui lui a bien recommandé de te dire cela. Quand tu sera pour partir, il faut nous envoyé une carte et une fois arrivé au front, il faut nous envoyé ta nouvelle adresse.

Doré est parti se matin. Il était à Vézelay depuis samedi. Le père Gabereau de Chamoux s'est tué Dimanche soir en déchargeant une voiture de noire *. Il est tombé sur sa tête, il est mort deux heures après […]

---

*Carte de Marcel à ses parents*

Le 1er mai 1915

Je viens de recevoir votre lettre du 25, ainsi qu'une de la femme à Raymond à laquelle j'ai répondu longuement.

Ça va, je suis toujours en bonne santé.

Je vous récrirai demain ou après. J'ai également reçu une lettre de vous du 22 avec le mandat-carte. Il fait une forte chaleur, tout est en fleurs ou en verdure. C'est terrible d'être en guerre d'un temps pareil […]

---

*Carte de Joseph à Lucien*

Le 2 mai 1915

J'ai reçu ta lettre hier. Je suis content de te savoir en bonne santé. Quant à moi, c'est toujours la même chose. Je suis au même endroit. Je suis propriétaire. On fait la popote à 4, on s'en fout plein la lampe. Tu me dis que tu vas bientôt par-

* Noir (écrit ici noire) : du charbon.

tir pour le front. Ce n'est pas la peine de t'en faire pour ça. Ce pauvre Simon n'a pas eu de veine [...]

---

*Joseph à ses parents*

Le 2 mai 1915

Je viens de recevoir votre lettre à l'instant. Je suis très surpris que vous n'avez pas reçu ma lettre du 29. Celles que je reçois de Paris ne mettent que 48 h. pour venir. Je suis toujours au même endroit et en bonne santé. Je suis installé dans une maison abandonnée avec le bottier et le tailleur. Il y a un fourneau, nous faisons notre popote à part, on s'en met plein le col. Le commerce de Tante Célénie à l'air de bien marcher. Si ça continue, elle fera bien sa vie [...]

---

*Lucien à ses parents*

Le 3 mai 1915

J'ai bien reçu votre l'etre qui m'a fais bien plaisirre. On est malheureux. Voilà déjà un mois qu'on n'a pas touché de tabac. Doré n'est plus dans sa chambre, je ne sais pas ou qu'il est retourné. Ce soir, on par à 7 heures du soir et on rantre que mercredi. J'ai déjà deux pairre de chaussette qui sons en mauvais éta. Tu ne ferai pas mal de m'en envoillé une ou deux paires. Vous devez mangé des asperges maintenan. Esque les mouches avaient du mielle ? […]

---

*Marcel à ses parents*

Le 5 mai 1915

J'ai reçu hier votre lettre du 29.

Vous me dites que la guerre finira bientôt – tant mieux ! Mais nous n'en croyons absolument rien. Il y a trop longtemps que l'on nous raconte des histoires et des mensonges – c'est comme les chemins de fer avallonais.

Il n'y a qu'à prendre le temps comme il vient. Malheureusement, il y a beaucoup plus de mauvais jours que de bons. Il y a encore eu attaque ces jours derniers, c'est notre autre bataillon qui a marché, c'est de la belle besogne. Dans cet endroit, nous sommes a 20 mètres des Boches et dans une encoche a 5 mètres au plus, les canons de fusils se touchent presque. Il y a bien à faire attention. Pour la nuit principalement, nous faisons usage de fusils [à] percussion centrale Colet-16 avec chevrotines à 12 grains. Quand on en voit un qui montre sa cafetière, ou lorsque un sac de terre remue, pan ! en voilà pour 3 sous ! Envoyez c'est payé !

Ah, c'est beau la guerre !

Mais si on les embête de trop – brrrrrraoum – Voilà un crapouillaud *.

La dernière fois que nous y étions, nous leur avons

* Sur cette artillerie de tranchée et son organisation progressive, vite familière des combattants, plusieurs fois évoquée par Marcel (qui parle aussi de « crapouillage » le 28 décembre 1916), voir P. Waline, 1965.

envoyé des journaux dans leur tranchée. Aujourd'hui, nous sommes près de la Fontaine du père Hilarion. C'est un peu plus calme, on est en pleine forêt. On s'envoie des coups de fusil toute la journée sans se voir, les branches sont saccagées *.

J'ai reçu une lettre de Grossin, il me dit que ça va. Il est avec Rude, qui est légèrement blessé aux pieds. J'ai aussi reçu une lettre de Joseph et une de Lucien. J'ai également reçu une lettre de Marie Rousseau et une de M. Roubier avec un mandat de 5 f. Je lui ai répondu hier. Savelly et Moreau sont toujours en bonne santé et vous envoient le bonjour. Le bois est tout vert, les feuilles ont poussé d'un seul coup. Le jardinage doit commencer à donner, les petites raves et les asperges doivent grossir.

Bonjour aux amis et à ce vieux Brisdoux.

Si on était là pour l'ouverture de la pêche, ce serait beau ! [...]

Muguet de Bois-le-Prêtre [brin séché joint à la lettre]

*Carte de Marcel à Lucien*

Le 6 mai 1915

J'ai bien reçu ta carte du 27. Je suis toujours en bonne santé. Pour le moment, nous sommes un peu tranquilles. Mais ça ne durera pas sûrement. J'ai reçu une carte de Joseph, il

* Objectif des Français à la fin 1914, le ravin du Père-Hilarion (maison forestière et fontaine) fut un lieu de combat marquant, dans de dures conditions, pour les combattants.

n'est pas à plaindre. Quant à toi, *reste là le plus longtemps possible*. Et si quelquefois, on demandait du renfort pour notre secteur, ne demande pas à venir, au contraire. C'est le plus sale coin qu'il existe.

Savelly est toujours là et t'envoie le bonjour [...]

*Mme Papillon à Lucien*

Le 8 mai 1915

Je va t'envoyé 2 paires de chaussettes et du chocolat. R'envoie-moi donc les vieilles si je peut les racommodé, car elle ont bien r'augmenté : les chaussette de 0,90 cent. contre 1 f 40. Je va t'envoyé aussi un mandat-carte de 5 f. Ont était tourmenté : sa fesait 11 jours que l'on avait pas de tes nouvelles. Ta lettre est datée du 3 et on ne l'a reçue qu'hier, le 7. Tu demande s'il y avait beaucoup de miel. Il y en avait a peu près 10 livres : j'en ai plein un pot de terre encore pas mal grand. Les asperges ne font que de commencer à donne[r]. On a cueilli les 1ères dimanche dernier.

On à reçu une lettre de Joseph dimanche dernier. Il est toujours en bonne santé. On à reçu une carte de Marcel du 1er Mai. Il se portait bien aussi. Mazier est mitrayeur dans les tranchées. Charles va passé la révision le 19 mai à 8h.1/2 du matin [...]

*Marthe à ses parents*

Le 9 mai 1915

J'ai bien reçu votre lettre. J'ai été un peu longue à vous répondre. C'est toujours le temps qui me manques. Aujourd'hui, je croyais être tranquille et voilà qu'ils ne vont pas à Fontainebleau. J'ai eu une lettre de Marcel le jour même que jai reçu la votre. Il m'a envoyer un petit bouquet de muguet et deux violettes du Bois-le-Prêtre. Je vais garder ces fleurs en souvenir de la guerre. Il est découragé : la mort de Raymond l'a retourné.

Cette nuit, j'ai rever a lui. Il était en soldat et avait un bouc et une moustache formidable et était en permission. Joseph et Lucien m'ont écrit : Joseph ne se fait toujours pas de mauvais sang et Lucien me dit qu'il est équipé. Il est prêt au départ.

Maintenant pour les asperges : oui, j'aurais grand plaisir que vous m'en envoyé. Si je pouvais, je vous écrirai un jour que je serai en congé. Nous les mangerons le dimanche soir avec Hortense. Maintenant pour les patrons, je ne veux pas leur en offrir. [Sinon] après il se figurerai [figureraient] être forcés de donné autre chose. Marcel a toujours écrit à Mme pour la remercier de ses colis, ce qui lui a fait grand plaisir. Elle m'a dit qu'il écrivait gentillement. La semaine dernière, elle m'a encore demandé son adresse. Probablement qu'elle a l'intention de lui envoyer un petit colis par la poste.

Quant à la chemisette, je sais que la taille ne se prend pas par mesures de manches et de largeur de devant. J'ai l'intention d'acheter l'étoffe pour la faire parce que maintenant les formes ne sont pas pratiques.

Je voulais aussi vous demander un conseil. J'ai un peut d'argent, je n'ai pas envie de [déposer] sur mon livret. Est-ce que je ferai bien d'acheter des bons de la défense nationale ? Sur votre prochaine lettre, vous me direz comment faire. Ça ne presse pas [...]

*Lucien à ses parents*

Le 9 mai 1915

J'ai bien reçu ton collis et ta letre aujourd'hui. Il y avait deux pairres de chausettes et quatres cars [quarts] de chocolat qui vons bien me servirres. L'autre jours, on a été à Villeneuve-l'Archevêque : on est partis à 8 heures de S[ain]t-Denis, on est arrivé à minuit à Villeneuve-Lachevêque [L'Archevêque]. La pluie a tombé tous le long de la route et on a été couché dans un grenié. Il n'y avais pas de paille, on étais couché sur des bran[s] de scie*, on était bien pour se reposé. Le gars à Pêcheris, le bouché de Châtel-Sansoir [-Censoir] est avec moi. Je le connais déjà, il a été pandan 6 mois chez Raffatin […]

*Marthe à Lucien*

Le 12 mai 1915

J'ai bien reçu tes deux lettres et suis heureuse de te savoir toujours en bonne santé. J'ai un peu tardé à te répondre à cause de mon travail. Je n'ai pas une minute à perdre. Tant mieux que tu ne sois pas encore parti, c'est autant de pris en passant. Il y en a déjà de ta classe qui sont au front. Ce matin, j'ai reçu une lettre de Maman qui me donne aussi de vos nouvelles, me

* Brans de scie : sciure de bois.

dit que tu couche sans paille : ça ne doit pas être trop doux, enfin c'est la guerre…

La semaine dernière, Maman m'a envoyé un beau bouquet de muguet qui m'a fait beaucoup plaisir. Marcel m'a aussi envoyé quelques fleurs dans une lettre qu'il a cueillies dans le Bois-le-Prêtre. Je les garde en souvenir. Il est découragé. La mort de Raymond Simon l'a beaucoup impressionné. Il paraît qu'en ce moment, il est à 5 et 20 mètres des boches, cette sale race.

Aujourd'hui, il fait un temps affreux. C'est malheureux de penser qu'il y a tant d'hommes dehors […]

*Carte de Joseph à Lucien*

Le 13 mai 1915

J'ai reçu ta lettre hier soir en même temps qu'une carte de Marcel. Je suis content de vous savoir en bonne santé. Il y a 2 ou 3 jours, j'ai vu passé du 246 et du 289. J'ai demandé si tu n'étais pas là, on m'a répondu qu'il n'y avait pas d'active. Aussitôt que tu partiras, écris-le moi. J'ai changé de cantonnement. Maintenant je suis près d'Arras et ça barde salement. Le canon tonne sans arrêter […]

*Lucien à ses parents*

Le 13 mai 1915

J'ai reçu ton manda hiaire. Mardi on a été en marche. On est été à S[aint-]Valérien à une vingtaine de km de Saint-Denis. Aujourd'hui, ils ons demandé des volontairres pour allé au chasseur à pié. Mercredi, il est passé 8 trains de cavalerie qu'on dirigais vers le nord et des blessé aussi. Il en est passé deux bateaux ce matin. Aujourd'hui, je n'ai pas pus allé à Sens : j'étais de garde, on avais cartier libre. Aprésan, je suis un peut mieux cantonné. Je suis chez le bistro, on est 8 dans une chambre. Charles ne vas tardé de passé la révision [...]

*Joseph à ses parents*

Le 17 mai 1915

J'ai reçu votre lettre hier. Je suis content de vous savoir tous en bonne santé. Moi c'est toujours la même chose : le bon temps est passé, maintenant c'est la vie de bivouac par un temps de pluie ; ça n'a rien d'agréable. J'ai reçu une carte de Marcel : ça a l'air de barder cinq minutes dans le coin où il est. J'ai écrit à Etienne Gravelin. Je pense qu'il recevra ma carte. Quand à Pierre Chauveau, je ne peux rien dire. Je ne sais pas où est l'escadron à pied [...]

*Marcel à ses parents*
[plus deux photos avec inscription : « Souvenir du Bois-le-Prêtre – La 16e escouade de la 20e compagnie du 356 – 17 mai 1915 »]

Le 17 mai 1915

J'ai bien reçu vos 2 lettres du 7 et du 12 mai, ainsi que le petit paquet qui était en bon état. Merci à Marraine Célénie. J'écrirai ces jours-ci à M. Roubier.

Il est possible que Cicéri m'ait vu, mais moi je ne l'ai jamais rencontré ; dites-moi à quel régiment il est et je vous dirai tout de suite s'il a fait erreur. Je suis heureux de recevoir des nouvelles du copain Mombur. A l'occasion, faites-lui transmettre mon bon souvenir pour ses parents.

Ce vieux Tatane l'a encore échappée belle une fois ; sa blessure a été vite guérie.

Quant à la lettre de M. Brisdoux, dont maman me parle, je ne l'ai jamais reçue. Je n'en ai reçu qu'une seule à laquelle j'ai répondu. Je lui enverrai une carte ces temps-ci.

Je vois que Joseph ne sera jamais si heureux que pendant la guerre, car il n'a jamais connu la misère. Son emploi vaut une fortune. Ce n'est pas comme nous, pauvres misérables : voilà 4 ou 5 jours que ça chauffe encore singulièrement par ici. Il n'y a seulement pas moyen de fermer l'oeil la nuit.

Il y a une demi-section du 353 qui a sauté par l'explosion d'un fourneau de mine fait par les Boches. C'est mon copain François, le médecin, qui m'a raconté cela (il est lieutenant maintenant). Quel tableau ! on voit des lambeaux de chair et des bouts de capote, voir même un bras ou une jambe accrochés aux branches déchiquetées des chênes. Vous pouvez juger de l'explosion : chaque souterrain est bourré en moyenne de 3[00] à 400 kilogs de poudre. Je n'ai pas revu Mathé ni Manulot. J'espère pour eux qu'ils ne se soient pas trouvés dans le volcan.

Je vous envoie deux petites photos d'amateur. Vous me reconnaitrez bien, je pense, dans le tas. Je vous en avais déjà envoyé une ces temps derniers : l'avez-vous reçue ?

La situation générale ne change pas vite, les mangeurs de macaroni se paient notre poire pour l'instant. Un jour, ils se décident de marcher, le lendemain tout est démoli. En attendant, nous trinquons tous les jours... à leur santé. Si jamais on en revient, ce sera un miracle.

Savelly et Moreau sont en bonne santé et vous envoient le bonjour. J'ai reçu une lettre de la femme de Simon qui me remercie des renseignements très précis que je lui ai envoyés. J'ai également reçu une lettre de Mr Mollion, il voudrait bien que ce fût fini. *MOI AUSSI*.

P.S. La pluie se met à tomber, ça ne nous amuse guère.

---

*Marcel à ses parents*
[avec une photo, « souvenir du Bois-le-Prêtre, 22 mai 1915 »]

Le 21 mai 1915

J'ai reçu ce matin le mandat de 5 f. mais tout seul, sans lettre.

Ça va, je suis toujours en bonne santé.

Ces cochons de Boches nous donnent du fil à retordre, ils veulent nous attaquer la nuit, mais ça ne leur réussit pas. On leur fait prendre de bonnes torchées.

Je vous envoie ma tête qu'un copain m'a tiré en arrière des tranchées. C'est un peu noir, il m'en fera quelques-unes un peu plus clair – mon bouc a allongé mais ça ne se voit pas beaucoup sur la photo. Ce n'est pas épatant, mais on voit bien tout de même que c'est ma trombine.

Maintenant, nous avons la nouvelle capote bleu clair.

Le temps s'est refroidi. Depuis quelques jours, il y a constamment du brouillard.

Il est environ 2 h. du soir, je suis en petit poste avec 4 hommes. J'ai la confiance, je suis chef de poste. Les flingots sont braqués, la moindre chose qui bouge ou qui remue – Vlan !

Rien de nouveau pour l'instant. Hier soir, nous avons su par le téléphone que la chambre italienne était en bonne majorité. Tant mieux et que ça se termine vivement * […]

*Marthe à ses parents*

Le 22 mai 1915

Je vous écris ces deux mots avant de partir pour Fontainebleau, pour ne pas en perdre l'habitude. J'ai bien reçu le muguet. Je vous remercie beaucoup. Il est arrivé en bon état.

J'en ai envoyé quelques brins à Joseph dans une lettre. Pour le briquet, je ne promets pas d'en trouver un comme celui de Lucien. J'ai dû vous dire que la vente en était interdite […]

P.S. La guerre m'a fait pousser des cheveux *blancs*.

---

* Le gouvernement italien a signé, le 26 avril 1915, le traité de Londres qui l'engageait aux côtés des Alliés. Restait à faire accepter l'entrée en guerre par la Chambre et par le pays.

*Marcel à ses parents*

Le 22 mai 1915

Je vous envoie ci-joint 3 de mes photos. Celles-là sont bien, mettez-les de côté, j'en ai d'autres pour envoyer aux amis. Vous m'avertirez lorsque vous les aurez reçues. Ces photos ont été prises sur le terrain même. Je garantis que nous étions à peine à 800 mètres des Boches, mais dans un fond à l'abri des balles [...]

*Marcel à ses parents*

Le 24 mai 1915

Je viens de recevoir votre lettre du 20.

Je suis très heureux que Charles soit ajourné. Je m'y attendais presque du reste. Tant mieux pour lui. Simon m'avait raconté l'histoire des chasseurs de Granfond, la mère Teuruau doit en faire une gueule.

Rien de nouveau par ici pour l'instant. Depuis quelque temps, tout le transport des blessés est fait par les ambulanciers américains, avec leurs autos légères. Ils sont rigolos avec leurs moustaches rasées.

Il paraît que l'Italie a déclaré la guerre à l'Autriche*. Tant mieux, et vivement que tout cela finisse, ça commence à devenir dégoûtant, plus ça va, plus on voit d'embusqués et de planqués de tous les côtés. Il y en a certains qui ne seront jamais si heureux qu'à la guerre ! [...]

---

* La déclaration de guerre à l'Autriche date effectivement du 24 mai 1915.

*Marcel à ses parents*

Le 26 mai 1915

Je vous ai adressé un colis postal hier par le ravitaillement.

Il comprend :

— ma paire de souliers, vous leur donnerez un coup et les mettrez à l'air. Depuis 10 mois que je les traîne, je les ai bien gagnés ;

— 2 paires de bandes molletières, une neuve et une que je mettais : celle-là, c'est un souvenir, je l'ai trouvée dans la maison frontière à côté de la fontaine du père Hilarion ;

— 1 tricot, un cache-nez. Il y a aussi un jeu de cartes dans un étui ou j'y ai mis une petite bague en aluminium que j'ai faite avec le tube d'une fusée d'obus Boche.

— une pipe que j'ai achetée dans la tranchée au Bois Brûlé * le mois d'Octobre. Le tout dans une musette encore salie de boue du Quart en Réserve, le fameux coin où Jojot et Simon ont été tués. Aussitôt que vous l'aurez reçue, vous m'aviserez.

Nous ça va, rien de nouveau. Hier, nous avons fait une excursion dans les champs et nous avons rapporté 2 musettes pleines d'asperges. Pour le moment, elles sont en train de bouillir dans la marmite. L'escouade va se régaler.

L'autre jour, un canon de 75 qui se trouvait un peu en arrière de nos tranchées a éclaté en faisant partir l'obus. Quel travail ! Les 4 artilleurs ont été tués, et dans quel état. Le logis est devenu fou [...]

* Voir le schéma dans le cahier photos.

*Joseph à ses parents*

Le 27 mai 1915

J'ai reçu votre lettre. Je suis content de vous savoir tous en bonne santé et que Charles soit ajourné : c'est autant de pris en passant. Lucien est plutôt veinard d'être encore au dépôt. Il y a longtemps que la classe 15 est avec nous. Il y a longtemps que j'ai reçu des nouvelles de Marcel. Dans votre prochaine lettre, il faudra m'en donner. Marthe se plaint que je ne lui écrit pas : je fais réponse à toutes les lettres qu'elle m'envoie.

Je suis au même endroit et en bonne santé. Il fait un temps superbe. J'ai reçu du muguet de Paris [...]

*Marcel à ses parents*

Le 28 mai 1915

J'ai bien reçu hier le mandat-carte de 5 f. Merci.

Ça va toujours pour le moment. Hier soir et pendant la nuit, nous n'avons pas été tranquilles une minute. Ça a bombardé tout le temps, et on s'est cogné à notre gauche. Je crois que les Boches ont encore reçu la pille. Aussi, pour se venger, voilà plus de 2 heures qu'ils bombardent Pont-à-Mousson avec des obus de 210. Ah ! le malheureux pays, ils n'en laisseront pas.

Nous sommes bien placés pour voir le spectacle. Figurez-vous que nous soyons au Château, La Garenne et Tancou et que Pont-à-Mousson soit Saint-Père *. Nous ne pouvons pas

* Marcel compare le paysage qu'il a sous les yeux à la vue que l'on a de la terrasse et des hauteurs entourant Vézelay.

être mieux placés. A chaque obus qui tombe, c'est comme un volcan de fumée qui jaillit des maisons. Ces obus-là sont envoyés par les grosses pièces des forts de Metz. Ah, les salauds ! Ils aiment mieux taper dans les maisons que de venir nous voir. Maintenant, ils en ont bien rabattu. Quand on ne les attaque pas, ils restent bien tranquilles. On dirait qu'ils sont tous morts dans leur trou.

Nous voilà au mois de juin, ça commence à devenir long tout de même. Pourvu que l'on ne recommence pas l'hiver ! Oh alors, ça n'irait plus du tout.

Savelly et Moreau sont en bonne santé et vous envoient le bonjour.

Voilà l'ouverture de la pêche qui approche, je quitterais avec grand plaisir le fusil pour prendre la canne à pêche. C'est égal, les goujons de Chaudon doivent rigoler… de notre malheur. C'est la faute à Guillaume […]

P.S. Le Calas doit avoir de la besogne en ce moment. Nous, maintenant qu'il fait chaud, on se paie de bons roupillons dans la tranchée, on a les reins fait aux cailloux, on dormirait sur le dos d'une serpe. Depuis 10 mois que nous n'avons pas revu un lit, on ne sait plus ce que c'est.

---

*Lucien à ses parents*

Le 29 mai 1915

Je suis arrivé ce matin *. On entend déjà le canon. J'ai passé a Toul. Le régiment et au repos. On est mieux nourri qu'en caserne.

* Lucien monte au front.

Je ne vois plus granchose à vous dirre. Je suis toujours en bonne santé. J'esperre que vous êtes [de même].

Voici ma nouvelle adresse : 168[e] régiment d'inf., 8[e] compagnie, secteur postal no. 84.

---

*Marthe à ses parents*

Le 30 mai 1915

Je viens vous remercier de tout ce que vous m'avez envoyer. J'ai bien reçu les deux boîtes de roses et la boîte d'oeillets en bon état et un bon parfum, puis le colis d'asperges hier. En ce moment, elles sont entreint [en train] de cuire. Ce soir, nous les mangeons avec Hortense. Ça m'a fait plus plaisir que si j'avais reçu un billet de vingt francs. Je vois que vous pensez à moi.

Marcel m'a envoyé sa photo. En effet, il a grossi mais quel grade a-t-il ? J'ai apperçu un morceau de galon. J'ai eut des nouvelles de Joseph : lui, il ne s'ennuie pas. Quant à ce pauvre Lucien, où est-il maintenant ? Il m'a écrit pour m'annoncer son départ au front.

Ce matin, j'ai vu l'enterrement d'un jeune militaire. C'était triste.

J'ai reçu une carte de Marthe Geoffroy. Elle est toujours en Suisse. Elle pense rentrer à Paris pour l'hiver.

Maintenant que l'Italie fait la guerre, ça ira peut-être plus vite, c'est à souhaiter.

Mardi à Fontainebleau, j'ai encore vu un train de blessés. Ils venaient de N.D.-de-Lorette * […]

---

* Colline de l'Artois, lieu de combats intenses en 1914-1915.

*Marcel à ses parents*
[avec une coupure de journal à propos des Allemands et du Bois-le-Prêtre]

Le 31 mai 1915

J'ai reçu hier votre lettre du 26. Ce pauvre Alfroy n'a pas eu de chance, j'en avais comme un pressentiment, car je savais que le 156 s'était fait broyer à Carency. Toujours le 20e Corps.

J'ai aussi reçu hier une lettre de Lucien, qui me dit qu'il partait le jour même pour le 168. Il me dit qu'il ne reste plus personne à la compagnie, qu'ils sont tous partis pour le 156, le 146, le 168 et les Dardanelles. Que voulez vous, il est aussi bien ici qu'ailleurs, car je crois que Arras-Carency et les Dardanelles ne valent guère mieux que notre coin.

Et nous aurons toujours, je l'espère, l'occasion de nous voir de temps en temps.

Hier, au moment où j'allais partir pour essayer de le dégoter, la danse a commencé. Il a fallu que chacun reste à son poste. Ça a même chauffé assez fortement. Ce soir, j'essayerai de descendre pour me renseigner.

Chers parents, je vous ai écrit *carrément* ma façon de penser avec toutes mes récriminations à certains moments. J'ai peut-être eu tort. Car vous avez déjà assez de préoccupations sans celà. Mais c'était plus fort que moi. Maintenant que nous sommes 2 [au front], vous serez encore bien plus sur le qui-vive. Que voulez-vous, ce qui doit arriver arrivera. S'il vient à nous arriver malheur, il n'y aura toujours pas de misère derrière nous.

Maintenant, les 3/4 des soldats sur le front sont des pères de famille (et c'est étrange, les riches sont très rares). Ainsi, à notre escouade, nous avons entre autres un territorial de

43 ans, c'est un pauvre ouvrier qui a 5 enfants vivants. Celui-là a aussi de quoi se faire de la bile !

Ça me fait rire quand on dit : les nouvelles sont bonnes. Ah oui, elles peuvent être bonnes, elles coûtent assez cher, beaucoup trop cher de la façon dont on les paye.

Il faut bien se figurer que de l'Active et la réserve d'Active, il ne reviendra que les Embusqués.

La fin ne me semble encore pas pour demain, cette guerre commence à surpasser l'imagination. Il est arrivé la valeur de 3 compagnies de Grecs. Ce sont des Crétois engagés volontaires *.

Lucien se trouvera avec des pays, car le 168 est reformé avec les dépôts d'Auxerre et de Sens [...]

P.S. Je suis descendu à Maidières. J'ai visité plusieurs cantonnements du 168, j'ai bien trouvé du renfort du 89e de la 26e parti de Sens le 26 au soir, et débarqué à la gare de Belleville, près de Pont[-à-Mousson]. Mais je n'ai pas pu mettre la main sur Lucien.

C'est d'autant plus difficile qu'il y a un bataillon cantonné à Pont, et que le renfort a été réparti dans les compagnies à la descente du train. Aussitôt qu'il vous aura donné son adresse, il faudra me l'envoyer. Je vous adresse ci-joint un article de journal qui nous concerne **. Tu diras à Lucien que Levrault de Givry est à la 12e Compagnie du 168e, du moins il doit toujours y être. S'il peut le voir, il le mettra bien au courant.

---

* Des volontaires en provenance de pays neutres ont rejoint les armées alliées. Ces Grecs étaient-ils tous des Crétois ? Dans tous les cas, ils approuvaient Venizelos, homme politique crétois, partisan de l'intervention de son pays dans le camp des Alliés.

** « Nouvelles du front (officiel). La conquête du Bois-le-Prêtre », *L'Echo de Paris*, 30 mai 1915, p. 4. L'article retrace les combats au Bois depuis 1914 dans la veine patriotique standard.

*Marcel à ses parents*

Le 2 juin 1915

Enfin hier, j'ai eu la veine de mettre la main sur Lucien et de passer 2 heures avec lui. Je suis descendu 2 fois des tranchées pour le voir. Je n'ai pu le trouver que le soir, car ils étaient montés travailler la journée dans les boyaux. Je l'ai trouvé changé, sa moustache a allongé et la barbe lui pousse au menton. Il ressemble [à] un soldat. Je suis surtout content de voir qu'il n'a pas l'air de se faire beaucoup de bile, il n'est pas désorienté, il prend ça du bon côté.

Il m'a dit que hier, il avait vu des blessés, des boches tués, et aussi que les torpilles aériennes leur tombaient pas loin d'eux et que lorsqu'en éclatait [une], ça leur rentrait la tête dans les épaules. Il m'a raconté tout cela tout naturellement sans s'émouvoir, comme s'il y avait 10 mois que ça lui cogne aux oreilles. Ils sont surprenants les bleus cette année. Avec lui est un jeune de Châtel-Censoir. Il a été commis chez Raffatin, c'est un petit blond. On était contents de se voir, tout de même depuis 10 mois pareils, ça ramène loin. Je le verrai le plus souvent qu'il me sera possible, car lui tout neuf arrivé, à moins d'être au repos complet, ça ne lui est pas facile de s'absenter. Il ressemble [à] un vieux grognard avec sa pipe, et je lui ai dit : « Va, ne te fais pas de bile et maintenant si on est blessé, il y a beaucoup de chance pour finir la guerre dans le Midi ».

Voilà tout de même le 11e mois entamé. Vivement, vivement la fin ! […]

*Lucien à ses parents*

Le 2 juin 1915

J'ai vu Marcel hière soir. On a bu un bon canon. Il n'as pas change. Il est toujours pareil, il n'as pas mégris. Il ne se [fait] pas [de] bille. Il m'a montré [l']endroi ou Fourré a été blessé. Moi j'ai dégà reçu le batême du feu * […]

---

*Marcel à ses parents*
[avec deux bouts de pain allemand]

Le 9 juin 1915

La chaleur devient de plus en plus terrible. Depuis la mi-avril, nous n'avons pas eu une goutte d'eau. Tant mieux. Je voudrais que ce temps-là continue encore longtemps et que l'on ne récolte pas un radis (les Boches comme nous). Nécessairement, la guerre durerait moins longtemps.

Il y a eu une assez forte attaque hier, elle s'est passée entre Lucien et moi. Je crois que nous avons pris quelques tranchées.

Le Président Poincaré est passé dans nos cantonnements avant-hier, vivement qu'il nous apporte la paix.

Ces sales Boches ont brûlé la moitié d'un quartier de Pont-à-Mousson hier soir. Ils ont mis le feu avec des obus incendiaires. Comme nous étions au repos, nous l'avons vu de près, et pas moyen d'aller prêter la main, aussitôt qu'ils

* Le régiment de Lucien est au Bois-le-Prêtre depuis septembre-octobre 1914.

voyaient circuler, ils arrosaient de schrapnels * – c'est un beau fait d'armes !

Ce matin, j'ai reçu un colis de Mme Leroy. Il contenait 2 fioles de Malaga, 2 boîtes de gibier en conserve qui valent bien 3 f pièce, 1 kilo de petits beurres LU et une livre de chocolat. Voilà déjà plusieurs fois qu'elle m'écrit, je vous envoie sa carte qu'elle avait jointe au colis. Elle est très aimable, elle avait sans doute été contente de ma dernière lettre.

J'espère aller voir Lucien Dimanche ou Lundi. Ça nous permettra de casser la croûte ensemble. Savelly et Moreau vous envoient le bonjour.

J'ai reçu une carte de Joseph ces jours derniers. Paul Rousseau est-il toujours à l'hôpital ? [...]

P.S. Le premier laboureur de la maison Antoine ** doit avoir de la besogne en ce moment. D'un temps sec comme cela, les lapins de garenne doivent grouiller.

Il est 7 heures du soir, voilà un orage qui s'amène, il tonne fort.

Je viens de voir des copains du 346. Ils m'ont donné du pain boche dont je vous joints 2 petits bouts. C'est tout bonnement du pain de seigle, le même que les Boches ont en temps de paix. Il y en avait plus de 30 boules dans la tranchée avec des saucisses et des morceaux de jambon à l'avenant. Ils ne crèvent encore pas de faim !

---

* Shrapnel : obus rempli de projectiles.

** Il fait allusion à son frère Charles.

*Lucien à ses parents*

Le 9 juin 1915

J'ai reçu votre letre hiaire. Tu me dis que le bigues * a fais trois bigots. Hiaire, les obus tombais comme la pluie. C'étais terible. Les boches on pris quelque chosse pour leur ruhme. Je n'ai pas revue Marcel. Il ma écri qu'il étais retourné pour me voire, mais j'etais monté la veille dans le bois. Ge panse le revoire la semainne prochaine. Marthe m'a écri jeudi. Elle me demande ci je veu un petit colli [...]

*Carte de Marthe à ses parents*

Le 11 juin 1915

J'ai reçu vos jolies roses ce matin. Merci beaucoup. Ne vous inquiéttez pas au sujet de Joseph. J'ai reçu une lettre de lui hier au soir dattée du 6. Il est en bonne santé et toujours au même endroit [...]

*Joseph à ses parents*

Le 12 juin 1915

Je suis très surpris que vous ne receviez pas mes lettres. J'ai toujours fait réponse à toutes celles que vous m'avez

* Le bigue (la bique) : la chèvre.

envoyé. Je suis toujours au même endroit et en bonne santé, je ne suis pas malheureux mais je me fais chi… Ça commence à devenir long.

Je reçois des nouvelles de Lucien à l'instant. Il me dit qu'il a vu Marcel. Tant mieux, il vaut bien mieux qu'ils soient l'un vers l'autre […]

*Marthe à ses parents*

Le 14 juin 1915

Vous avez du recevoir une carte de moi annonçant réception du colis de vous que j'ai encore (les boutons fleurissent) et vous donnant des nouvelles de Joseph. Je viens de recevoir une lettre de Lucien. Il est en bonne santé ainsi que Marcel. J'avais demandé à Lucien s'il voulait que je lui envoie un petit colis. Il préfère cinq francs que je lui expédierai demain en mandat-carte. Marcel a lui aussi prefer[é] l'argent. Quant à Joseph, j'attend la réponse.

Mme est vraiment gentille : elle a encore envoyer un colis à Marcel il y a quinze jours, et n'ayant pas de nouvelles, elle se demande s'il l'a reçu. Dimanche, les patrons ne sont pas allés à Fontainebleau. On y est cependant mieux qu'à Paris où on y étouffe, surtout au sixième sous les ardoises. Ça chauffe dur à Vézelay, il doit faire bon. Je fais comme les soldats : je commence à compter les jours pour venir vous voir […]

*Lucien à ses parents*

Le 17 juin 1915

J'ai reçu votre letre ce matin, qui m'a bien fais plaisirre et une de Joseph aussi. Il me dis que sa barde du côté d'Arras. Je n'ai pas revu Marcel, parceque g'étais au tranchées. Je suis au repos de mercredi. Je pense le voirre ces jour-cis. Il n'est pas trop teau [tôt]. On a été re[m]plassé parre le 367 qui n'i [n'y] étais jamais allé. Je croi qu'on est au repos pour 15 jours. Je te promai que j'en ai vue passé des aubus. Lundi en 4 heures de tans, j'ai vu passe[r] au moins 2 mille aubus. Je te garantis que les boches on pris quelque chosse *.

Pessin a de la veinne, il est blessé au genou [...]

P.S. Je pense que la fauchaison doit être finie chez nous. Charles doi avoir de l'ouvrache.

---

*Joseph à ses parents*

Le 19 juin 1915

Chers Parents,

J'ai reçu votre lettre aujourd'hui, je suis toujours en bonne santé. Nous allons probablement changer de cantonnement demain matin. On a tellement travaillé que nous avons besoin de repos. Ça commence à devenir long et où est la fin ?

* Le JMO note : « L'organisation est très gênée par le bombardement, les travailleurs sont à chaque instant ensevelis au fur et à mesure qu'ils réorganisent les tranchées. Le bombardement a été continu (interruption d'une heure). Vitesse 1 à 4 coups par minute. »

J'ai reçu des nouvelles de Marcel ces jours derniers. Il est toujours en bonne santé. Marthe m'envoie des journaux tous les jours : ça fait passer le temps [...]

---

*Joseph à ses parents*

Le 20 juin 1915

J'ai reçu votre photographie ce soir. C'est bien ressemblant. Il ne manque que la tête de Charles. Je viens d'arriver dans un nouveau pays * et j'ai mangé beaucoup plus de poussière que je ne l'aurai voulu. J'étais blanc de poussière. En ce moment, on touche la nouvelle tenue bleu horizon avec les écussons blanc. Avec ça, on aura tout du boche [...]

---

*Lucien à ses parents*

Le 20 juin 1915

J'ai reçu ton manda-carte ce matin et j'en ai reçu un de Marthe hiaire. Elle m'a dis que tu lui avais écri et que tu lui avais appri la mort de Charles Perreau. Le pauvre vieux, il n'a pa eu de vieine [veine]. Tu voi bien qu'on a bien fais de

* A Regnauville, dans le Pas-de-Calais.

s'amusé qu'an on étais ensamble. Elle me dis aussi que Joseph a été un peut dérangé, mais aprésan ça va mieux [...]

Lucien

P.S. Je croi que papa a été faire l'ouverture de la baiche [pêche] aujourd'hui. Il fesai un beau tan à prand[r]e les gougons [goujons].

*Marcel à ses parents*

Le 22 juin 1915

J'ai bien reçu votre lettre du 17 ainsi que celle du 18, qui contenait votre photo, et l'adresse à Paul Rousseau. Vous êtes bien ressemblants tous les deux, c'est dommage que Lonlon ait la tête partagée. Il paraît avoir bien grandi, ce petit brigand-là. J'ai été très surpris en voyant cette photo toute seule dans la lettre, elle m'a bien fait plaisir.

J'ai aussi reçu une lettre de Lucien hier, qui me dit qu'il est au repos dans un petit patelin, et une autre ce matin me disant que maintenant son régiment est affecté au secteur 48. Je ne sais pas où cela se trouve.

Nous devons descendre au repos demain pour quelques jours. Je ferai tout mon possible pour voir Lucien s'il est toujours au même endroit.

Vous me parlez de mon ancien lieutenant. Il n'a pas eu de chance, il avait quitté notre Compagnie 8 jours auparavant. Voici ce qui s'est passé : 5 Compagnies de notre Régiment (un effet du pur hasard que la mienne n'y était pas) ont attaqué et ont pris trois tranchées aux Boches, mais le lendemain les Boches ont contre-attaqué 10 fois plus nombreux et ont réussi à reprendre une tranchée. La lutte fut chaude, des 5 Compagnies il en est revenu à peu près moitié, le reste fut tué, assassiné par les Boches qui étaient armés de grands couteaux ou faits prisonniers. De leur côté, les Boches ont perdu énormément de monde.

Quant à notre malheureux lieutenant, on ne sait pas encore exactement ce qu'il est devenu. C'est dommage, c'était un brave homme.

Le 8 de ce mois, il y a eu une forte attaque également. Lucien était de la partie. Je ne vous l'avais pas dit pour ne pas vous inquiéter. Ce n'est plus un bleu maintenant comme il le dit sur sa lettre (« mon vieux à présent, je sais ce que c'est »). Pour son début, il a vu un joli feu d'artifice : les 75 balayaient la tranchée des premières lignes des Boches, les 90 retournaient la tranchée de 2ème ligne, et les 155 bouleversaient celle des troisièmes lignes – le tout en même temps, et à l'instant précis où cessa le bombardement, 10 fourneaux de mines explosèrent, réduisant en chair à saucisse les Boches qui restaient dans la tranchée de première ligne.

L'infanterie sortit aussitôt et prit sans trop de mal les tranchées. Les Boches en avaient assez. On trouva dans leurs tranchées des Renards apprivoisés, sans doute qu'ils les emploient pour écouter dans les mines.

Les Crétois, armés d'un revolver d'une main et d'un sabre court de l'autre, vengèrent nos camarades en passant par les armes un nombre respectable de Boches *.

Vous voyez que maintenant Lucien a fait son apprentissage. Il ne vous racontera jamais rien de cela sur ses lettres, c'est expressément défendu et il a peur de forcer la consigne.

---

* Le JMO du régiment de Lucien ne mentionne que des bombardements le 8 juin et une attaque sur la Croix des Carmes qui ne semble pas impliquer spécifiquement le régiment. Du 16 au 23 juin le régiment est cantonné à Villers-en-Haye et Griscourt, au sud du Bois-le-Prêtre. Le lieutenant dont il s'agit est de Maumigny déjà évoqué par Marcel. Le 31 mai, il est blessé grièvement par une grenade et reste aux mains des Allemands. Du 30 mai au 1er juin, attaques et contre-attaques se sont succédé dans le secteur Quart en Réserve et Hors-Bois.

Moi je ne devrais pas le faire, mais je m'arrange de façon à ce que ça passe tout de même. A quand la fin de ce bouleversement, quand on pense que voilà bientôt le 12e mois ! […]

*Lucien à ses parents*

Le 23 juin 1915

J'ai reçu votre photografie ce matin. Vous n'êtes pas mal dessu. Ça doi être Léon qu'on ne voi que les jambes. Maman ne maigri pas. J'ai reçu une carte de Joseph ce matin. Il me dis pas granchosse. Il dit que le métier commence à le fairre chier. Il est comme beaucoup. L'autre fois, qu'an [quand] j'ai vu Marcel, il m'avais dis qu'il t'avais envoillé un colli. Es[t-ce] que tu l'a reçu ? Il fais chaud. Les légume ne doive gairre bien pousse[r] de ce tan là. Ici qu'on est, il y a des avoinnes qui son apeine sortie de terre et ces [c'est] en épis. Charles doit avoirre de l'ouvrage de ce tan-là. Tu va dirre à Léon qu'il m'envoie des cartes postalles de chez nous […]

*Marcel à ses parents*

Le 24 juin 1915

Je vous ai adressé une lettre hier, vous devez l'avoir reçue.

Je suis descendu au repos hier pour quelques jours. Lucien y était depuis le 16 dans le petit pays ou nous y avons été au mois de février. J'ai reçu une lettre de lui me disant qu'il fallait lui écrire ses lettres secteur 48.

Néanmoins, j'avais demandé une permission pour aller le voir, croyant qu'il était encore là. Mais avant de m'embarquer, je me suis renseigné en lieu sûr, et on m'a dit que dans la nuit du 22 au 23, le régiment de Lucien était parti pour Liverdun (joli petit pays à quelques kilomètres de Nancy). C'est vraiment pas de chance, j'avais toujours conservé le colis de la dame de Marthe ainsi que deux billets de 5 f dans le porte-monnaie pour nous faire faire un petit gueuleton. Pour qu'il en profite quand même, je lui ai mis un billet de 5 f dans la lettre.

Ne le laissez pas manquer d'argent. J'aimerais mieux m'en passer. Il est dans un régiment d'élite le plus intrépide de la Division. Comme distinction, son drapeau a été décoré au mois de février.

Il doit encore être au repos pour une quinzaine de jours. Après je ne sais pas où on les enverra.

Pour son linge, dites-lui que s'il peut l'envoyer, qu'il le fasse, mais ne le tracassez pas autrement : un tricot de plus ou de moins, ça n'est pas une affaire.

Quant à moi, *j'ai tout ce qu'il me faut, je n'ai absolument besoin de rien.*

J'ai reçu une carte de M. Vallué. Il m'a dit que le fils Roche, de Châtel, avait été tué.

Savelly et Moreau sont en bonne santé et vous envoient le bonjour. Ci-joint la photo de Moreau et de son escouade [pas dans l'enveloppe].

Je ne suis pas sur la grande photo que Savelly a envoyée, pour le motif qu'au moment, j'étais parti avec une dizaine de copains voir le bombardement de P. A.M. [Pont-à-Mousson].

Et la pêche ? Le goujon est-il en abondance cette année ?

Au B[ois]-le-P[rêtre], Lucien était au « quart en réserve » […]

*Marthe à ses parents*

Le 24 juin 1915

Marcel m'as envoyer la bague des tranchées. Elle est très jolie, bien faite. Je suis contrariée : je lui ai envoyer un mandat de 5 f le premier juin, il ne l'a pas reçu. Lucien c'est la même chose. Je lui ai expédié un mandat-lettre. Il ne l'a pas reçu, c'est la première fois que ça m'arrive. Joseph, lui, préfère un colis. Il me demande du camphre pour le désinfecter.

Je pense dimanche être de sortie. Voilà un mois que je ne ai pas eu un moment de repos. J'en profiterai pour faire le colis de Joseph. Lucien m'as dit sur sa dernière lettre qu'il était changé de secteur. C'est dommage, car il pouvait se voir avec Marcel.

Vous me demandez à quel moment j'irai vous voir. Mme m'a parlé pour le moi d'août, ce sera bientôt arrivé maintenant. Depuis quelques jours, il fait un temps abominable : la pluie ne cesse de tomber nuit et jour. Ce n'est pas le temps rever pour ces pauvres soldats [...]

*Lucien à ses parents*

Liverdun, le 26 juin 1915

Je suis au repos à Liverdin [Liverdun], à 10 kilomètre de Nancy. On n'antan plus le canon. Je suis été à la pêche dans la Moselle, je resterai bin là à la fin de la gairre. On voi les trains passer. J'ai vu le fraire de la femme à Camélina. Il est à la 6e Compagnie du 168.

Je croi que nous somme encorre au repos pour une 10[aine] de jours [...]

---

*Marcel à ses parents*

Le 26 juin 1915

Aujourd'hui, c'est notre dernier jour de repos. Nous remontons demain dans la tranchée (12 jours de tranchées, 4 jours de repos).

Rien de nouveau à vous apprendre. Pour l'instant, c'est calme. Aujourd'hui, il fait beau, j'en ai profité pour faire la lessive, mais hier et avant-hier, il a fait de l'orage, la pluie est tombée en abondance.

Je vois que Lucien est changé de secteur (c'est simplement pour la poste pendant son repos) mais qu'il reviendra avec nous. Si vous croyez qu'il soit un peu dégarni d'argent, envoyez lui 5 f de supplément pour lui faire boire un canon pendant qu'il est à même. Lorsqu'il sera revenu dans la tranchée, ça ne sera plus le moment de profiter de ses sous. Quand on est au repos comme il l'est en ce moment, il faut quelques sous, sans quoi on ne s'amuse guère. Ne vous privez pas, prenez sur le mien.

Nous avons eu quelques hommes de renfort. Voilà tout de même que ces fameux embusqués vont se montrer après *un an de guerre*. C'est honteux de voir ces jeunes fainéants de 27-28 ans qui sortent des coins noirs, solides comme des turcs, tandis que des malheureux territoriaux, pères de nombreuse famille, sont au feu depuis le mois de janvier. Ce ne sont pas des auxiliaires, ceux-là, ce sont des hommes du service armé qui ont fait leur temps *comme moi*. Et savez-vous dans quelle condition ils viennent à la compagnie – comme brancardiers – c'est plus que terrible tout de même, mais cette affaire-là n'est pas finie ! Vous devez bien comprendre que ce ne sont pas des maçons, des plâtriers. Non, ce sont des Messieurs au porte-monnaie bien rebondi.

Ah, si je reviens, on pourra m'en parler de la guerre. Egalité, derrière la porte ! Du reste, ce n'est pas d'aujourd'hui, c'est depuis 11 mois que je vois ça.

Enfin, ça finira peut-être un jour mais pour l'instant, les Russes sont en train de prendre une belle purge [...]

Ces jours derniers, nous avons touché un masque contre les gaz asphyxiants. Par ici, ils n'ont pas encore envoyé de leur fameuse composition * [...]

P.S. Je crois que ceux qui, comme nous, compteront bientôt 12 mois de campagne au front sans absence, même d'une journée, doivent commencer à devenir rares.

---

*Marthe à ses parents*

Le 28 juin 1915

J'ai reçu votre lettre ce matin. Il ne faut pas vous tourmenter au sujet de la maladie de Joseph. Maintenant il est guéri, c'est probablement la chaleur qui l'avait déranger. Sur sa dernière lettre, il me dit qu'il est en bonne santé. Je me demande pourquoi il change de régiment. Je le demanderai à la caissière mercredi. Je voudrais avoir la nouvelle adresse de Joseph. J'ai acheté de quoi faire son colis ; entre autre, je lui ait mis une petite bouteille de rhum. Je vais attendre un peu [...]

* La première émission de gaz par les Allemands date d'avril 1915.

*Joseph à ses parents*

Le 28 juin 1915

Je suis très surpris que vous ne recevez pas plus souvent. Le jour que j'ai reçu votre photograhie, j'ai fait réponse de suite et j'avais déjà écri la veille. Je suis toujours au même endroit et en bonne santé. J'ai reçu une lettre de Lucien ces jours derniers. Il va bien, il a été changé de secteur. C'est dommage s'il ne reste pas vers Marcel [...]

*Marthe à ses parents*

Le 1er juillet 1915

J'ai vu la caissière. Elle m'a dit qu'elle ne savait pas que le régiment avait été changé. Le Cd [commandant] lui a écrit dernièrement, c'est toujours la même adresse, elle lui demandera pourquoi Joseph a été changé. J'ai reçu une lettre de Lucien ce matin sur laquelle il me dit qu'il a vu Marcel et qu'il a reçu votre photo. J'espère que j'en aurai une aussi.

Depuis plusieurs jours, il fait un temps abominable. La pluie tombe à torrent. Si ça continue, je crois que Paris pourrai bien prendre un bain [...]

*Joseph à ses parents*

Le 1er juillet 1915

Je fais réponse à votre lettre. Ma maladie n'a jamais été bien grave. Je n'ai pas arrêté de travailler. C'était simplement des coliques. Maintenant ça va bien, je suis dans un joli petit pays. Ce n'est pas la peine de m'envoyer de colis. Marthe doit m'en envoyer un. Jusqu'à maintenant, j'ai vécu de mon travail ; mais aujourd'hui je suis en morte saison et les fonds sont en baisse. Un peu d'argent ne me ferait pas de mal [...]

---

*Marcel à ses parents*

[avec un article sur le découragement des prisonniers allemands au Bois-le-Prêtre]

Le 2 juillet 1915

J'ai bien reçu hier votre lettre du 27 et ce matin celle du 28.

J'ai bien reçu le mandat que tu m'as envoyé.

Quant à Lucien, j'ignorais complètement ce qu'il recevait d'argent, c'est pourquoi je vous disais d'être indulgent avec lui. Maintenant que je suis renseigné, je ne dis plus rien !

Je suis content de savoir que vous avez vu Grossin.

J'ai reçu une lettre de Lucien avant-hier, il me dit que le frère de la femme à Eumène est dans la même compagnie que lui. Il paraît que le secteur 48 se trouve dans le Nord * : il pourrait peut-être se faire qu'on les envoie par là. J'ai trouvé le bout du journal de Mr Dicquemare. Je suis heureux de savoir que mon lieutenant est encore de ce monde. Grossin l'avait eu

---

* Le régiment de Lucien arrive en Argonne, voir la lettre du 14 juillet 1915.

comme s[ous]-lieutenant. Il était bon pour les hommes, nous l'avons regretté. Je me rappelle qu'au mois d'avril, s'étant blessé à la jambe lors de ces fameuses semaines, il était resté au pays en repos. Mais quant il nous a vu revenir enduits de boue des pieds à la tête avec pas mal de manquants, il n'a pas pu s'empêcher de pleurer en nous voyant dans un tel état.

Les Boches nous font salement suer depuis hier. Toute la nuit et aujourd'hui, ils nous bombardent singulièrement et nous idem, on en a la tête cassée. Ils voudraient peut-être nous attaquer, mais il y a bonne garde.

Je ne vous avais pas dit que j'étais bijoutier. Je suis associé avec un vieux territorial du midi et nous faisons des bagues avec l'aluminium des Boches.

La maison fait des affaires. Depuis que nous sommes remontés dans les tranchées, nous avons fait 8 f de recettes.

Le vieux fait le plus gros, moi je les finis. J'en ai déjà envoyé 2 à Marthe.

Nous faisons la spécialité pour femmes avec des coeurs, des trèfles à 4 feuilles, des grains d'orge ; nous avons le rayon des hommes avec plaquettes et écussons, nous faisons aussi des alliances et la chevalière. Comme vous le voyez, la maison a du choix et… de la renommée.

Comme souvenir, si vous voulez que je vous envoie à chacun une alliance, vous me ferez avec des ronds sur un bout de papier la grandeur intérieure des bagues. Maintenant, je réussis ces bagues assez bien, c'est une distraction, ça fait passer le temps et nous n'y perdons pas.

Pour l'adresse à M. Combe, tu as oublié de me mettre la compagnie.

Je te renvoie la coupure du journal, tu mettras ça dans les archives de la guerre […]

*Lucien à ses parents*

Le 5 juillet 1915

Voilà au moins 15 jours que je n'ai pas reçu de tes nouvelles. Moi ça va toujours bien. On est pas dans un mauvais androi *. Le 89 n'est pas loin de nous, il est apeuprais à un kilomètre. Maintenan, je va fairre des économie. Je suis obligé à fairre l'économie de ma peille : on ne trouve rien ageté [à acheter], maime pas un litre de vin […]

*Carte de Marcel à ses parents*
[illustrée : maison bombardée à Pont-à-Mousson]

Le 5 juillet 1915, 2 h.

Deux mots pour vous dire que je suis encore en bonne santé pour l'instant. Les boches nous ont attaqué hier, nous les avons fait rentrer à domicile avec pertes et fracas. Je vous raconterai cela en détail demain ou après, quand je serai un peu reposé. Je me rappellerai la journée du 4 juillet. Ça vaut la peine d'être raconté […]

* Dans l'Argonne, entre le ravin de la Fontaine aux Charmes et la route de Binarville.

*Joseph à ses parents*

Le 6 juillet 1915

Chers parents,

Depuis quelques jours, on parle beaucoup de nous envoyer en permission. Maintenant, je commence à le croire. Il y en a qui sont partis hier. La durée est de 4 jours, il y a des trains spéciaux jusqu'à Paris. Je voudrais bien être fixé sur la durée du trajet de Paris [jusque] chez nous et l'heure à laquelle j'aurai un train à Paris. Si toutefois, ça ne valait pas la peine, je n'irai pas et j'aurai besoin d'argent.

J'attends une réponse le plus tôt possible [...]

---

*Carte de Marcel à ses parents*

Le 6 juillet 1915

Ça va, je suis en bonne santé. Voilà 5 nuits blanches de suite que les Boches nous font passer. Du reste, les journaux vous renseigneront à ce sujet. C'est insensé de voir leur acharnement. Ils ont subi des pertes énormes, c'est bien la ruée à la mort. Ils nous ont envoyé des obus qui ont fait des trous pour y enterrer facilement 3 chevaux. J'écrirai plus longuement quand ce sera plus calme [...]

---

*Joseph à ses parents*

Le 6 juillet 1915

Chers Parents,

Je viens de recevoir votre lettre à l'instant. Vous avez du voir sur les journaux que les militaires sur le front allait avoir une permission. Si vous voulez me voir, envoyez-moi de l'argent le plus tôt possible en mandat-carte […]

---

*Marcel à ses parents*

Le 7 juillet 1915

Ça chauffe singulièrement par ici depuis 5 jours. Dimanche dernier 4 juillet, les Boches nous ont attaqué brusquement à 2 h. de l'après midi. Ils ont fait irruption dans la tranchée après avoir fait sauter 2 de nos petits postes à la mine et répandu des gaz asphyxiants.

Nous étions au repos, couchés dans la 2e tranchée. Le premier moment de stupeur passé, chacun saute sur son fusil et munis de notre masque protecteur, nous les avons refoulés aussitôt. Ils nous envoyaient des grenades à main et des torpilles. C'était un vacarme épouvantable.

Un Boche a eu le culot d'entrer dans ma cabane et de se sauver avec un de mes souliers (j'étais en savates). Je lui ai envoyé 3 coups de fusil dans les fesses, je dois l'avoir touché car quelques mètres plus loin, on a trouvé un fusil boche brisé par des balles et taché de sang. A une vingtaine de mètres plus loin, dans le boyau, on a trouvé un équipement complet de Boche et à côté MON SOULIER ! Dans sa musette, il y avait du pain, du saucisson, des cigarettes à bouts dorés. En se sauvant, il avait tout abandonné. C'est Savelly, en circulant après l'attaque, qui a fait la trouvaille. J'étais content de le voir me rapporter mon soulier, je n'étais pas fier avec une paire de savates trempée dans les pieds et plus qu'un soulier.

Ils nous ont bombardé avec des obus de 305. C'est terrible. Il y a des blocs de pierre arrachés aussi gros qu'un hectolitre. En certains endroits, tout est fauché ; on ne sait plus si c'était un bois. Il y a des 40 ans qui sont arrachés avec la motte comme des poireaux et après avoir sauté en l'air, sont retombés sur leur pied et sont restés debout.

C'est impossible de s'en faire une idée, il faut voir cela. Les éclats de terre, de pierre et de ferraille retombaient sur nos tranchées. Une pierre est venue s'écraser pas à 5 centimères de ma tête, sur une pièce de bois.

Mais du côté où était Lucien, l'attaque d'infanterie a été plus violente, les 75 faisaient comme des roulements de tambour, le terrain est gris de Boches.

Il y a encore eu attaque la nuit passée. Il s'est déchaîné en même temps un orage épouvantable : c'était bien tous les éléments déchaînés. On ne peut rien voir de plus terrible : le canon, les fusils, les éclairs, le tonnerre et… la pluie à torrents – les râles des mourants, les plaintes des blessés.

Beau spectacle de civilisation pour le 20e siècle.

Aujourd'hui, le bombardement a encore été intense. Ça ne leur réussit pas.

J'en ai tiré des coups de fusil. J'ai vidé mes deux cartouchières.

---

*Lucien à ses parents*

Le 9 juillet 1915

J'ai reçu tes 2 laitre ou étais les photos, elle m'on bien fais plaisirre. J'ai reçu une letre de Marthe. Elle me dis que Joseph à change de régiment. Pourvu qu'il ne l'ai pas versé dans l'infanterie, il pourrai y trouvé un changement. Marthe m'a dit qu'elle allait passer une huitaine chez nous an le mois d'août. Ci tu savais comme on est malheureux : on est pas capable de trouvé un litre de vin a acheté […]

*Marcel à ses parents*

Le 10 juillet 1915

J'ai bien reçu vos lettres des 5 et 6 ainsi que celle du 4.

Pour le moment, la fabrique de bagues ne marche plus. Il n'y a plus à rigoler. Depuis 8 jours, ça n'arrête pas de cogner ici. Les Boches sont en furie. Il paraît que Guillaume * veut déjeuner à Pont-à-Mousson pour le 14 juillet. Nous n'avons donc qu'à bien nous tenir.

J'ai reçu une lettre de Lucien. Maintenant, il est dans l'Argonne. Il n'est pas à la noce pour le moment non plus. Quant aux permissions, il ne faut même pas y songer. Quant à présent, ce n'est pas l'instant, et puis moi je n'y crois pas. Quelques-uns iront peut-être, mais nous…

Pour l'adresse à Joseph, j'ai bien vu que *c'était une bêtise*, je ne lui ai pas écrit. Si Joseph ne reçoit pas le colis, il ira au rebut. Marthe pourra le réclamer avec son talon. Mais je ne garantis rien ! Selon l'adresse de M. Combes, je vois qu'il fait partie d'un bataillon de marche, troupes bouche-trou qui ne sont pas souvent dans les tranchées. Je n'ai jamais vu son régiment. Ils sont sans doute toujours restés à l'arrière. Si il a été si interessé par le bombardement de Pont-à-Mousson, c'est qu'il n'a pas encore vu grand-chose. J'en ai bien vu d'autres, hélas – ce n'est pas comparable. Quelle vie ! […]

---

* L'empereur d'Allemagne Guillaume II.

P.S. […] Toul vient encore d'être bombardé. Les obus à Guillaume ont démoli l'Eglise St-Martin. Une des tours est rasée. Il est 5 heures du soir. Une attaque formidable vient de se déchaîner contre les Boches, elle est commandée par le général Dubail en personne. Quel bombardement, c'est plus qu'à rendre fou. *Ne craignez rien pour moi pour l'instant.*

---

*Lucien à ses parents*

Le 10 juillet 1915

J'ai reçu ta laitre ce matin qui m'a bien fais plaisirre. Je commence [à] en avoir assez. Depuis que nous somme arrivé, on est en ligne et on n'a pas eu encorre de repos.

En ce moment ici, tout le monde est mallade. On a tous la chiasse. C'est forcé : on boit de l'eau qui est moitié ampoisonné à force de geté de[s] gaze afixcian. Je ne croi pas que nous allons reste[r] là, parceque nous f[ais]ons partie d'une brigade volante. Le 169 n'est pas à Vermanton comme tu me le disais. Il est avec nous : il y a 168 - 167 - 169. On marge [marche] ensamble […]

---

*Lucien à ses parents*

Le 11 juillet 1915

J'ai reçu ta letre du 7 aujourd'hui et le manda aussi. Je n'en avais gairre besoin du manda, puisqu'on ne trouve rien a acheté. Tu ne pourrai pas trouvé un pout de pain a acheter. Sur ta letre, tu me dis que Batiste est dans les tranchées. Il doit être comme les autres : la trouvé mauvaise.

Vers nous, les nuits commance a être trè fraiches, on n'a pas trop chaud le matin dans les tranchées [...]

---

*Marcel à ses parents*

Le 11 juillet 1915

Je n'ai pas le temps de faire une bague. Je t'en envoie une que j'ai faite pour moi [...] [bague dans la lettre]

---

*Joseph à ses parents*

Le 13 juillet 1915

J'ai reçu votre lettre ainsi que le mandat. Je vous remercie beaucoup. Si j'avais été un peu plus riche, je vous aurai envoyé 6 francs. Pour une fois que je demande quelque chose, on m'envoie presque promener. Ce n'était pas la peine de m'en offrir ! Si je dois aller en permission pour manger du singe durant mes deux jours de voyage, ce n'est pas la peine. La permission, je m'en fout. Pour moi, c'est plutôt une corvée. Si je le fais, c'est pour vous *.

---

* Voir aussi les lettres du 16 et 28 juillet. Ajoutées aux questions liées à l'organisation des permissions, les difficultés du voyage en train sont souvent évoquées par les soldats.

J'ai vu Chauveau aujourd'hui. Cierq et blessé, il est à l'hôpital à 7 km d'où je suis cantonné […]

---

*Marthe à ses parents*

Le 14 juillet 1915

Le 14 juillet n'est pas brillant. Nous sommes venus à Fontainebleau pour deux jours […]

J'ai reçu une carte de Marcel me disant qu'il a reçu ses cinq francs et que ça chauffe. Puis une lettre de Joseph. Il a reçu mon colis. Il paraît que le rhum était épatant, il pense venir dans les premiers jours d'Août et maintenant, il a la tenue bleu horizon. Le commandant n'est plus au 13e dragon. Il est lieutenant-colonel dans les chasseurs.

Dites-moi si vous avez besoin de quelque chose, je demanderai à sortir avant de partir. Je pense au papier a lettre.

Avez-vous vu sur les journaux ce qu'a prédit un colonel ? Il parait que la guerre se termine à Noël : si seulement il disait vrai * !

---

* Depuis les tensions de l'avant-guerre, prédictions et prophéties se multiplient. Pendant la guerre, tout un ensemble de croyances se développe pour répondre aux incertitudes du temps. Le gouvernement doit même lutter contre le commerce des cartomanciennes et voyantes. Appuyées sur des raisonnements de nature variée, les spéculations sur la fin de la guerre abondent. Marthe fait sans doute allusion ici à celle du colonel Harrison qui publie début 1915 aux Etats-Unis, mais avec un large écho, des prévisions détaillées pour l'ensemble du second semestre de l'année : en décembre, les Français devaient arriver devant le Rhin et les Allemands demander l'armistice. Pour tout cela, voir A. Dauzat, *Légendes*… notamment p. 209. Voir aussi, sur le développement de l'occultisme, notamment pour communiquer avec les morts, J. Winter, 1995, p. 54 s.

J'attends le mois d'Août avec impatience. Je ferai de bons roupillons. Si seulement j'avais la chance de rencontrer mes frères.

Papa a-t-il fait l'ouverture de la pêche ? Lucien m'en a parlé […]

---

*Lucien à ses parents*

Le 14 juillet 1915

J'ai reçu ton manda-carte il y a deux jours. Je n'ai pas passé le 14 juillet comme l'an dernier : je ne suis pas entrain de manger le saucisson chez Jans-blanc [Jeamblanc]. Le 14 juillet a été bien faité, ce n'est pas Heumainne [Eumène] avec ses vrinnes [vrilles] qui aurait pu fairre dans [tant] de potain. Il y en a beaucoup qui n'on pas fini la journée du 14 juillet. C'étais terible à voir * […]

---

* Le régiment de Lucien est arrivé dans l'Argonne – un secteur particulièrement difficile où les Allemands mènent l'offensive – au début du mois. Les anciens combattants A. Ducasse, J. Meyer et G. Perreux (1959, p. 117), écrivent de l'Argonne : « La forêt comme dans les Vosges, mais ici partout infiltrée d'eau, qui transforme les feuilles mortes en un magma d'humus détrempé. On y respire dans une atmosphère transie de pourriture humide. » Le bataillon de Lucien devra garder les tranchées de première ligne, un autre est chargé d'une attaque qui échoue. L'historique régimentaire note : « Les Allemands résistent avec acharnement. » Après cette attaque, le régiment est relevé.

*Joseph à ses parents*

Le 16 juillet 1915

J'ai reçu vos deux lettres et aujourd'hui, je viens de recevoir le deuxième mandat. Comme cela, c'est très bien. La première fois, j'étais très mécontent, j'avais envie de refuser ma permission. J'espère être chez vous dans les premiers jours d'Août. L'itinéraire que vous m'avez envoyé ne me servira à rien. Nous [ne] devons voyager que dans les trains de marchandises et je ne crois pas que je passerai par Paris. Le voyage est très long [...]

---

*Lucien à ses parents*

Le 18 juillet 1915

J'ai reçu une carte de Marcel aujourd'hui. Il me dis que sa bardais sallement dans le bois-le-praitre. Je croi bien que dans ce moment, ça barde surre tout le frond.

Aprésant, on est au repos du [depuis le] 16. On a été pandan 15 jours dans les tranchés, c'étais durre. Tout le monde est mallade. Il [n'] y en a pas un qui n'a pas eu la chiasse. Je suis dégouté de mangé des patate et du singe. Aprésan, je ne plus mange que de la soupe. Je ne trouve plus rien de bon.

A ta prochaine laitre, tu me mettra deux ou trois pierre à briquet. Si tu savais comme on est malheureux, pas capable [moyen] de trouvé un morceau de fromage à acheté.

Je ne voi plus rien à vous dirre. Je suis toujours en bonne santé malgré ma chiasse. Ça va toujours apeuprai [...]

*Marcel à ses parents*

Le 19 juillet 1915

Je suis toujours en bonne santé. Nous avons eu quelques mauvais jours de pluie. Aujourd'hui, le soleil se fait sentir. Nous sommes montés dans le bois le 27 juin et nous ne sommes pas encore descendus au repos. Les Boches ont mis le feu avec leurs obus au château où nous allions en repos. Il n'en reste plus que des pans de murs noircis [...]

J'ai aussi reçu une lettre de Lucien du 10 juillet : il n'a pas l'air d'être heureux dans ce sale coin de l'Argonne : c'est pis que la misère et les Boches ne les laissent pas souvent tranquilles.

Quand donc finira cette misère ? Je commence à être dégouter singulièrement.

C'est la guerre de cent ans * [...]

*Lucien à ses parents*

Le 20 juillet 1915

Je t'envoie ces quelque mots pour te dire que ça va bien maintenan. On pense bientôt remonté dans les tranchées. J'ai vu Levreau et Rasse et Nicolas, le marchan d'allumette de Givry. Les Boches sons un peu plus calme que pour le

* La comparaison avec la guerre de Cent Ans est courante à l'époque. Le régiment de Marcel reste au Bois-le-Prêtre jusqu'en juillet 1916, mais le secteur est moins actif désormais.

14 juillet. On a reçu tou ce qu'on voulai ce jour-là : des obus et de la flotte pandans deux jours. Je va dirre à Marthe qu'elle envoie de l'alcoolle de Mante. On va couper la flotte, on va peutaitre empaiché les collique [...]

*Marcel à ses parents*

Le 24 juillet 1915

J'ai reçu votre lettre du 16. J'avais beau chercher et me fouiller la cervelle jamais je n'avais vu le régiment à M. Combes vers nous. Mais avant hier j'ai vu des copains du génie et maintenant je sais où est M. Combes.

Il est en arrière de nous, dans la forêt de Puvenel[le] : ça tient à notre bois c'est à peu près comme le bois de Chauffour avec les bois de la Borde. Il n'est pas beaucoup en danger dans ce coin-là. Ils sont en train de faire des abris pour l'hiver.

Ils vont au cantonnement à Jézainville c'est tout à fait à côté de Villers-en-Haye.

Quand j'aurai l'occasion j'essaierai de le rencontrer.

Ça va toujours nous avons un sale temps la pluie tombe de trop. Je reçois assez souvent des nouvelles de Lucien, il n'a pas l'air d'être à la noce

Bonjour de Ravelli et de Moreau [...]

Guillaume [l'Empereur d'Allemagne, Guillaume II] n'est pas encore venu à Pont[-à-Mousson], il s'est probablement trompé, il a voulu dire pour l'année prochaine. Envoie moi donc un mandat de 5 f.

---

*Lucien à ses parents*

Le 25 juillet 1915

Voilà au moins 8 jours que je n'ai pas ressu de vos nouvelles. J'ai reçu un petit colli de Marthe. Il y avais une bouteille d'alcool de menthe et un peut de chocolla. J'ai reçu aussi des nouvelles de Marcel et de Joseph, ils sons toujours en bonne santé. On est toujours au repos voilà déjà 8 jours. On pense bientôt remonté. On est cantonné dans des espaisse [espèces] de loges de bucheron, les poux nous laive [lèvent] tous les jours. J'en tue plus d'un demi-cent, c'est une belle chasse. Es[t-ce] que la moisson est commencée chez nous ? Il doit fairre un triste tan, ci c'est comme vers nous : la pluie tombe empartie tous les jours.

Es[t-ce] que vous avez toujours garder les chiens ? Le pain doit être chaire maintenan. Les bigots * doives être bons a mangé. Aprèsan, j'en mangerai mieux que de mangé toujours de la vache […]

---

*Joseph à Marcel*

Le 26 juillet 1915

J'ai reçu ta carte aujourd'hui. Je suis heureux de te savoir en bonne santé. Quant à moi, c'est toujours la même chose.

* Les bigots (pour les bicots) : les chevreaux.

Nous faisons des petites promenades de temps en temps. Nous avons changé deux fois de pays en huit jours. Ça commence à devenir moche. Il y a bientôt un an que l'on mène la vie de saltimbanque. Ce pauvre Lucien n'est pas trop bien, il a la colique depuis longtemps. Ça m'étonne qu'il n'y a pas encore de permission dans ton régiment. J'espérais me trouver avec toi [...]

---

*Marthe à Lucien*

Le 26 juillet 1915

J'ai bien reçu tes lettres [et] suis contente que tu aille mieux. Je t'ai fait expédié un colis samedi. Je pense qu'il te fera plaisir. Tu trouveras des cachets contre la dysenterie. On en prend deux par jours – matin et soir, mais si tu n'as plus de dyharrée, ne les prend pas. Tu les garderas. Si tu retombe malade, tu auras un remède tout près. Quand tu as la dysenterie, il ne faut pas manger ; que boire un peu d'eau additionnée de rhum ou d'alcool de menthe. Je me suis renseignée auprès d'un pharmacien. Tu as déjà dû recevoir par la poste une petite bouteille d'alcool de menthe et un peu de chocolat. Je t'en ai remis une autre plus grande. Quand tu as soif, pour t'éviter de boire de l'eau, tu n'as qu'à mettre une ou deux gouttes de menthe sur un morceau de sucre. Tu en trouveras dans le paquet puis une petite bouteille de rhum. J'espère qu'il t'arriveras sans encombre. Le rhum, tu en mettras également dans ton eau, puis du chocolat et du cacao (tu verras l'explication de le faire sur le paquet, simplement avec un peu d'eau chaude), des gâteaux. Enfin, tu me diras s'il est arrivé en bon état. Je ne t'avais pas mis de conserves, à cause que tu étais malade. Le colis était parti quand j'ai reçu ta lettre sur laquelle tu me disait que tu allait mieux.

Je viens de recevoir une lettre de maman m'annonçant la mort d'Anne Simon *. C'est malheureux de mourir si jeune : le malheur les poursui.

Je ne me rappelle pas de t'avoir dit que je devrais aller chez nous au mois d'août. Je ne sais pas encore la datte. En tous cas, ne m'écri pas avant que je te dise où je suis, car les patrons partent à Fontainebleau le 1er Août [...]

---

*Marthe à ses parents*

Paris le 26 juillet 1915

Je viens de trouver votre lettre en arrivant de Fontainebleau. Je ne peux pas croire que cette pauvre Anne est morte. Quel chagrin pour Aline [veuve de Raymond Simon], ses deux préférés partis.

Pour la pélerine de Papa, je ne sais pas comment je pourrai faire pour [la] lui acheter. Sur la lettre que je vous avais envoyée de Fontainebleau je vous avais demander si vous aviez besoin de quelque chose et vous ne m'aviez pas répondu a ce sujet. Je suis donc sortie la semaine dernière. J'ai acheter papier, corsage, briquet et denrées, de quoi faire un bon colis à Lucien, qui est parti samedi. J'espère qu'il le recevra en bonne état.

Je suis un peu inquiètte. Je lui ai mis un flacon d'alcool de menthe et un 1/4 de litre de rhum de la Jamaïque, puis des cachets contre la dysenterie. Samedi, j'ai reçu une lettre de lui me disant qu'il allait mieux [...] Maintenant, pour mon départ, je ne sais pas encore quel jour je vais me décider à le deman-

---

* Il s'agit de la sœur de Raymond Simon, tué quelques semaines auparavant.

der. Je préférerai partir de Paris. Les patrons doivent partir en voyage, mais quand ? C'est toujours la même chose. Samedi, j'ai demandé l'heure des trains. Il parait que le train habituel qui est direct part à minuit et arrive à Sermizelles à 8 et quelques minutes. Savez-vous si l'autobus conduit les voyageurs à cette heure ? ou alors dites moi quel train il faudrait que je prenne […]

*Lucien à ses parents*

Le 27 juillet 1915

J'ai reçu votre letre ce matin qui m'a fais plaisir de vous savoirre toujours en bonne santé.

Gargantuas * a été bien sallé. Ce va peutaitre lui en rabatt[r]e. J'ai reçu une letre de Joseph en maime tans [en même temps] que la votre. Il pense allé en permission au mois d'août. Tan mieux pour lui ci il peut l'aillé [y aller], mois je ne peut pas l'aillé. Je suis toujours au repos dans les cabanes de bûcherons dans le bois de l'Argonne. Il fais mauvais. La pluie tombe tous les jours. Il ne fallait plus que ce tans-la pour nous remaitre [remettre].

La moisson doit être commencé chez nous. Ci il [s'il] fais un tan comme vers nous, le blé ne vas pas cégrainé [s'égrainer] en le coupan.

Charles doit la fairre ronfler, la javeleuse ** il doit avoirre du gibier dans les chans, ça doit repeuplé vitte. C'es Lonlon

* Gargantua : peut-être l'Allemagne ?

** Javeleuse : machine à mettre les moissons en brassées qu'on laisse sur le sillon en attendant de les mettre en gerbes.

qui les a prise, les perdrix ci [si] il y avais une chantrelle dedans *. Les lievres ne doives pas êtres rarres au Lavrons, ca doit en grouillé la-dedans. Esque le jardinage pousse bien au Lavrons et les patatte es[t-ce]qu'elle[s] sons belle ? Je te promai qu'elle ne vos [vont] pas aitres à bon marché cette hiver. La farinne ne doit pas être à bon marché n'on plus. Tout les marchandisse doives êtres hors de prix [...]

---

*Joseph à ses parents*

Le 28 juillet 1915

J'ai reçu votre lettre il y a quelques jours. Je suis content de vous savoir tous en bonne santé. J'ai eu aussi une lettre de Marcel et de Lucien. Ils vont bien. Je ne sais pas au juste quel jour j'irai en permission. Ça change tous les jours, mais ce sera sûrement pour le mois d'août [...]

---

*Marcel à ses parents*

Le 28 juillet 1915

[...]

Cette pauvre Anne n'a pas traîné longtemps, la famille n'a pas de chance.

Nous sommes enfin descendus au repos hier pour 4 jours. Ce n'est pas dommage, on ne tient plus debout. Joseph et

* Chanterelle : appeau.

Marthe ont de la veine de se trouver ensemble en permission. Ce serait drôle si je pouvais me trouver là aussi [...]

---

*Marthe à Joseph*

Le 29 juillet 1915

[...]

J'étais inquiète sur la santé de Lucien. Tu as dû savoir qu'il avait eut la dysenterie, ce qui peu devenir grave lorsque c'est mal soigné. Je lui ait donc envoyer un colis contenant de quoi se soigner qui, j'espère, lui arrivera en bon état. Maintenant il vat mieux. J'ai reçu une lettre dernièrement.

Maman t'a t-elle annoncer la mort de cette pauvre Anne Simon ? C'est terrible de mourir si jeune. Je crois que Ninie et Frédéric on été bien éprouvé cette année, puis Robert est au front probablement.

Marcel n'a pas espoir de venir. Il trouve que nous faisons la guerre de cent ans. Quand il m'as écrit, il était depuis 21 jours dans les tranchées.

Je croyais partir de Paris pour aller à Vézelay. C'est changer : je partirai de Fontainebleau dans la deuxième semaine d'Août : si j'avais le bonheur de te rencontrer [...]

---

*Lucien à ses parents*

Le 29 juillet 1915

Je vien de recevoirre un colli de Marthe, mais cette foie, [c']étais un maousse. Il y avais de nonpreuses petite choses qui vons bien me cervirre [servir]. Il y avais du chocolla, du burre, des confiturre, une pouteille de Rhum, de l'alcool de Menthe, des petits paquets de cacahot, afin coi [enfin quoi] un colli qui va bien me rand[r]e cervisse, surtout que nous somme remonté dans les tranchés ce matin. Moi, ça va mieux. Je suis complaitement rétabli. Je n'ai plus la diarée et j'ai bonne apaiti [...]

*Mme Papillon à Lucien*

Le 29 juillet 1915

On à reçu ta lettre du 25 se matin. Tu nous dit qu'il y a longtemps que tu n'as pas reçu de nouvelles de nous. Sa m'étonne, car je t'ai écrit une lettre le 19 en même temps qu'à Marcel. Marcel à reçu la sienne. Je te demandait même ques-qu'il fallait que je t'envoie pour te faire mangé, car se n'est pas possible de t'envoyé du pain si loin. Il serait tout moissit [moisi] en arrivant et de la viande, elle serait pourrie. Récrit-moi ce qui te ferait plaisir.

Les petits bigots, il y a longtemps qu'ils sont morts et la moisson, elle est à peu près moitié faite. Cette pauvre Anne Simon a été enterrée dimanche dernier.

Tu nous dit que tu à reçu un peu de chocolat et de l'alcool de menthe de Marthe, mais elle nous avait dit qu'elle t'avait envoyé un flacon de rhum de la Jamaïque aussi pour te calmer tes coliques. On à reçu une lettre de Marcel hier. Il nous dit qu'il est toujours en bonne santé.

Nettoie-toi souvent, ne te laisse pas manger par eux * [.]

* Eux : la vermine.

*Marcel à ses parents*

Le 31 juillet 1915

Je joue de déveine pour l'instant. Je voulais vous faire une surprise, mais je suis de la revue. Jugez plutôt : il y a 5 ou 6 jours, on me fait appeler près du lieutenant pour m'informer que je partais en permission du 1er au 8 août.

Vous pensez si j'étais heureux, d'autant plus que j'avais la veine de me trouver dans les premiers à partir. La gorge me faisait bien un peu mal, mais je me disais : « Ce n'est rien, ça passera ». Mais pas du tout, si bien qu'hier, ne pouvant plus ni boire ni manger, force me fut de venir trouver le major qui me dit : « Vous ne pouvez pas partir comme ça. Vous avez un bel abcès au fond de la gorge. Allez trouver votre lieutenant pour qu'il donne votre permission à un autre, et apportez vos affaires, je vous garde à l'infirmerie ». Je suis allé trouver le lieutenant, qui a arrangé l'affaire, et au lieu d'être en permission, je suis à l'infirmerie. J'irai en permission plus tard. C'est malheureux de faire un an de campagne pour en arriver là. C'est bien ma veine, je n'ai jamais eu que de la misère sans profit. Ça ne changera jamais. Ce n'est pas grave, l'abcès a percé ce matin, je suis mieux, mais j'ai bien souffert. Faut pas vous faire de mauvais sang : je suis mieux là que dans la tranchée. Et quand je sortirai de l'infirmerie frais et dispos, j'irai trouver le lieutenant pour qu'il ne m'oublie pas.

Ce qui m'ennuie, c'est que j'aurais pu me trouver avec Joseph et Marthe. Savelly et Moreau ne savent pas encore quand ils iront en permission. J'ai reçu votre lettre du 25, vous pensez bien que si nous nous trouvions avec le 156, je ne manquerais pas d'aller voir M. Debain. Enfin, je ne me fais pas de bile. Pendant que je suis à l'infirmerie, les jours passent la même chose, doucement pour moi. Quant à la permission, elle viendra quand elle voudra [...]

*Lucien à ses parents*

Le 2 août 1915

J'ai reçu votre laitre aujourd'hui qui m'a bien fais plaisirre de vous savoirre toujours en bonne santé. Le colli a Marthe ne m'a pas fais grand proffi. J'ai profité du Rhum [et] des biscuits. Mon sac a été antairé [enterré] avec moi : je suis été antairré deux foix par les torpi[ll]es, je suis été un peu égratigné, un peu a la figure et une posse [bosse] à la tête. Je suis au repos au cuisinne. On va être relevé demain [...] Nous somme encore trois a l'escoide [escouade] * [...]

*Marcel à ses parents*

Le 3 août 1915

Aujourd'hui ça va, je suis bien mieux, c'est passé, mais je resterai sans doute encore une huitaine à l'Infirmerie pour me reposer. La nourriture n'est pas meilleure ici qu'à la compa-

* Après plusieurs jours de bombardements, les Allemands attaquent le 2.

gnie. Seulement on est bien tranquille, personne ne nous ennuie, nous n'avons qu'à roupiller dans la paille du matin au soir. On trouve ça bon, de dormir dans la paille. Car dans les baraques de repos aux tranchées, tout est si humide que l'on est obligé de se coucher sur des planches ou sur des branchages. Nous avons les côtelettes bien adoucies. Il commence à ne plus faire chaud la nuit, c'est une triste chose pour nous. Hier matin, dès le jour, les Boches ont copieusement arrosé Pont-à-Mousson d'obus, le feu a pris en deux endroits à la fois. Ils n'en laisseront pas ! Les journaux parlent d'une campagne d'hiver : c'est facile à dire, mais si on la commence, le général Hiver la finira, car nous finirons par tous y crever dans la tranchée. Quelle misère, c'est horrible de faire souffrir des hommes de la sorte. Les progrès ont rendu le monde plus sauvage que les anthropofages. Ceux qui sont défunts depuis le mois d'août 1914 sont bien heureux [...]

---

*Lucien à ses parents*

Le 4 août 1915

On est au repos de ce matin. On en avais besoin... Les [boches] vont profité du colli de Marthe, j'ai profité des bisquit, du Rhum. On est encore 12 à la compagnie. Cette foix-ci, je peu dirre que je suis passé à traver la mitraille. J'ai eu de la chanse.

Marthe doit être chez nous maintenant [...]

---

*Carte de Marcel à ses parents*

Le 5 août 1915

J'ai reçu une lettre de Marthe. Elle pense être chez nous pour le 15 août. Joseph y sera peut-être avant. Ça remue joliment du côté de Lucien, il n'a pas de chance, quel sale coin il a aussi *. Quant à moi, ne vous tourmentez pas, ça va bien, je suis tranquille.

---

*Lucien à ses parents*

Le 6 août 1915

Je vous envoie ces queques mots pour vous donné de mes nouvelles. J'ai reçu une carte de Joseph. Il me disais qu'il pansais bientôt partirre en permission. Il est venu du ranforre aujourdui : 200 [hommes] pour le régiment où il en faudrait au moins 1.500. C'est un jolli ranforre. Je croi bien qu'aprésan, il n'y a plus que la classe 16 au dépôt. Si tu m'anvoie un colli et ci tu pouvais me maitre un ou deux fromages sec, ça me fai anvie d'en mangé […]

---

* Le 2 août, le régiment de Lucien a perdu 250 soldats et officiers.

*Lucien à ses parents*

Le 9 août 1915

J'ai reçu votre laitre, qui m'a bien fais plaisirre de vous savoir toujours tous en bonne santé. J'ai reçu une letre de Joseph. Il me disais qu'il allait en permission, il va aitre heureu. Tan qu'a [Quant à] Marcel, le plus longtan qui va pouvoirre resté à l'infirmerie, ce va être le meilleur. Aprèsan, on est à [la] Neuville-aux-Ponts (Marne). Là, on est bien. On peut avoirre tout ce que nous voulons, j'ai mangé des prunnes tous mon sou et on est sur le borre d'une petite riviaire. On nous a dit que nous devions changé encorre d'androi. On ne peut toujours pas trouvé un pu [plus] salle coin où ont étais [...]

*Marcel à ses parents*

Le 10 août 1915

Maintenant, je suis complètement guéri, ça va très bien, j'ai rejoint la compagnie hier, nous partons nous reposer un moment où était Cortard.

Je compte aller en permission à la fin du mois. Il fait un temps superbe, le soleil est chaud, ça vaut mieux que la pluie.

Ce pauvre Lucien est dans un drôle de bouleversement là-bas, ça n'arrête pas de taper dans sa région. Lui aussi en verra sa part.

Envoyez moi un mandat-carte de 5 f [...]

*Carte de Marcel à Marthe*
[en vacances à Vézelay]

Le 10 août 1915

J'ai bien reçu ta lettre du 29. J'ai été un peu souffrant, mais maintenant ça va bien, je suis en bonne santé. Je pense aller en permission à la fin du mois [...]

*Lucien à ses parents*

Le 10 août 1915

Je vous envoie ces quelques mots pour vous donné de mes nouvelles. Est[-ce] que Joseph est chez nous et Marthe aussi ? Il m'avais dis qu'il y allai cette semaine. Je n'ai pas encore reçu de nouvelle de Marcel, depuis qu'ils étais à l'infirmerie. Ci il pouvais seuleman y rester pandan un couple de mois, ça ne ferai pas de mal. J'ai reçu un mandat de cinq francs. Marthe m'envoie le *Matin*. J'en ai reçu deux hiaire, celui du 6 et du 7. Je ne sai pas pourquoi qu'elle m'envoie cela. Es[t-ce] que Charles a fini [la] moiçon ? Ça doit ce terminé maintenan [...]

*Marcel à ses parents*

Le 16 août 1915

J'ai reçu hier votre lettre du 12 et le mandat de 5 f. J'ai également reçu en temps utile le mandat de 6 f.

Nous sommes toujours au repos. C'est la bonne vie, on va à la pêche dans le canal.

Hier, je suis allé à J… pour voir M. Combes. Il n'était pas là, sa compagnie était remontée dans le bois. J'ai laissé une lettre pour lui faire passer. J'espère le rencontrer. Nous avons touché des casques, le même modèle que les pompiers de Paris, nous avons tout du Boche avec ça.

Joseph n'a pas eu une longue permission. Hier, j'ai causé assez longtemps avec un gendarme de Toucy. Savelly et Moreau sont toujours en bonne santé.

Je ne sais pas encore au juste quand j'irai en permission […]

Ce soir à 4 h. nous allons à la baignade dans la Moselle, ça fera sauver les poux.

---

*Lucien à ses parents*

Le 18 août 1915

J'ai reçu ton colli aujourd'hui. En maime tan que ta letre. J'aurai mieux voulu recevoirre un fromage que tes boites de sardinnes. J'ai reçu une laitre de Marcel. Il est aux repos an ce moman. Joseph étais en permission. Marthe me le disais sur sa carthe. Il fais un çalle [sale] tan vers nous, la pluie tous les jours. Les blec son germé en tas et les havoinne sons à peuprai perdue. Ci il fai un tan comme cela chez nous, tout va rester dans les chans. On est dans un jolli cantonneman. Il y a un aitan [étang] a cauté du payi qui a au moins 300 aiqtars [hectares]. Ci Maitier étais là, il pourrai allé aux canards. Il y en a des milliers, on les voit sur l'eau par 20taines […]

*Lucien à ses parents*

Le 20 août 1915

Je croi que nous somme aux repos encorre pour une 20[aine] de jours. Ce ne va pas nous fairre de mal. Nous somme aux repos à 10 kilomètres de Givry-en-Argonne [à Belval]. Marcel est au repos aussi. Il m'a dis sur sa letre qu'il allai voirre Combe, le receveur d'enregistrement. Je n'ai pas encorre reçu de nouvelle de Joseph depuis qu'il a été en permission.

Esque les pairdrix à Léon vons bien ? Elle doives être fortes maintenan [...]

*Marthe à ses parents*

Le 22 août 1915

Voilà huit [jours] aujourd'hui que je vous ais quitté. Je pense que maintenant Marcel est près de vous où il ne tardera pas. Je ne lui écris pas a cause qu'il doit partir.

Lucien m'as écrit dimanche. [Il] me dit qu'il est au repos et qu'une pièce de cinq francs lui ferait bien plaisir. Je lui ait donc envoyer un mandat-carte aujourd'hui. Je vais lui écrire et lui dire qu'il fasse un peu attention. Il ne se doute pas que le mois dernier, je lui [ai] envoyé 15 f, son colis compris. Il est en bonne santé et est un peu inquiet. Lorsqu'il m'a écrit il y avait 15 jours qu'il était sans nouvelle : le paquet ne lui était pas encore parvenu. Aujourd'hui, j'ai reçu une lettre de Joseph. Il s'ennuie et est furieux d'être parti à 3h. du matin pour avoir passer une journée au Bourget. Il me dit aussi que les permissionnaires de maintenant ont six jours.

Vous donnerez bien le bonjour à tante Cél[énie]. Les Patrons sont partis hier à 4 heures pour la mer. Les enfants restent un mois, M. et Mme une huitaine seulement. Nous devons rentrer à Paris le 1er sept. Sauf contre-ordre pendant les 8 jours que nous passerons ici, il faut que nous nous reposions, mais avant de partir, Mme a eu soin de nous tracer [donner] du travail plus que nous en ferons. Cela ne nous empêchera pas d'aller en forêt. Pas plus tard que demain matin, nous avons projeté une promenade. Départ 9 heures.

J'oubliai de vous demander des nouvelles de mon cocher. J'espère qu'il aura bien trouver son chemin. Je vous assure qu'il s'y connaît, moi qui avait peur de ne pas arriver à l'heure ! Nous avons dépassé toutes les calèches que nous avons rencontré. D'ailleurs, il a dû vous le raconter [...]

*Lucien à ses parents*

Le 22 août 1915

J'ai reçu ta laitre aujourd'hui qui m'a bien fai plaisirre. Beug[n]ot et Picard ont de la chance : il n'y a de la chance que pour cette bande de callottains. Ons est toujours aux repos pour aux moi[n]s 15 jours. Depuis quelques jours, ons ais pas mieux soigné que des cochons. Du rix deux fois par jours, du vin (un car et demi) : je croi que le ravitaillement devient difficile. On ne voi plus de patatte. D'abitude, on nous fesai encorre des fritte quatre cinq foix pas semaine. On craive de faim. Je croi bien qu'il n'ons plus rien à nous donné. Je n'ai pas encorre touché de sac. Pas de musette ni de petit linge : voilà toujours un mois que j'ai la mai me [la même] chemisse. Ce n'ai pas la painne de m'en envoillé, on est toujours encore tous plein de poux [...]

P.S. Tu me dis aussi que papa à vue Pessin, il étais an convallaisance. Je croi qu'il a été plessé au genoux le 8 juin par un éclat d'aubus. Es[t-ce] que tu pourrai m'envoillé deux ou trois fromages ? Il me servirai bien en ce mauman et ci tu pouvais m'anvoillé aussi du papier et des enveloppes.

---

*Marthe à ses parents*

Le 29 août 1915

Je suis heureuse de savoir Marcel près de vous, mais je regrette beaucoup de ne pas pouvoir le voir. Je pense que vous aurez pu toucher le montant du livret plus les intérêts.

[...] Lucien m'as écrit hier : il est toujours au repos mais se plaind de manquer de vivres. J'espère que maintenant il est en possession de ses 5 f. A propos, demandez donc à Marcel si quelque fois la lettre égarée ne lui était pas revenu. Je vais réclamé mes 5 [f] aussitôt rentrée à Paris.

Je crois vous avoir dit que nous rentrions à Paris le 1er septembre, jour du départ de Marcel [...]

---

*Lucien à ses parents*

Le 1er septembre 1915

Je vous anvoie ces quelque mots pour vous donné de mais nouvelles. Dimanche, j'ai mangé une bonne fritture de gardons. A trois, on en à pris au moins 10 livres. On les a pris dans un petit ruisseau. Depuis une semainne, il fesais chaud. Tous les poissons venais sur l'eau. On les a pris au collai : un bout de laiton au bout d'une perche. Ce jour-là il y en a eu au moins 100 livres de prises.

J'ai reçu une lettre de Marthe aujourd'hui. Elle me dis qu'elle rantre aujourd'hui à Paris. Moi, la santé est toujours bonne. On est toujours au repos. On marche plus que d'aitre an caserne. On fai trois marche par semainne et de l'ésersisse les autres jours. Et demain, on vas au tirre [...]

Sur ta derniaire lettre, tu m'anonçai un mandat de 5 francs. Mai je l'attan toujours. Les mandat, ça ce pairre facilement. Il y en a beaucoup de perdue. En [une] autre foie, tu me mettra le billet dans la lettre : c'est encorre plus prudans [...]

---

*Marthe à ses parents*

Le 4 septembre 1915

Je suis de retour à Paris depuis mercredi. J'ai trouvé votre lettre en arrivant, qui m'a fait plaisir. J'ai beaucoup pensé à Marcel : ça m'a fait de la peine de ne l'avoir pas vu. Est-il passé au Bourget ? N'était-il pas trop triste en partant ? Les patrons [ne] rentrent que demain soir 8h. pour diner.

A Fontainebleau, il fesait très beau temps. Nous en avons

profiter pour faire de belles promenades en forêt, puis nous avons vu tirer le canon 155 et 75. C'était très intéressant […]

J'ai reçu une lettre de Lucien hier soir. Ses nouvelles sont bonnes. Tant qu'il est au repos, nous sommes tranquilles. Le mandat ne lui es pas encore parvenu. Je l'avait envoyé bien avant ma lettre. J'espère qu'il l'à maintenant. Pour celui de Marcel, il faut attendre encore trois mois, ça en fera six.

Depuis que nous sommes rentrés, il fait mauvais temps et froid.

Je vous joins à la lettre une petite branche de bruyère que j'ai cueilli dans la forêt de Fontainebleau […]

*Joseph à ses parents*

Le 7 septembre 1915

J'ai reçu votre lettre hier. Je suis très surpris que vous soyez restés dix-huit jours sans avoir de mes nouvelles. Il y a sûrement des lettres qui se sonts perdues. J'ai reçu une lettre de Marthe hier. Ses patrons sonts rentrés. Depuis que je vous ai écri, j'ai changé de pays : je suis dans la Somme, dans un joli petit pays. C'est plus gai que d'être dans une ferme. Je suis tout près d'une grande ville, A [Amiens].

*Lucien à ses parents*

Le 7 septembre 1915

Je vien de recevoir ton coli qui m'a bien fais plaisirre. J'ai trouvé le fromage gras bon. Je n'ai pas gouté au maigre, ge le garde. La poudre que tu m'a anvoillé ça doit aître pour les poux, ça va bien me servir.

Les nuits commence à ne pas aître chaudes. On couches dans une grange en planches. Je suis toujours au repos. Je ne peut pas vous dirre combien de tan que nous allons y resté. J'ai reçu une cartes de Joseph. Il me dis qu'il vas quité d'androi.

Aujourd'hui, on à été fairre des tranchées, on an a déjà fais aumoins sur un kilomaitre de long. C'est pour fairre une essai avec la cavalerie [...]

---

*Marcel à ses parents*

Le 7 septembre 1915

Moreau est parti en permission hier soir et Marceau de Foissy part demain. Vous les verrez sans doute. Ici comme repos, c'est la manoeuvre tous les jours, je n'en ai jamais tant fait étant bleu. Lucien m'écrit la même chose. En arrivant, j'ai eu un petit filon, mais depuis on m'a collé autre chose et je n'ai pas du tout l'intention de me laisser embobiner dans ce truc-là, les copains vous raconteront cela. C'est dommage que j'étais parti en permission. Pendant mon absence, j'ai été nommé pour l'instruction de la mitrailleuse, ce n'est pas de chance. Je serais bien plus tranquille maintenant [...]

*Lucien à ses parents*

Le 9 septembre 1915

J'ai tout reçu ce que tu ma anvoillé. J'ai tout reçu en même tan la lettre, le colli et le mandat. J'ai reçu une lettre de Marcel. Il me dis qu'ils vons changé de secteurre et ils sons au repos à Liverdun. C'est un jolli pays. G'i souhaite [je souhaiterais] d'y resté assez longtan. Je connais le pays : on y est resté 8 jours. Moi je suis toujours aux repos. L'autre [jour], c'est le général du 20ème corps qui nous as passé la revue et on nous as dit qu'ons allais retourné au 20ème corps. Tu me demande si j'ai touché du linge. G'ai toucé une pairre de chaussettes, une chemisse, une calson : j'ai toujours ma grande cinturre de flanelle. En ce moman, j'ai deux chemisse, deux calçons, trois pairres de chaussette, deux flannelle et ma cinturre de flanelle. J'en ai assez pour le moman.

Quant à l'argent, je t'avais dis de me le mettre par billets, parceque par mandas, il faus toujours aux moins 10 jours avans de le touché. Quan on an as besoin, ça fais long [...]

*Marcel à ses parents*
[avec une coupure de journal /chansons militaires]

Le 14 septembre 1915

Nous sommes en cantonnement dans un petit patelin en attendant de voyager plus loin. C'est un petit hameau qui n'a rien de plaisant, non plus que ses habitants, qui nous ont presque refusé de la paille pour nous coucher *.

On ne se croirait guère en France ! Les Boches seraient mieux reçus assurément !

Pour nous distraire, on nous fait faire l'exercice. Avec mon petit filon, j'y coupe de temps en temps en tirant ma flegme [flemme] toute la journée, sur la paille, au poste de police (comme aujourd'hui par exemple), ce qui me plaît mieux.

Savelly doit graisser ses bottes en ce moment pour le train du soir.

Vous avez du voir aussi Marceau de Foissy.

Depuis hier soir, le canon gronde au loin, on doit se cogner dans quelque coin.

Pour nous il n'y a rien de neuf. Nous ne savons pas où l'on nous enverra. Les Russes on l'air de se remuer de ce moment, il n'est que temps, et que ça continue ! […]

*Joseph à ses parents*

Le 15 septembre 1915

J'ai reçu votre lettre du 12 hier. Sans doute que l'encre à augmenter, parce qu'il n'y en a pas long. Vous devez savoir que j'ai changé de pays. Dimanche, je suis passé près de Marthe et maintenant je suis dans la Marne. Je ne suis pas très loin de ma première garnison. Le pays où je suis cantonné se trouve sur les bords de la Seine. C'est chic, on fait des promenades en bateau à volonté. Avant-hier, nous avons été prendre un bain, ce qui nous a fait beaucoup de bien ** […]

---

* A Francheville, au nord de Toul.

** Il s'agit de Marcilly-sur-Seine.

*Marcel à ses parents*
[Carte avec vue de Fontenoy-sur-Moselle avec inscription : « J'y suis déjà passé plusieurs fois »]

Le 17 septembre 1915

J'ai reçu votre lettre du 12 ainsi qu'une lettre de Lucien. Savelly est rentré depuis 2 jours. Il m'a remis les 10 f. en question. Merci. Nous sommes toujours dans l'attente, nous devons partir tous les jours pour ? (c'est là le point d'interrogation que tout le monde se pose).

Aujourd'hui, je suis de planton au poste de police, je n'ai qu'à roupiller toute la journée pendant que les copains font une marche, chargement complet. C'est appréciable ! […]

*Carte de Marcel à ses parents*
[vue de Limey]

Le 19 septembre 1915

Il y a quelques jours, nous étions près d'embarquer pour l'inconnu, et aujourd'hui nous sommes revenus à notre point de départ, et demain nous remontons dans notre fameux bois. J'écrirai une lettre demain ou après. Moreau est rentré de permission […]

---

*Mme Papillon à Lucien*

20 septembre 1915

On à reçu ta lettre du 15 se matin. On était bien inquiet de ne pas avoir de tes nouvelles. Sa fesait 10 jours que l'on n'avait rien reçu de toi. Ne soit pas si longtemps que ça une autre fois. Je t'envoie un mandat-carte de 5 f. en même temps que ma lettre. Ce pauvre Mory Cisérу (Ciceri) à été tué le 10 dans l'argonne en attachant des fils de fer de téléphone par une spranelle [shrapnel]. Joseph a écrit avant-hier. Il est toujours en bonne santé. Maintenant, il est cantonné tout à côté de Provins, en Seine-et-Marne. Il à passé dimanche à Paris, le 29 [il] est à côté d'Epernay [...]

---

*Marthe à Lucien*

Le 21 septembre 1915

Je fais réponse a ta lettre qui m'a fait grand plaisir [et] suis heureuse de savoir que tu as reçu le mandat. Et j'espère que ta santé est toujours bonne.

Voilà à peu près quinze jours, Joseph est passé à Versailles pour prendre la direction de l'Est. Il change souvent de place. As-tu des nouvelles de chez nous ? J'ai dû te dire que maman m'avait envoyé une lettre de sottises et comme il n'y a pas un mot de vrai, je lui ai répondu en colère et depuis – c'est-à-dire une quinzaine – je suis sans nouvelles. Surtout n'en parle pas quand tu lui écriras.

Il fait beau temps ici, même chaud. J'espère qu'il en est de même pour vous. Tu es peu-être maintenant parti.

Une lois vient de passer : tout[es] les ordonnances, les embusqués partiront sur le front. Je trouve que c'est juste * […]

*Marcel à ses parents*

Le 22 septembre 1915

Nous voilà revenus encore une fois dans notre fameux bois. Nous pensions bien ne jamais le revoir, car nous devions embarquer pour la Marne, disais-t-on !

Comme nous étions assez loin à l'arrière, nous avons fait la majeure partie du chemin en autobus.

Nous sommes dans un secteur assez tranquille pour le moment. C'est calme, sauf la canonnade qui n'arrête pas souvent.

Le temps est beau, mais les nuits sont froides. Notre bois est déjà bien jaune. Les feuilles commencent à tomber, la côte abonde de fruits, pommes, poires et raisins ; les perdrix et les lièvres y habitent également. Hier matin, un capucin est venu s'arrêter dans un sentier, à 20 mètres de moi : un logis d'artillerie venait de le tirer avec sa carabine et… l'avait manqué !

* La loi Dalbiez du 17 août 1915 avait pour objectif « la juste répartition et une meilleure utilisation des hommes mobilisés et mobilisables ». En particulier, les hommes valides restés dans les dépôts ou occupés dans des services administratifs devaient aller au front.

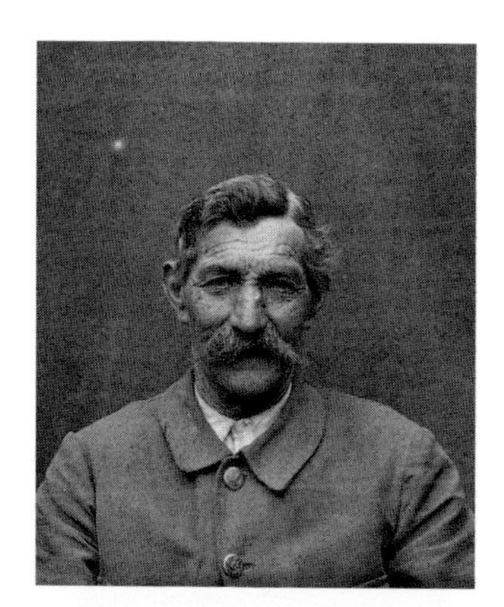

Léon et Emélie Papillon, les « chers parents » .
En bas : le père Papillon devant la maison du Crot où Marcel espère un jour rentrer : « Bientôt nous nous retrouverons tous réunis autour de la table de la Mère Maratras (sa mère Emélie) »
(31 décembre 1914).

Marcel. En haut, à gauche, en grande tenue. A droite : « Je vous envoie ma tête, qu'un copain m'a tirée en arrière des tranchées. Mon bouc a allongé. C'est un peu noir, mais on reconnaît ma trombine » (22 mai 1915).
En bas : avec son escouade, au camp de Bois-l'Evêque, en juillet 1915 (assis, le premier à gauche).

Joseph en uniforme de dragon. « Hier j'ai reçu la photo de Joseph en même temps que vos fleurs. Il est très bien réussi. » (Marthe à ses parents, 1914.)

Marthe.
« J'ai eu 22 ans aujourd'hui. Depuis la guerre, j'ai des cheveux blancs » (à Joseph, le 30 juillet 1915).

La vie à l'armée.

En haut :
Joseph (debout, 5e à droite), en garnison avec ses camarades du 13e dragons, à Melun en juin 1914.

Au milieu :
Lucien (4e à gauche).

En bas : le mécanicien d'aviation Charles (premier à droite), en 1918.

Lucien, alias Bichetri : « Soldat courageux et plein d'entrain », précisera la citation à l'ordre de son régiment, en octobre 1918 (voir à droite).
Un soldat impassible surtout, note Marcel, qui « prend ça du bon côté » (lettre à ses parents, 2 juin 1915).

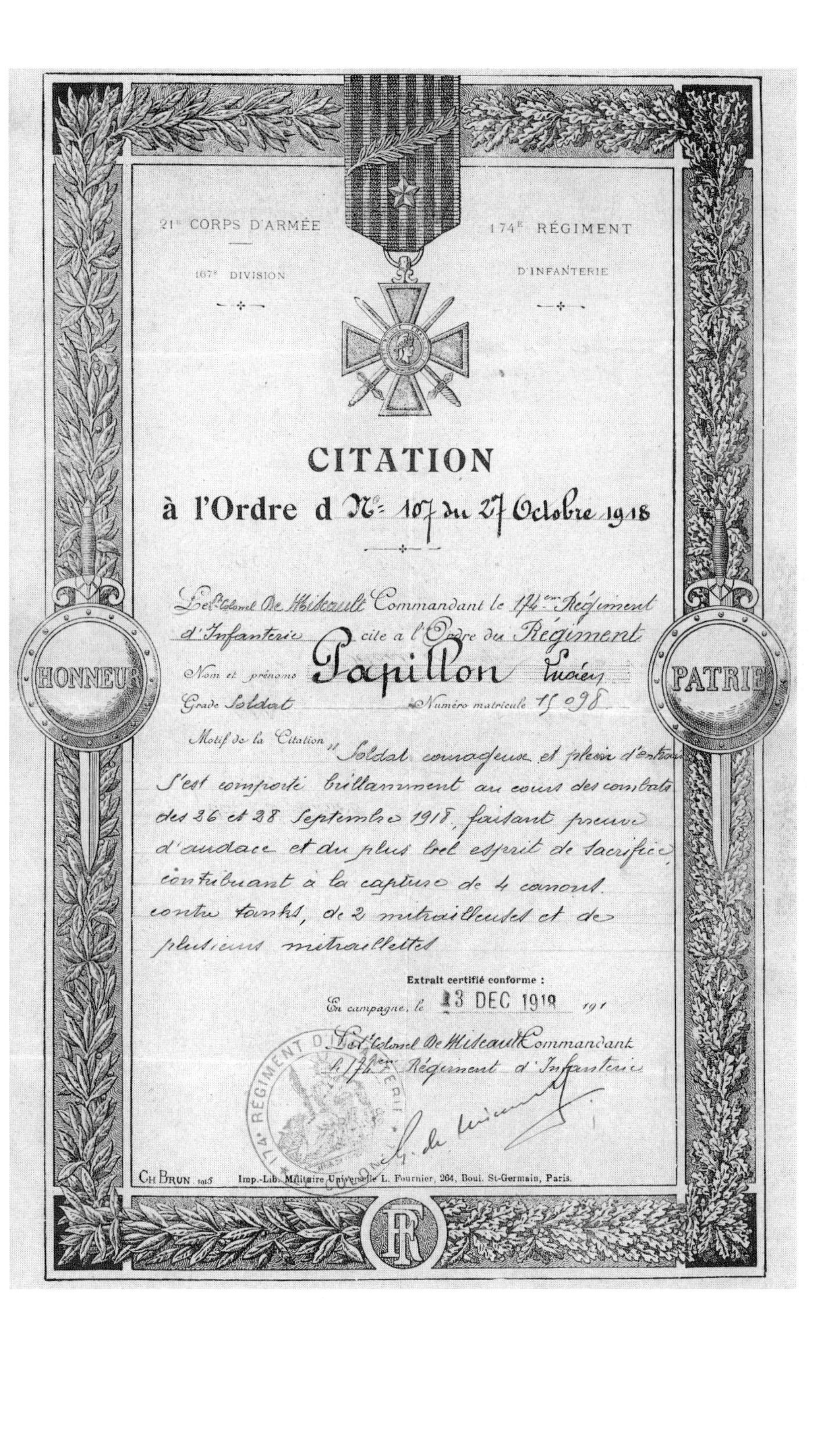

21E CORPS D'ARMÉE

167E DIVISION

174E RÉGIMENT

D'INFANTERIE

# CITATION

## à l'Ordre d N° 107 du 27 Octobre 1918

Lt Colonel De Miscault Commandant le 174ème Régiment d'Infanterie cite a l'Ordre du Régiment

HONNEUR

PATRIE

Nom et prénoms Papillon Lucien

Grade Soldat Numéro matricule 15098

Motif de la Citation " Soldat courageux et plein d'entrain S'est comporté brillamment au cours des combats des 26 et 28 Septembre 1918, faisant preuve d'audace et du plus bel esprit de sacrifice, contribuant à la capture de 4 canons contre tanks, de 2 mitrailleuses et de plusieurs mitraillettes

Extrait certifié conforme :

En campagne, le 13 DEC 1918

Lt Colonel De Miscault Commandant le 174ème Régiment d'Infanterie

174e RÉGIMENT D'INFANTERIE

G. de Miscault

CH BRUN 1915 Imp.-Lib. Militaire Universelle L. Fournier, 264, Boul. St-Germain, Paris.

RF

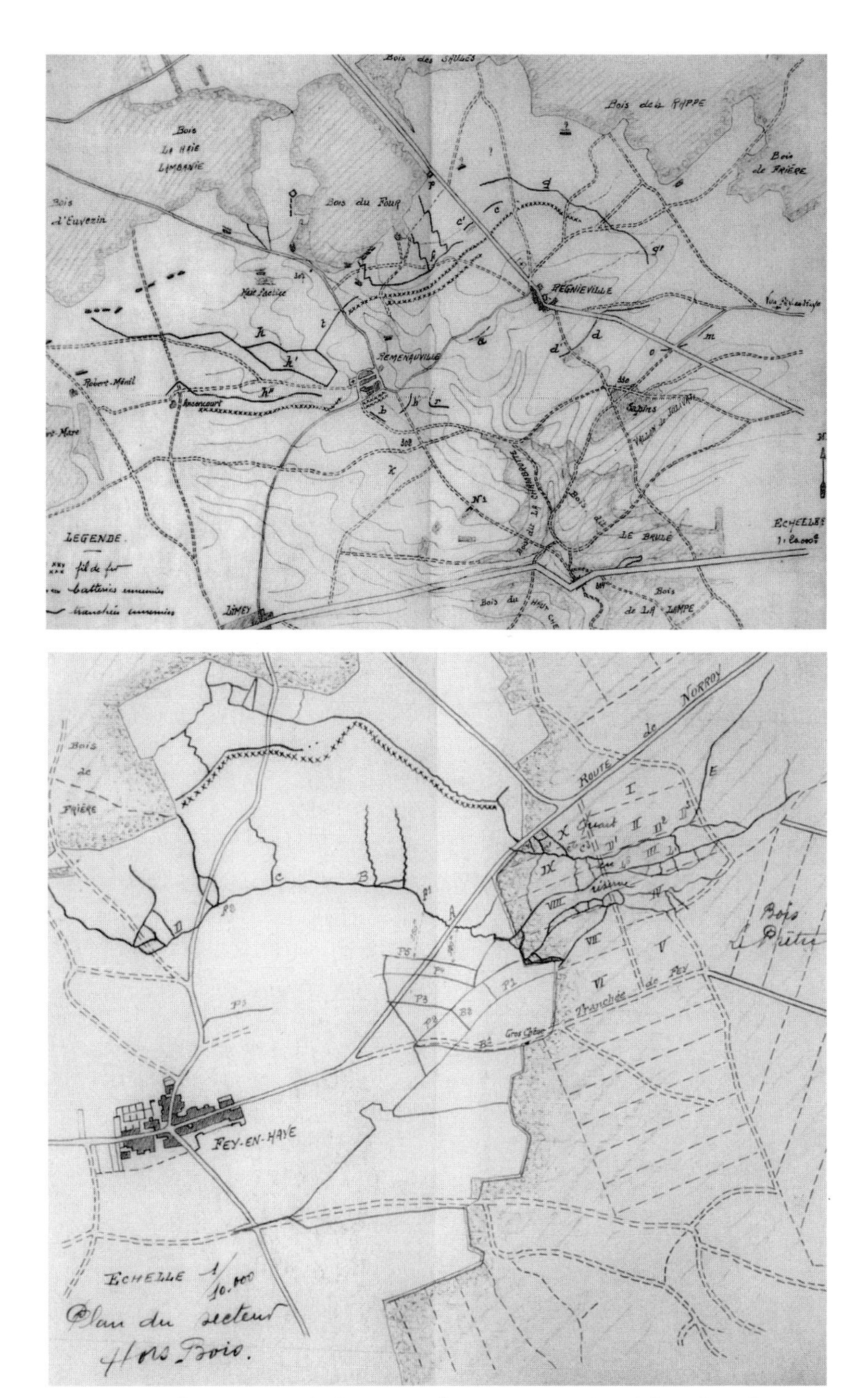


Le secteur du 356ᵉ R.I. de fin septembre 1914 jusqu'au début d'avril 1915.
Plan du secteur Hors-Bois, au Bois-le-Prêtre en avril 1915, au moment de l'attaque du 356ᵉ R.I. (Marcel).
Extraits du JMO.

J'ai reçu une lettre de Joseph qui m'annonce qu'il est maintenant dans la Marne.

Quoi de neuf à Vézelay ? […]

---

*Lucien à ses parents*

Le 23 septembre 1915

Je vous anvoie ces quelque mots pour vous donné de mes nouvelles. Le repos n'a pas été long : une journée 1/2. Il se préparre un coup pour ces jours-cis. Ça vas bardé. J'espairre toujours en revenir, ça dépan comme ça va se passé. Le grand coup sera terminé le 26 […]

---

*Joseph à ses parents*

Le 23 septembre 1915

J'ai reçu votre lettre hier. C'est ennuyeux que vous n'avez pas de nouvelles de Lucien. Mais il n'y a peut-être rien quand même : il peut se faire qu'il ait changer d'endroit et qu'il n'a pas eu le temps de vous écrire. On ne fait pas toujours comme on veut. Comme ça barde en ce moment, il peut se faire qu'on arrête la correspondance. Je crois que notre bon temps est passé. Notre tour de marcher arrive, nous sommes près du front *. Il fait un temps splendide et le canon tonne fort. Si on pouvait réussir et que ça finisse bientôt, ce ne serait pas

* Près de Saint-Martin-aux-Champs, Marne.

un malheur. Ce pauvre Mory Cisery [Ciceri] n'a pas eu de veine [...]

P.S. Si toutefois je reçois quelques choses de Lucien, je vous écrirai tout de suite.

*Lucien à ses parents*

Le 23 septembre 1915

Je vien de recevoir votre lettre à l'intans [instant] qui m'a bien fais plaisirre. Je m'atan à un grand coup pour demain ou aprais. On fais une attaque sur au moins 50 kilomètres. Ci tu andandais [entendais] ce bonbardeman : les boges [boches] n'on déjà plus de tranchées. Tous est rasé. J'espairre que l'ataque va bien ce passer.

Il ne faux pas desespairé * [...]

*Marcel à ses parents*

Le 24 septembre 1915

[...] Vous me demandez quel filon j'ai, c'est bien simple : je suis dans la tranchée avec les copains. Seulement, je suis tantôt près du capitaine, tantôt au téléphone pour transmettre les ordres. Et au lieu de rester dans la tranchée à me faire geler la

* Il s'agit de la seconde offensive de Champagne lancée, après une intense préparation d'artillerie, le 25 septembre, très lourde en pertes, sans obtenir la rupture espérée.

nuit et le jour, je suis dans une solide cabane et j'ai l'avantage de pouvoir dormir une bonne partie de la nuit. Ce n'est pas la même chose dans tous les secteurs, mais il faut être philosophe. C'est autaut de pris en passant tant que nous serons là !

Avant-hier, j'ai vu un combat d'aéros, il y en a un qui est descendu. Il est tombé comme un corbeau qui a une aile cassée, et il a pris feu en arrivant à terre.

Rien de bien intéressant pour l'instant. Il parait qu'il y a beaucoup de troupes vers Lucien et Joseph. Il se passera peut-être quelque chose par là ! Quant à nous, c'est la même vie. Je ne sais si on sera encore longtemps là.

J'ai reçu une lettre de Mr Combes, il est toujours au même endroit. J'ai aussi reçu une carte de Vincent, il va en permission à la fin du mois. Il est dans les heureux.

Savelly et Moreau vous envoient le bonjour [...]

P.S. Quand nous descendrons au repos, j'irai porter quelques fleurs sur la tombe de ce pauvre Raymond.

---

*Lucien à Marcel*

Le 24 septembre 1915

Je t'envoie ces queque mots pour te donné de mes nouvelles qui sons toujours bonnes.

Je suis retourné dans les tranchées le 21. Voila dejas 3 jours de bombardeman et nous ataquons demain matin. Que [je] crois que ce va bien ce passé. Je pense toujours en revenirre. On a anvie de fairre une trouée sur au moins 60 kilomètres.

Je termine ma lettre en t'embrassans bien forts. Ton frère

Lucien

*Carte de Marcel à son frère Lucien*
[renvoyée à l'hôpital 67 de Châtillon-sur-Seine avec la mention « blessé » et « evacué »]

Le 26 septembre 1915

Ça barde fort vers toi en ce moment, c'est le grand coup, ça sera peut-être la fin. Donne de tes nouvelles autant que tu le pourras, 2 mots seulement, ça me ferait plaisir.

Courage et bonne chance […]

*Certificat de visite – Duplicatum*

[26 septembre]

Papillon Lucien Marie - 2e classe - corps 168e Inf.

Plaie profonde à l'épaule gauche. Blessure de guerre

Blessé le 25 septembre 1915 à 11h. du matin à St-Thomas [-en-] Argonne]

Pansé à 11 h. 1/2 Ste-Menehould au poste de secours

Vient de l'hôpital d'évacuation no. 37. Hôpital temporaire 67, Châtillon s/Seine, le 26 septembre 1915

Observation du médecin traitant :

Plaie par projectile de la région scapulaire gauche à l'extrémité postérieure du pli axillaire

Projectile toléré

Evacué le 26 octobre 1915 sur le Dépôt de convalescence de Dijon

Santenay-les-B[ains]

Vient du front

*Joseph à ses parents*

Le 27 septembre 1915

Je vous envoie ces quelques lignes pour vous donner de mes nouvelles qui sonts toujours bonnes. J'ai bien fait de profiter de mes beaux jours, maintenant c'est fini.

Nous sommes au bivouac dans un bois de sapin. Il fait un temps abominable : la pluie tombe sans arrêt, on enfonce dans la boue jusqu'au genoux. Enfin, il faut se consoler de son malheur puisque le travail est bon. Il passe beaucoup de prisonniers. Le canon donne sans arrêt. Comme chambre à coucher, ce n'est pas très riche : une bâche tendue, même pas un brin de paille à se mettre sous les reins. Il ne faudra pas vous étonner si je suis long à vous écrire. Je suis tellement au frais que je n'ai le goût de rien faire [...]

*Marcel à ses parents*

Le 27 septembre 1915

Depuis déjà quelque temps, je sentais bien qu'il y avait quelque chose dans l'air. Notre grande offensive attendue depuis si longtemps est en pleine action. On nous a lu une sorte de proclamation adressée aux armées par le général-en-chef nous faisant savoir que l'heure décisive était arrivée et qu'il fallait donner l'effort suprême.

Si tout se passe comme c'est prévu, il y a bon espoir, mais ce sera terrible. C'est un rude effort qui est demandé à l'armée. Je crois que d'ici 15 jours, il y aura un grand changement.

Nous avons le communiqué officiel : Avance dans le Nord, Belle victoire en Champagne avec 16.000 prisonniers et 24 canons. C'est beau, mais il faut la suite *.

Ce pauvre Lucien était peut-être de la partie. Mon tour est proche. Advienne ce qu'il pourra, mais que ça finisse. Quant à nous, c'est calme pour l'instant, mais nous nous attendons tous les jours à du nouveau. Il est fort question que nous devions légèrement changer de coin.

Enfin, attendons les événements, je vous écrirai assez souvent.

Savelly et Moreau vous envoient le bonjour.

J'ai fait couper mon bouc, je vous en envoie un bout [effectivement dans la lettre !] [...]

P.S. A l'heure présente ou après 14 mois de ténacité au front, on nous demande le sublime effort. Ceux qui depuis un an font les bourgeois dans les dépôts et nous regardent faire aujourd'hui ne sont pas dignes d'être français, ils devraient en être honteux.

Jamais, on ne comprendra assez l'étendue de notre sacrifice.

---

*Lucien à ses parents*

Le 27 septembre 1915

L'ataque que [je] vous avais parlé c'est trai bien passée. Je suis été blessé d'ai le débu de l'attaque. Je suis blessé à l'épaulle gauche. C'est le bon fillon. J'ai eu de la venne [veine]

* Outre l'offensive de Champagne, une nouvelle attaque est lancée en Artois.

d'aitre blessé, s'étais affreux. De cela il en est resté sur le terrain *. Pour ton mandat, j'ai eu le tallon le matin de l'attaque et comme cela il va retourné au dépos. Je suis sans le sous. Ci tu veu m'an ranvoillé, il faux me l'anvoillé dans une lettre. J'aime mieux que tu m'anvoie un billet qu'un mandat [...]

Voilà mon adresse : Hôpital tamporaire 67
Chatillon s/Seinne
Côte d'Or

Quan tu me récriras, il faux m'anvoillé du papier à lettre et des anveloppe

*Carte de Marcel à ses parents*

Le 29 septembre 1915

Rien de bien nouveau à vous apprendre. La pluie continue à tomber, il fait un temps affreux. Les Boches ont essayé de nous passer la main dans les cheveux cette nuit mais ça ne leur a pas réussi. Nos obus tombaient drus sur leurs tranchées. Maintenant, ils ne sont plus si prodigues d'obus. Ils envoient plutôt des crapouillauds, mais ils n'y gagnent rien : quand ils nous envoient 4 crapouillauds, on leur envoie 20 obus.

Avez-vous des nouvelles de Lucien ? [...]

---

* L'attaque du régiment de Lucien, devant la route de Saint-Thomas, est un échec sanglant, face au tir d'artillerie et aux mitrailleuses qui déciment l'unité. Le total des pertes est le suivant : 1 204, dont 41 tués, 424 blessés, 735 disparus sur le moment. L'effectif restant le 26 est de 1 534 hommes et officiers. Lucien Papillon est porté « disparu » sur le JMO (p. 34). Le régiment « complètement désorganisé » (*Historique régimentaire*, p. 15) est relevé.

*Lucien à ses parents*

Le 30 septembre 1915

Je vien de recevoir votre lettre à l'instan qui m'a bien fais plaisirre. Je suis plessé à l'épaul gauche par un écla d'aubus. Ce n'ai pas trop grave. Je suis mieux là que dans les tranchées. Ce n'ais pas étonnan que les communiqué sons bons. Où que j'étais entre le Four de Paris et Saint-Thomas, on a bonbardé pandan trois jours sans harai [arrêt] et nous avons attaqué le 25 septembre à 9 heures du matin. On a attaqué une division, on avais bien avancé. Moi je suis été blessé dans la deuxiaime ligne boche. Il y avait déjà au moins une 100[aine] de prisonnier, je te promet qu'ils ne sons pas gras. Maintenan, je ne peu pas vous dirre comme on a avancé, mais ça avais l'aire de bien marché pour nous. Ci tu voilai [voyais] des tas d'aubus de toutes sortes, ce n'ais pas croihable [croyable]. Les piesse [pièces] de canon ne sons pas loing les unes des autre. Je te promet quand tout cela crachais, que les boches prenais quelque chose pour leur ruhme.

Mon sac est resté encorre une foix dans les tranchées boches qui sons à nous maintenan. Je ne pouvais plus porté mon sac, je suis été obligé de le lessé. Je n'ai plus rien. Mais ce n'ais pas la peinne de m'envoillé des effet. J'ai assez des miens pour le moman. Je pense toujours aller en permission. Je vais toujours essaillé d'y rester le plus longtan possible. Je suis encorre mieux là que dans les tranchées. Esque vous avez reçu mes lettre du 23 et du 24 ? Ça me ferai plaisirre de voir Papa [...]

*Joseph à ses parents*

Le 3 octobre 1915

J'ai reçu votre lettre hier. Ce pauvre Lucien n'a pas eu de veine, mais dans son malheur, il a eu de la chance de s'en tirer comme ça. Il y en a beaucoup qui sont estropiés. Pour nous, la guerre est finie. Nous sommes revenus à l'arrière pour quelques jours. Je vous assure que j'ai passé huit jours dans la boue jusqu'aux genoux et la pluie sur les reins. En ce moment, tous les matins il y a de la gelée blanche. Dans la journée il fait beau, j'ai assisté à la bataille en Champagne : jamais je n'avais vu un bombardement pareil.

Les boches ont pris quelque chose pour leur rhume, mais malheureusement il y a des nôtres qui sonts restés. J'étais à Sui[ppe]s à la gare où on évacuait les blessés. J'en ai vu du 354 et du 355. Je pensais que Marcel était par là. Heureusement pour lui qu'il est toujours au même endroit. Ce pauvre Pierre Chauveau, qui était à l'escadron à pied, est tué.

Il y a quelques régiments de cavalerie qui ont chargé. En revenant avant-hier, j'ai vu le 1er dragon qui arrivait […]

*Carte de Marcel à ses parents*

Le 4 octobre 1915

Je viens de recevoir votre lettre du 30 m'apprenant que Lucien était légèrement blessé

J'en suis très heureux pour lui. C'est tout ce qu'il pouvait attendre de mieux de ce massacre […]

*Joseph à ses parents*

Le 4 octobre 1915

J'ai reçu votre deuxième lettre hier. Aujourd'hui, j'ai reçu une lettre de Lucien ; il ne se plains pas trop. J'ai des nouvelles exactes de Pierre Chauveau. Il n'est pas mort, il a les deux jambes coupées. Je suis toujours en bonne santé, nous partons à la guerre demain […]

*Marthe à ses parents*

Paris, le 4 octobre 1915

Depuis que les enfants sont rentrés, nous sommes comme des fous. Avec ça le singe * et la gouvernante sont malades. Hier dimanche, je n'ai pas trouvé un instant pour vous écrire.

J'ai reçu vos lettres. Lucien m'a aussi écrit et me dit qu'il ne souffre pas trop. Tant mieux, pendant ce temps là il n'est pas en danger. Moi aussi j'ai reçu une lettre de Marcel du 22. Je ne lui ait pas encore répondu. Et ce pauvre Joseph est maintenant près du front. Je vais essayer de lui écrire aujourd'hui. J'oubliais de vous dire que j'ai envoyé une image de 5 f. à Lucien puisque votre mandat ne lui est pas encore parvenu. Pour mon cou, je vais prendre un fortifiant et maintenant, je bois du vin. Les médecins ne sont pas facile à trouver et [c'est] 5 f. la consultation.

Je vous écrit en fraude pendant que l'autre met le couvert […]

* Le singe : le patron ou la patronne.

---

*Marcel à ses parents*

Le 5 octobre 1915

J'ai éprouvé un grand soulagement en apprenant qu[e Lucien] était légèrement blessé. Il s'en est tiré à bon compte. Je lui envoie une carte en même temps qu'à vous.

Quant à moi, c'est toujours la même vie. Nous attendons du nouveau tous les jours. Pour le moment, crapouillauds, grenades et obus sont sans cesse envoyés de part et d'autre, il y a bien à faire attention pour ne pas se faire moucher. Ce n'est pas la pause. Hier mon capitaine et 4 territoriaux ont été blessés par le même crapouillaud. Je n'étais pas à 20 mètres d'eux. C'est de la veine.

Il y a longtemps que je n'ai pas eu de nouvelles de Joseph, vous me direz s'il écrit.

Pour mes bandes, Savelly les a laissées chez lui, vous n'avez qu'à dire à Brisdoux qu'il les rapporte.

Comme ce n'est pas loin, il est facile d'aller voir Lucien, et en vous munissant d'un certificat délivré par le maire, accompagné de la carte envoyée par le médecin, vous avez droit à voyager sur les chemins de fer au tarif réduit (1/4 de place comme les militaires). C'était ainsi en temps de paix et je crois que c'est encore plus largement offert aujourd'hui.

Je vous envoie la dernière lettre que j'ai reçue de Lucien [...]

P.S. Me voilà dans mon 15$^{e}$ mois de campagne... et la fin me paraît plus loin que jamais. Quelle vie !

---

*Carte de Marcel à Lucien*

Hôpital temporaire
Châtillon-sur-Seine
Le 5 octobre 1915

Mon vieux Lucien,

Tu t'en es là encore tiré d'une belle. J'espère que ta blessure n'est pas grave.

Soigne-toi bien et repose-toi le plus longtemps possible. J'ai bien pensé à toi quand j'ai lu le communiqué. Quels terribles moments tu as dû passer : je pensais bien ne jamais te revoir ! Si seulement la guerre était finie pour toi. Quant à moi, ça va toujours pour le moment. Crapouillauds, grenades et obus tombent souvent. Nous nous attendons à du nouveau tous les jours. Meilleure santé.

Ton frangin qui t'embrasse

*Lucien à ses parents*

Le 5 octobre 1915

Je vien de recevoir votre lettre qui m'a bien fais plaisir. Je ne sais pas ci je pourrais sortir dimanche. Ce n'ais pas certin que le major me lesse sortirre. Mais ce n'ais pas ma blessure qui me fais souffrir. Dimanche dernier, il y a des parans des plessé qui sons venu les voirre. Il avais demandé à sortir en ville, il n'ons pas pus sortir […]

*Marcel à ses parents*

Le 10 octobre 1915

Aujourd'hui dimanche, rien de nouveau à vous annoncer. Il fait un temps superbe, et je pense que je serais beaucoup mieux à chasser le lapin dans les talus de Brosses d'Art qu'à risquer ma vie au B[ois]-l[e]-P[rêtre]. Le père Léon a du aller voir Lucien. Vous me raconterez cela. Cette affaire de Champagne a du nous coûter cher. Il paraît que, du régiment de Lucien, il n'en est pas revenu beaucoup. Un frère de mes copains lui écrivait ces jours derniers que Careney [Carency] [et] Neuville-Saint-Waast [Vaast] n'étaient rien en comparaison. Enfin, ce pauvre Lucien en est revenu d'une belle *.

Je suis toujours en bonne santé, et de ce moment, nous sommes assez tranquilles. Toutes les nuits, je roupille bien tranquillement dans une bonne cabane. Comme cela, ça peut aller !

Mais les copains n'ont pas chaud la nuit ; tous les matins, il fait un épais brouillard, ça sent la Toussaint. Je suis en train de faire cuire des pommes de terre et des oignons dans la cendre, histoire de passer le temps […]

---

* La II^e^ et la IV^e^ armée perdent 138 000 hommes (*Première Guerre mondiale*, 1996, p. 355).

*Lucien à ses parents*

Le 11 octobre 1915

Je vous fais réponsse à votre lettre qui m'a bien fais plaisir. Je me suis ransaigné pour dimanche. Je ne peu pas sortir dutout, c'est impossible que je sorte dimanche. J'ai reçu une lettre de Marcel, il est toujours en bonne santé et une de Joseph. Il me dis que Pierre Chauvaux est tué. C'est malheureux, il ne va plus resté personne. Moi ça va toujours bien, ça va de mieux en mieux. D'isi 15 jours, je croi aitre gairi [...]

*Marthe à Lucien*

Le 11 octobre 1915

Je pense que ta santé s'améliore toujours. Pendant que tu es là, tu te reposes toujours. J'ai eut des nouvelles de Marcel et Joseph. Marcel a l'air d'en avoir assez. C'est vrai qu'il y a de quoi aussi. Penser de passer un deuxième hiver dans les tranchées, c'est terrible.

Je vais t'acheter un chandail puisque tu as perdu l'autre.

Maman m'écrit maintenant gentiment. Je crois que Chatillon n'est pas loing de chez nous. En passant par les Laumes, Papa pourra peut-être aller te voir.

Il fait mauvais temps, la pluie tombe, ce n'est pas épatant pour les opérations.

Enfin, espérons que l'année prochaine, vous serez tous rentrés.

Ce matin, un aéro est tombé, les trois soldats qui le montait ont étés grièvement blessés [...]

―――◄○►―――

*Marthe à ses parents*

Le 11 octobre 1915

J'ai bien reçu votre lettre et ai fait ce que vous m'avez dit. Je pense que ça me fera du bien. Je vous remercie beaucoup. J'espère que vous êtes en bonne santé.

J'ai eut des nouvelles de mes trois frères : ce pauvre Marcel a l'air découragé, il y a de quoi aussi de penser a passer l'hiver dans les tranchées. C'est terrible, il arrive des blessés en quantité. L'ancien commandant de Joseph a un deuxième fils disparu.

Papa pense-t-il toujours a aller voir Lucien ? Lui a espoir d'avoir une convalescence. Il parait que le jour de l'attaque, il pensait ne jamais revoir Vézelay.

Pour le chandail pélerine, je vais demander à sortir a la fin du mois. Si c'est trop tard, Maman tu me le diras. Quand tu enverras le chandail, tu penseras a mettre le passe-montagne que Hortense a tricoter. Joseph m'en demande un. Il a probablement perdu celui qu'il avait.

Hortense vous envoie le bonjour, son fils est à Ypres et a de la boue jusqu'aux genoux.

Ce matin, un aéroplane est tombé près de chez nous au Trocadéro. Les trois soldats qui le montait ont étés emportés à l'hôpital Beaujon.

Hier dimanche, il faisait très beau. Les patrons sont allés à Fontainebleau. Je ne suis pas sortie. J'ai dû rester pour faire visiter l'appartement : ils cherchent a sous-louer, ça sent la dèche […]

―――◄○►―――

*Mme Chauvaux à Mme Papillon*

Neuilly, le 11 octobre 1915

Chère Madame,

Voulez-vous me dire ce que votre fils vous a écrit au sujet de Pierre ? Un camarade a écrit à mon frère qu'il était blessé, sans donner aucun détail. J'espèrais un avis de l'ambulance où il a été évacué et je n'ai encore rien reçu. Vous comprenez mon inquiétude et je vous serai reconnaissante de me répondre au plus vite.

Avec mon bon souvenir, tous mes remerciements

M. Chauvaux
115, avenue de Neuilly

---

*Marcel à ses parents*

Le 14 octobre 1915

Je suis très étonné de n'avoir reçu aucune lettre depuis 8 jours. Je pense que Lucien ne va pas plus mal. Il fait un temps humide et brumeux, la pluie tombe depuis plusieurs jours.

Je suis toujours en bonne santé et nous menons toujours la même vie.

Nous sommes assez tranquilles, sauf mardi dernier où les boches nous ont aspergés avec 300 crapouillots et grenades à fusil en 2 heures de temps, mais il n'y a pas eu grands dégâts. Il y a quelques jours, un de nos avions a abattu a coups de mitrailleuses un aéro boche. Je les regardais se battre en l'air quand tout à coup j'ai vu le boche chavirer et dégringoler à pic comme un paquet de guenilles. Il est tombé en forêt de Puvenelle. Il a fait un saut d'au moins 2000 mètres.

Je crois que nous serons tranquilles encore un moment, car les permissions ont recommencé à fonctionner dans notre régiment.

Les affaires se compliquent singulièrement en Orient*. C'est là qu'est la clef du mystère. Au profit de qui tourne l'avantage ? C'est bien difficile à dire aujourd'hui. Quelle guerre !

Nous voilà bien partis pour passer l'hiver. Nous ferons encore Réveillon dans les tranchées [...]

---

*Carte de Marcel à Lucien*

Le 16 octobre 1915

Quoi de neuf ? Il y a déjà quelques jours que je n'ai pas eu de tes nouvelles. Ça ne va pas plus mal j'espère. La vie de l'hôpital doit être plus agréable que celle des tranchées.

Quant à moi, ça va toujours pour le moment, la santé est bonne, il fait un temps superbe.

Papa ira te voir demain je crois. Maintenant tu es sûr d'aller en permission, veinard.

A bientôt de tes nouvelles. Fraternelle poignée de main [...]

---

* Il s'agit de la seconde campagne d'Orient, dans les Balkans cette fois, après l'échec des Dardanelles. Le commandement ouvre un autre front, à partir de Salonique, en portant secours à la Serbie.

*Faire-part mortuaire de Pierre Chauvaux*

Blessé le 29 septembre 1915 en Champagne et décédé le 2 octobre 1915 à l'Ambulance de Suippes (Marne) à l'âge de 20 ans.

---

*Joseph à ses parents*

Le 16 octobre 1915

J'ai reçu votre lettre il y a quelques jours. Nous sommes revenus à l'arrière, il y a quelques temps, au même pays que nous avons débarqués en venant du Nord *. C'est plus gai que d'être au milieu des bois.

Hier, j'ai vu Mr Dethire. Nous avons causé un moment ensemble. Il vous donnera de mes nouvelles. Ce pauvre Auguste Marceau n'a pas eu de veine. Dans le pays où il est mort, je suis passé quatre fois en allant et en venant au front. Je suis sûrement passé pendant qu'il y était. C'est là que j'ai vu le 1er Dragons. J'ai reçu une carte de Marcel : il est toujours en bonne santé. De son côté, c'est tranquille en ce moment. Vous pouvez m'envoyer du papier à lettre, mon stock est épuisé. Le prêt prochain, nous allons touché une tune [...]

---

* Il s'agit de Marcilly.

*Carte de Marcel à ses parents*

Le 16 octobre 1915

J'ai bien reçu votre lettre du 10 avec le papier à lettre. A l'avenir, ne me mettez plus qu'une enveloppe et papier à chaque lettre.

Ça va, je suis toujours en bonne santé ainsi que les amis. Pour l'instant, il fait un temps superbe et il y a quelques instants que j'ai fait cuire une pleine casserole de compote de pommes.

Il y a quelques jours, lorsque nous étions au repos, Savelly et moi nous sommes allés au cimetière et nous avons remis en ordre avec des branches de sapin et quelques fleurs la tombe de ce pauvre Raymond [...]

P.S. J'ai reçu une carte de Jeamblanc. Il est maintenant en Bretagne. Son bras va de mieux en mieux

*Lucien à ses parents*

Le 17 octobre 1915

Je vien de recevoir votre lettre qui m'a bien fais plaisir. J'ai reçu une lettre de Marcel. Il est toujours en bonne santé. Moi, ça va toujours bien pour le moman et ma plaie est déjà presque fermée. Ce n'es pas le meilleur pour moi. Je pense toujours avoir une permission. Il ne peuve pas m'anvoillé rejoindre mon régiment. Une foix qu'on est dans l'intérieur de Chatillon, on nous envoie à Dijon passer la visite. Et c'es[t] la qu'ils nous donne la convalaisance. Je pense toujours aller en permission [...]

Dit donc à Léon qui m'écrive ci il a le tan.

*Carte de Marcel à ses parents*

Le 19 octobre 1915

Depuis plusieurs jours, le temps a subitement changé. Il règne un grand brouillard qui n'est pas chaud du tout. J'ai la flegme [flemme] d'écrire une lettre. Du reste, je n'ai rien de nouveau à vous apprendre. Je suis toujours en bonne santé. C'est assez calme et après-demain, nous descendons au repos pour 4 jours […]

*M. Dethire à M. Papillon*

Melun, le 20 octobre 1915

Ces deux mots pour vous dire que j'ai eu le plaisir de voir votre fils [Joseph], en bonne santé, vendredi. J'allais voir mon fils et tacher d'avoir des nouvelles de Chauvaux […]

*Joseph à ses parents*

Le 20 octobre 1915

J'ai reçu votre lettre hier. Ça me surprend que vous recevez rien de moi. Je vous ai écrit il y a 5 jours. Je ne suis pas loin d'où l'instituteur de chez nous est en garnison.

La campagne d'hiver commence. On a touché les effets. On parle beaucoup de prendre les tranchées. Quant à Pierre Chauvaux, je n'en sais pas davantage. J'ai vu un sous-officier de l'escadron à pied. Il m'a dit qu'il avait les jambes broyées et que l'on serait probablement obligé de l'amputer [...]

*Lettre de Marcel à ses parents*
[et une photo de Marcel avec des camarades]

Le 21 octobre 1915

J'ai bien reçu vos lettres des 16 et 17 courant ainsi que le petit colis, les fromages sont excellents. Nous sommes descendus au repos ce matin. Le colis est bien tombé, nous avons déjeuné avec un fromage en buvant un coup de vin blanc avec Savelly et deux copains. Mathey est venu nous voir dans les tranchées hier. Il part en permission samedi, nous le reverrons avant son départ.

La tombe à Raymond est toujours intacte. La croix, les couronnes sont en bon état. Si sa femme tient à mettre un bouqueton de fleurs artificielles, je suis à sa disposition : on trouve ça aisément à Pont-à-Mousson. Dans le jardin du château, il y a un beau carré de chrysanthèmes. Demain ou après, j'irai en porter un bouquet à ce vieux camarade.

J'écrirai demain à Lucien. Pour une blessure, c'est difficile à carotter *. Une fois guéri, c'est fini. Mais il ne repartira pas tout de suite au feu, il restera encore au dépôt un moment. C'est là qu'il pourrait trouver à se débrouiller.

Savelly et Moreau vous envoient le bonjour [...]

* Carotter : tricher.

P.S. Ça bombarde fort aujourd'hui. Dans une huitaine, nous entrerons dans le 16e mois de campagne. Ça commence déjà à compter.

*Lucien à ses parents*

Le 21 octobre 1915

Je vien de recevoir votre lettre qui m'a bien fais plaisir. Moi ça va toujours bien pour le moman. J'ai reçu des nouvelles de Marcel et de Joseph. Ils sons toujours en bonne santé. Tu me demande dans qu'elle hopital que je suis. C'est dans une écolle qu'on appelle la collonie. Esque tes boches sons arrivé ? Tu me demande ci j'ai besoin d'argan [argent]. Ce n'es pas de refu parce que je suis obligé d'ageté [acheter] mon tabac. Nous n'an touchons pas [...]

*Joseph à Lucien*

Le 22 octobre 1915

J'ai reçu ta lettre hier. Puisque ta blessure va bien, c'est le principal. Mais le meilleur sera la permission. Dans ton malheur, tu as eu de la veine. J'ai entendu dire que le 13e corps partait en Serbie. Aujourd'hui, je pars pour le front pour prendre les tranchées et cette fois, ça ne va pas mieux : tout le monde les prend. Pour le premier coup, ça me semblera drôle [...]

*Lucien à ses parents*

Le 25 octobre 1915

Je m'anvais demain de l'hopital. On par[t] au moins 50 sur un 100 que nous étions à l'hopital. On va directemen à Dijon. Il ne fau plus me récrire avans de savoir ou je vais allé.

Je ne voi plus rien à vous dirre. Je suis toujours en bonne santé et pense que ma lettre va vous trouvé de même [...]

*Lucien à ses parents*

Le 27 octobre 1915

Je suis à Dijon d'hier. Ça va trai bien. Nous somme dans une caserne. On va passé la visitte aujourd'hui pour allé an convalaicance [convalescence]. Je suis presque sur d'allé chez nous. Là on est bien, mieux qu'à Chatillon. On sort à Dijon comme on veu. On est plus en prison [...]

Voilà mon adresse : Dépeau de convalaicence, caserne Dompierre, Digon, salle N° 5

*Marthe à ses parents*

Le 28 octobre 1915

[…] Aujourd'hui, il fait un temps épouvantable.

Dimanche dernier, le colonel Grandjean, l'ancien commandant de Joseph est venu dîner. Il m'a dit que j'avais l'air moins fuyante que mon frère, une parole lui suffisait pour le faire chambarder […]

*Lucien à ses parents*

Le 29 octobre 1915

Je vous anvoi ces quelque mots pour vous donné de mes nouvelles. Je suis toujours à la caserne Dompierre. On m'avais anvoillé là pour passé la visitte. J'ai eu 15 [jours] de convalescence. Je vais les passé dans un petit pays à cauté de Dijon. Et aprai, j'aurai 7 jours de permission. Je vais allé chez nous autour du 15 novembre. Ça me fais encor un mois de bon. Je commence à ne pas avoir chaud. Ci tu voulai m'anvoillé une paire de chausette, une servitte [serviette] à débarboillé et une chemisse. Ce n'est pas peinne d'an hacheté une. Tu n'a qu'a m'annanvoillé [m'en envoyer] une vielle et un mouchoir. J'ai reçu ton mandat et la lettre […]

*Marcel à ses parents*

Le 30 octobre 191[5]

J'ai bien reçu ce matin votre lettre du 26 et le talon de mandat de 10 f. Dans 5 jours, nous descendons au repos et je m'occuperai du bouquet à Raymond.

Quant aux lettres, colis, mandat, j'ai tout reçu ce que vous m'avez envoyé.

On nous a équipé pour l'hiver. Nous avons touché de bons chandails, des caleçons très chaud et des chaussettes. Maintenant nous voilà solides pour attendre la neige.

Je savais [...] que Vincent était maintenant à Avallon. Entre parenthèse, ils feraient tout aussi bien de le renvoyer complètement chez lui, ça crierait moins. Dites-moi un peu ce que devient Lucien [...]

---

*Mme Papillon à Joseph*

[« Lettre retournée à l'envoyeur, avec la mention : le destinataire n'a pu être atteint »]

Le 1er novembre 1915

Voilà 11 jours que l'on n'a pas reçu de tes nouvelles. Mme Chauvaux m'a envoyé une lettre de faire-part de la mort de ce pauvre Pierre. Il est mort le 2 octobre comme tu l'avait dit sur ta lettre du 3. Lucien à écrit se matin. Il va être chez nous en permission le 15 novembre pour 7 jours. Ton père à vu Dethire de Chamoux qui est au 1er Dragons : il lui à dit qu'il avait vu le 13e, qu'il croyait que tu était au 29e. J'ai vue Louis Rétif se matin. Il est gras comme un moine [...]

*Lucien à ses parents*

Le 3 novembre 1915

Je ne suis plus à Dijon depuis jeudi. Apraisan, je suis à Santenay-les-Bains. Là on est trai bien. On est aussi bien nourri qu'à l'hopital. On couche dans de bons lits. On est dans un hautelle qui apartenait aux boches. Il y a aussi des sources d'eau sallée. Je me plais mieux là qu'à l'hopital. Ons est plus tranquil et on sort comme on veu [...]

Voilà mon adresse :

Dépôt de convalescants

Santenay-les-Bains (Côte d'Or)

Je ne suis pas loins de Baune. Quans tu vas me récrire, indique-moi par où il faux passer

*Marthe à Lucien*

Le 7 novembre 1915

Je viens de recevoir ta lettre à l'instant sur laquelle tu m'apprends que tu as changé de dépôt. Je suis ennuyée, car je t'ai envoyé une lettre mercredi dans laquelle j'y ai joint un billet de cinq f. Je pense qu'on la fera suivre d'autant plus quelle est recommandée. Je suis heureuse pour toi que tu sois bien comme tu dis. C'est bien dommage que tu n'y reste pas plus longtemps. Enfin, c'est toujours autant de pris. Il y a longtemps que je n'ai pas eut de nouvelles de Marcel et Joseph, peut-être en as-tu ?

Aujourd'hui dimanche, je suis de garde et dimanche dernier, j'étais à Fontainebleau. Je suis comme au régiment. Je n'ai pas souvent de vacances.

J'ai eut une lettre de maman hier. Elle était sans nouvelles de Joseph depuis quinze jours. Je me demande ce qui lui prends de temps en temps de ne pas écrire [...]

*Marcel à ses parents*

Le 7 novembre 1915

J'ai bien reçu votre lettre dans laquelle vous m'annoncez que Lucien va en permission vers le 20 courant. Jeudi dernier, 4 courant, j'ai acheté et déposé le jour-même sur la tombe à Raymond un gentil bouquet en métal roses artificielles. Il m'a coûté 4,50 f. Je ne l'ai pas trouvé cher. Dans 5 jours, nous descendons au repos et je vais m'arranger pour employer le surplus des 10 f d'une manière qui fera certainement plaisir à Mad. Simon. J'en reparlerai.

Ma santé est toujours bonne. Ne vous faites pas de bile pour moi. Jusqu'à présent, je ne passe pas les nuits dehors. C'est appréciable.

Vendredi dernier 5 courant, il m'est arrivé une histoire qui vaut la peine d'être racontée.

Voici. Nous étions au repos dans notre petit château, à 7 heures 1/2 du soir (*nuit noire*) : le double * demande un planton pour porter des pièces au commandant (*dans les tranchées*) et passer en revenant chez le colonel. C'est à peu près comme si nous avions été à la Bouillère [hauts d'Asquins] et qu'il

* Le double (argot militaire) : le sergent-major.

faille se rendre dans le milieu des Bois de la Borde. Je me suis présenté. Je ne voyais pas à 2 mètres et comme il faut passer par un défilé de petits sentiers dans les vignes, j'ai emprunté la lampe électrique d'un camarade.

Enfin me voilà parti. Arrivé à peu près à mi-chemin, j'avais un petit boqueteau à traverser. Je m'engage dans le sentier quand tout à coup, j'entends un bruit étrange dans le buisson à ma gauche. Je m'arrête – plus rien, je me dis : « C'est sans doute un poilu qui descend au vin et qui s'éclipse de peur de rencontrer un officier ». Je me remets en route, le bruit recommence. Je me dis : « C'est bizarre il faut voir ce que c'est » ; je sors ma lampe électrique. Je fouille la haie, je ne vois rien, j'avance de 2 pas et j'aperçois quelque chose de blanc au pied d'un gros égriottier. Je m'approche et je trouve quoi ? Un superbe lièvre qui était pris au collet ! Vous pensez si j'étais heureux. J'ai fini de tuer l'animal et je l'ai mis immédiatement derrière mon dos, il pouvait peser de 6 à 7 livres.

Je suis revenu. Il était à peu près 10 heures du soir. Savelly en baillait tout bleu. Nous nous sommes réunis les 4 plantons, dont un vieil instituteur de 42 ans, chasseur enragé (il était heureux) et Savelly, nous sommes allés chez une vieille bonne femme et à nous cinq nous avons dégusté un civet de lièvre excellent (la vieille connaît le coup) et avec une salade, fromage, pommes, café et goutte, nous avons fait un déjeuner de prince.

Le lendemain matin je suis retourné voir la place et j'ai retrouvé 6 autres collets, c'est les artilleurs qui les posent. Maintenant que je connais le coin, j'irai faire la relève de temps en temps. Je vous envoie un bout de la peau du ventre [dans l'enveloppe]. Savelly était heureux. Il s'en rappellera longtemps. Nous l'avons mangé en cachette, personne ne l'a su à la compagnie car ça aurait fait des jalousies. Je souhaite que pareille aventure m'arrive assez souvent.

Je vous envoie ci-joint un article paru sur *Le Journal,* numéro du jeudi 4 novembre. Je suis heureux de voir que des gens très compétents commencent enfin à voir clair. L'article est fait par Chéron * et c'est bien la vérité.

Voilà, l'hiver vient, il commence à ne plus faire bon dans les tranchées [...]

---

*Marthe à ses parents*

Le 9 novembre 1915

Je viens de recevoir votre carte à l'instant et je vois que vous avez l'air d'être mécontents que je ne vous ais par répondu au sujet de Joseph : pour une bonne raison, c'est que je suis comme vous sans nouvelles depuis longtemps et que je croyais toujours en avoir.

Je lui ait écrit dimanche en même temps qu'à Lucien. Pour lui, je suis même ennuyée. Je lui ai envoyé 5 f. dans une lettre recommandée et voilà que maintenant, il a changé de dépôt. Il me disait qu'il était mal nourri. Avez-vous des nouvelles de Marcel ? Je lui ait écris le jour de la Toussaint.

Maman, tu m'as dit que tes souliers étaient jolis, mais te vont-ils bien, les as-tu déjà mis, ainsi que ton chapeau ?

Je vous écris cette petite carte en fraude ; nous sommes en train de faire le ménage a fond : vous parlez d'un cauchemar. Depuis huit [heures], jusqu'au soir six heures. Enfin, c'est la guerre [...]

---

* L'article d'Henry Chéron (« La question des embusqués. Le treizième travail d'Hercule », *Le Journal*, 4 novembre 1915) dénonce la mauvaise application de la loi du 17 août 1915 (voir ici p. 208), demande aux autorités de « débusquer » les embusqués et de faire appliquer la loi..

*Lucien à ses parents*

Le 9 novembre 1915

Je vien de recevoir ta longue lettre. Les chiens te mordais donc les talons quand tu l'écrivais ! Je vien d'en recevoir une de Marthe. Et me dis que voilà 15 jours qu'elle n'a pas reçu de nouvel de Marcel et de Joseph, moi je n'en nai pas reçus. Esqu'ils ons écris chez nous ? […]

*Marcel à Lucien*

Le 9 novembre 1915

J'ai bien reçu ta lettre du 31 octobre. Je suis heureux de te savoir en bonne santé.

Mais tu ne me dis pas si on t'a retiré ton éclat d'obus. Si tu l'as encore, tâche de tirer au cul avec ça.

Après ta permission, tu retourneras sans doute au dépôt. Essaie d'y rester un moment. Mais quand tu verras que ton tour approche, tu pourrais choisir un régiment en partant comme volontaire lorsque l'on demandera un renfort, de préférence un régiment de réserve. Tu verras comment ça se goupille quand tu y seras. Je te dis cela, c'est pour te prévenir au cas où ton dépôt fournirait du renfort pour la Serbie : ce n'est pas la pause là-bas.

Enfin, renseigne-toi et tâche de te tirer d'affaire. Je ne peux pas t'en dire plus long. Je ne sais pas comment ça se combine dans les dépôts. Tu me renseigneras à ce sujet. Si étant au dépôt, on demandait des hommes pour le génie (pour rester en France) ou pour apprendre la mitrailleuse (la mitrailleuse, c'est un bon filon) tu n'as qu'à demander. Enfin tu verras cela * [...]

---

*Marthe à ses parents*

Le 15 novembre 1915

Avez-vous des nouvelles de Joseph ou alors que devient-il ? Hier, j'ai vu Hortense. Elle est comme moi sans nouvelles depuis longtemps. Une lubie ne lui durerait pas aussi longtemps. Je commence à me tourmenter, puis Mlle Gabrielle, la caissière, m'a demandé si j'avais de bonnes nouvelles de mon dragon. Elle m'a dit que c'était extraordinaire en effet. Là-dessus, elle m'a dit que l'ancien commandant de Joseph lui a écrit et lui a dit qu'il avait su par des officiers du 13e dragons que la moitié du régiment qui a pris place aux tranchées a été très éprouvé par les gaz asphyxiants. Tout cela donne à réfléchir. Mais si jamais, il est en bonne santé et que ce soit un caprice qu'est-ce que je lui passerait !

---

* La première offensive destinée à secourir les Serbes est lancée en novembre. Selon les informations indirectes et contradictoires qui leur parvenaient, les soldats du front occidental pouvaient penser qu'on était plus en sécurité dans le corps expéditionnaire envoyé à Salonique, ou, au contraire, que les dangers y étaient encore plus grands. De cette expédition, Francine Roussane (1992, p. 196-197) écrit : « L'usure de la guerre, l'isolement des unités au milieu d'espaces hostiles la rendirent beaucoup plus dure que la précédente, bien que les dangers y aient été moindres, du moins sur le plan des risques de guerre, car la maladie qui frappa 95 % des combattants contribua largement à ébranler un moral déjà bien fragilisé. »

Et Marcel, lui, comment va-t-il ? Voilà au moins trois semaines que je n'ai rien reçu. Je pense que vous avez de ses nouvelles. Lucien doit compter les jours pour partir. Il a bien reçu ma lettre recommandée. J'aurai bien voulu le voir quand il sera à Sens un dimanche. Je tacherais d'y aller. Cette guerre est épouvantable et où est la fin ?

Et vous comment allez-vous ? Bien j'espère. Moi, ça vat, sauf en ce moment la bille que je me fais pour Joseph. Ecrivez-moi pour me tenir au courant. Mlle Gabrielle m'a dit qu'elle écrirait au commandant pour savoir. En tous cas, ne vous tourmentez pas avant de savoir de quoi il s'agit.

La semaine dernière, j'ai eut une contravention pour avoir oublier de fermer les volets d'une fenêtre. Mr y est allé et ça a passer pour cette fois. Maintenant, je ferait bien attention, ce n'est pas grave [...]

---

*Marcel à ses parents*

Le 16 novembre 1915

J'ai bien reçu votre lettre du 9 courant. Ma santé est toujours excellente, j'espère qu'il en est de même pour vous. Aujourd'hui, le soleil donne, il a un peu gelé, il fait meilleur que ces jours derniers : tempête, pluie et neige. Tout était blanc, c'est l'hiver qui commence. Nous sommes au repos depuis 2 jours. Poincaré est venu à Pont [-à-Mousson] hier. Je vous envoie l'article du Journal. Je me suis débrouillé hier soir et j'ai réussi à trouver un photographe. J'ai fait prendre le cimetière vue d'ensemble et la tombe à ce pauvre Raymond seule. Je ne sais si l'opération a réussi, nous avons eu bien du mal à prendre le cliché entre deux bourrasques de grésil. D'ici une huitaine, j'espère avoir le résultat. J'ai aussi reçu une lettre de Lucien du 9. Je connais bien Santenay, ça se trouve sur la ligne de chemin de fer, ma lettre le trouvera chez nous. Je ne lui récris pas : il m'enverra son adresse du dépôt. Puisqu'il a encore un bout de feraille dans l'épaule, qu'il fasse tout son possible pour se faire opérer : pendant ce temps-là, l'hiver passera. Je lui ai écrit aussi, si toutefois son dépôt fournissait pour la Serbie, de faire attention de ne pas se faire prendre. Pour l'éviter, lorsqu'il verra son tour de dépôt pour le front approcher, il n'a qu'à demander de partir comme volontaire à un renfort quelconque d'un régiment du front français (de préférence un régiment de réserve !). C'est à lui de voir comment ça marche au dépôt, mais toujours qu'il essaie d'y rester le plus longtemps possible. Et s'il peut dégoter un filon, qu'il n'aie pas peur de demander. Les journaux parlent de paix, mais ce n'est pas encore demain la fin. Je me suis payé une lampe électrique. Ça m'est très utile pour trotter la nuit dans les boyaux.

Savelly et Moreau sont toujours en bonne santé [...]

*Marcel à ses parents*

Le 17 novembre 1915

La neige tombe, le mauvais temps continue, la guerre aussi.

Je vais vous envoyer un colis, j'ai mis divers objets qui ne me servent pas et qui m'embarrassaient. Il y a également 4 paquets de tabac pour les pipes à Léon et au Calas. Il y a aussi des échantillons de faux cols – dont l'un a déjà servi. Vous y trouverez aussi de l'aluminium que j'ai fait fondre (vous le mettrez bien en place). Et au milieu, il y a une lampe briquet fabriquée dans la tranchée, avec des cartouches de fusée éclairante.

Les soudures ont été faites avec une bougie. Le bouchon ne va bien que d'un côté, toujours le remettre de la même façon.

Voilà le dessin de la lampe ouverte (joint à la lettre), c'est simple et pratique, c'est un souvenir de la guerre. La pierre qui y est est presque usée.

Lucien sera chez nous dans quelques jours, qu'il profite de sa permission, c'est bien son tour […]

---

*Mme Papillon à Joseph*
[lettre retrouvée non décachetée et renvoyée par l'armée le 22 décembre, avec la mention : « Le destinataire n'a pu être atteint. Retour à l'envoyeur »]

Le 18 novembre 1915

Mon cher Joseph,

Voilà 1 mois que l'on n'a pas reçu de tes nouvelles.

R'écris-nous aussitôt, car la caissière de la patronne à Marthe lui a dit que ton ancien commandant lui avait écrit que le 13e avait été asphyxier à moitié. R'écris-nous par le retour du courrier. Je tremble comme la feuille. Quand tu auras répondu, je t'en écrirait plus long.

Ta mère qui t'embrasse

E. Papillon

Quand tu m'aura répondu, je t'enverrai de l'argent

---

*Marthe à ses parents*

Le 19 novembre 1915

Je viens de recevoir votre carte à l'instant, qui ne me rassure pas. Je suis comme vous : je me tourmente, il faut espérer. La caissière a déjà écrit au commandant et dimanche, Hortense a écrit au Capitaine en mon nom. J'attends une réponse tous les jours. Aussitôt je vous en ferai part. Maintenant pour Marcel, ne vous désolez pas : j'ai eu de ses nouvelles avant-hier, il est en bonne santé mais dans la neige. Si toutefois, vous recevez quelque chose de Joseph, écrivez-moi [...]

*Marthe à ses parents*

Le 19 novembre 1915

Il est 7 heures du soir. Je viens de recevoir la réponse du capitaine et vous la joins à ma lettre. Que Papa écrive donc aux ambulanciers indiqués. C'est plutôt à lui d'écrire qu'à moi. Puis il s'expliquera mieux, Voyez, ne vous tourmentez plus, il n'est pas mort, c'est l'essentiel, mais peut-être très malade, les gaz asphyxiants les font beaucoup souffrir. J'ai déjà entendu des soldats le dire. Aussitôt que vous aurez des nouvelles, faites-le moi savoir [...]

[figure dans l'enveloppe de la lettre]
*Capitaine de La Fontaine, du 13e d[ragons]*
*à Marthe Papillon*

Mademoiselle,

Votre frère était aux tranchées le 27 octobre et se trouvant incommodé par les gaz asphyxiants, il s'est rendu au poste de secours et a été ensuite évacué sur une ambulance. Je suis sans nouvelles de lui depuis cette date. Peut-être pourriez-vous écrire au médecin de l'ambulance de Mourmelon-le-Petit, de Thuizy et à l'hôpital de Chalons s/Marne. Il est probable que vous en aurez des nouvelles. Croyez, Mademoiselle, à l'assurance de mes meilleurs sentiments.

La Fontaine

---

*Marcel à Joseph*
[renvoyée à Vézelay par l'armée]

Le 20 novembre

Que fais-tu, que deviens-tu ? Il y a longtemps que je n'ai pas eu de tes nouvelles. Vers moi, il fait mauvais temps, la neige tombe. Je suis toujours en bonne santé. J'attends de tes nouvelles par un prochain courrier […]

---

*Lucien à ses parents*

Le 21 novembre 1915

Je vous anvoie ces quelques mots pour vous donné de mes nouvel. J'ai reçu une lettre de Marcel, mais poin de Joseph. Je ne sais pas ce qu'il fais. Mois je vais allé vous voir Mardi, apraidemain. Je ne sais à qu'elle heur je vais partirre, mais je pense arrivé mardi soir […]

---

*Relut à Léon Papillon*

Le 21 novembre 1915

Mon Cher Papillon,

Je vous écrit ces quelques mots a la lueur d'une bougie dans un abri profond au fond de la tranchée car nous sommes en réserve. Dans 2 jours, nous irons en deuxième ligne. Pendant 4 jours, nous serons dans la boue jusqu'aux genoux, mais malgré tout, la santé est assez bonne en attendant les événements. Votre plus jeune troupier doit être chez vous de ce moment. Vous devez tous être heureux de le voir. Quand vous écrirez à vos enfants, vous leur souhaiterez le bonjour de ma part. Je vous serre à tous la main d'amitié.

Votre tout dévoué

[Relut]

---

*M. Papillon au Major du régiment de Joseph*

Le 21 novembre 1915

Monsieur le Major,

Veuillez, je vous prie, avoir la bonté de me dire si vous avez parmi les malades confiés à vos soins, mon fils, le soldat Papillon Joseph, du 13e dragons, 2e escadron, 3e peloton. Je sais par son capitaine qu'il s'est trouvé incommodé par les gaz asphyxiants, étant aux tranchées le 27 octobre *.

Depuis cette époque, je suis sans nouvelles de lui.

Daignez recevoir, Monsieur le Major, l'expression de mes sentiments respectueux

Papillon Léon
Cantonnier Chef à Vézelay (Yonne)

*Du Médecin Chef à Léon Papillon (sur la même lettre)*
*Ambulance 8/9 40 e.*

En réponse à votre lettre du 21 Novembre, j'ai l'honneur de vous faire savoir que nous n'avons pas en traitement le soldat Papillon et que je ne possède aucun renseignement à son

* Plus d'une centaine d'hommes sont hors de combat. Le 6 novembre, 41 sont morts. Le journal de marche du régiment rapporte ainsi l'incident : « Dans la nuit du 26 au 27, les éléments aux tranchées sont avertis que l'ennemi va faire usage des gaz asphyxiants. Toutes les mesures de protection sont ordonnées ; mise des masques et tampons, allumage de feux, etc. Le renseignement ne se confirmant pas, les hommes qui ne sont pas de service, sont alors autorisés à se coucher ; ce n'est que dans la matinée qu'une nappe de gaz arrive sur les tranchées et les abris ; de nombreux officiers et hommes de troupe sont intoxiqués ; de nombreux cas d'asphyxie complète se produisent ; on a à déplorer des morts et des évacuations en grande quantité. »

sujet. Vous pourriez peut-être vous renseigner auprès des officiers de son escadron qui pourraient vous indiquer sans doute sur quelle formation il a été évacué.

Mourmelon-le-Petit, 28 novembre 1915
Le Médecin Chef [signature illisible]

---

*Le Chef de l'Escadron*
*commandant le dépôt du 13e régiment de dragons*
*à Montauban*
*à Monsieur le Maire de Vézelay (Yonne)* *

[19 novembre 1915 – manuscrit]

Monsieur le Maire,

J'ai l'honneur de vous informer que je viens d'être avisé officiellement par le Ministère de la Guerre que le cavalier Papillon Louis Joseph – Mle 2739 du 2e Escadron du 13e Dragons, est décédé le 6 novembre 1915, des suites de blessures reçues sur le champ de bataille à l'ambulance 2/60 à Mourmelon-le-Petit (Marne).

Le cavalier Papillon était le fils de Louis-Joseph, dit Léon, et de Gauthier Emilie-Marie, domiciliés à Vézelay.

Je vous prie de vouloir bien, avec tous les ménagements nécessaires, aviser la famille du cavalier Papillon du décès

* Cette notification officielle de la mort de Joseph est apparemment arrivée le 22 novembre à Vézelay. C'est cette date-là qui nous a paru la meilleure pour la compréhension du déroulement des faits. Bien qu'officielle, la date de la mort de Joseph ne coïncide pas avec celle du médecin principal (voir 1er décembre), qui parle, avec plus de vraisemblance, du 28 octobre.

de celui-ci, domicilié en votre commune, mort pour la France.

Je vous prie également de présenter à la famille les condoléances de Monsieur le Ministre de la guerre et celles du Régiment.

Vous voudrez bien, lorsque votre mission aura été accomplie, me retourner le récépissé ci-joint, après l'avoir complété, signé et revêtu du cachet de la Mairie.

A Montauban, le 19 novembre 1915

p. le Chef d'Escadrons
commandant le Dépôt du 13e Dragons
Le Chef du bureau spécial de comptabilité

*Marcel à ses parents*

Le 23 novembre 1915

Deux mots pour vous donner de mes nouvelles qui sont bonnes pour l'instant. Nous venons de passer une drôle de journée, les Boches nous ont drôlement arrosé de torpilles et d'obus, quel bombardement ! Savelly a eu de la veine : la baraque où il était a été complètement retournée par une torpille. Quel fracas ! Il a eu de la chance de ne pas être dedans. J'espère que la journée de demain sera plus calme.

Je vous envoie une carte-photo. Savelly est brouillé, il a dû bouger au moment de la pose. D'ici quelques jours, j'aurai les cartes de la tombe à Raymond.

J'envoie aussi une bague pour maman, c'est moi-même qui l'ai faite, comme il y a longtemps que je l'a fait attendre. Je lui ai fait quelque chose de bien avec croix de lorraine en cuivre, j'espère qu'elle en sera contente.

En attendant de vos nouvelles, je vous embrasse tous.

J'ai reçu aussi une lettre de M. Combes ce matin. Il est toujours en parfaite santé.

Je n'ai toujours pas de nouvelle de Joseph.

Pour faire briller la bague, la frotter sur du drap. Ne pas la mécaniser car c'est fragile [...]

---

*Le Médecin principal de 2e classe Joly*
*médecin chef de l'annexe militaire*
*de l'hôpital civil de Châlons-sur-Marne*
*à M. Papillon Léon, cantonnier chef Vézelay (Yonne)*

Le 23 novembre 1915

J'ai l'honneur de vous faire connaître que le soldat Papillon Joseph est inconnu à l'hôpital militaire.

Je transmets votre lettre aux diverses formations sanitaires de la Place en vue des recherches à faire et vous aviserai du suivi.

Joly

---

*Marthe à ses parents*

Le 24 novembre 1915

Mes chèrs Parents,

Quel coup quand j'ai reçu votre lettre hier matin ! J'avais espoir. Je ne peux croire qu'il est mort, ce pauvre Joseph. Je me le représente toujours comme je l'ai vu au mois d'août.

Je voudrais savoir comment il est mort, s'il avait sa connaissance et s'il nous a demandé. Il parait qu'étant dans la zone des armées, on ne prévient pas la famille.

Ecrivez donc au médecin-en-chef de l'ambulance où il était. Il vous le dira et demandez aussi où il est enterré. Hier, j'ai téléphoné à Hortense pour lui apprendre la triste nouvelle. Elle est venue le soir, nous avons pleuré ensemble. Elle aussi aimait bien Joseph. Elle m'a prié de vous dire bien des choses. Je n'ai pas encore revu la caissière. Je ne sais pas si le commandant lui a répondu.

Hier, j'ai envoyé un plastron et une paire de gants de fourrure à Marcel que Mme m'a donné : peut-être que quand Lucien repartira, ce qui n'est pas pressant, elle m'en donnera un aussi. Où est-il, Lucien de ce moment ? Je ne lui écrit pas. Je croyais qu'il devait partir pour Vézelay le 19. Il aurat de belles vacances. Dites-moi combien ma lettre met de jour à vous parvenir. Je vais la porter à la boîte a l'instant et il est 9h.1/2. Il fait toujours un temps triste, brumeux.

En attendant de vos nouvelles, je vous embrasse tous bien affectueusement.

Votre fille Marthe

*M. Dethire à la famille Papillon*

Le 24 novembre 1915

En réponse à votre lettre, j'ai cherché des renseignements. Mais mon fils est lui aussi aux tranchées et tout ce que j'ai pu savoir, c'est que Mr votre fils a été évacué. J'espère que vous avez maintenant de ses nouvelles. Il y a bien un brigadier de l'Escadron qui lui aussi a été victime des gaz et est soigné à côté de la maison que j'ai eu chez moi et auquel je suis allé demander des nouvelles de votre fils et qui m'a répondu qu'il avait été évacué comme lui. Le brigadier, bien qu'ayant écrit à sa famille, est aussi sans nouvelles de celle-ci. Voyant que je n'avais pas la satisfaction à ces 2 côtés, je me suis adressé à bonne place et sitot ce renseignement reçu, il vous sera transmis [...]

*Marcel à ses parents*

Le 25 novembre 1915

Je vous envoie les photos que j'ai réussi à faire faire.

La vue d'ensemble est légèrement brouillée à gauche – c'est une goutte de neige qui s'était collée à la lentille – mais enfin, on voit tout de même. En regardant bien, vous nous apercevrez Savelly et moi, tout petits, nous sommes chacun d'un côté de la tombe*.

La vue de la tombe seule est bien réussie. Pour ne pas être ennuyé avec la poste, j'en ai mis la moitié à l'adresse à Charles.

* Il s'agit de la tombe de Raymond Simon.

Tu remettras la douzaine de cartes à Mad. Simon. J'en ferai refaire 2 pour moi. Je vous les enverrais ces jours-ci.

Lucien doit être en permission de ce moment.

J'attends de vos nouvelles, car il y a bientôt 8 jours que je n'en ai pas eu […]

---

*L'ambulancier qui a évacué Joseph à M. Papillon*

25 novembre 1915

Monsieur,

En réponse à votre lettre du 21 nov., j'ai l'honneur de vous faire connaître que le cavalier Papillon Joseph, du 13ème Dragons 2ème Escadron 8ème peloton, no. matricule 996 du recrutement Auxerre, classe 1911, passé à mon ambulance, a été évacué le jour même sur ambulance 2/60 à Mourmelon-le-Petit […]

[signature illisible]

---

*Marcel à ses parents*

Le 27 novembre 1915

J'ai reçu votre lettre du 22 en même temps qu'une lettre de Marthe. Quel malheur. Je ne m'attendais pas à une pareille nouvelle. Je suis consterné. Je n'ose pas y penser.

Pauvre Joseph, je le croyais le moins exposé et c'est lui le premier parti. Son silence ne m'inquiétait pas outre mesure, car j'avais reçu une carte de lui datée du 22 [octobre] dans laquelle il me disait : « Je monte aux tranchées pour quelques jours seulement, car je dois aller au dépôt pour travailler. Je passerai l'hiver tranquille ».

Et voilà, maintenant il n'a plus besoin de rien !

Ignoble race de boches. Je ne sais ce que l'avenir me réserve. Mais si l'occasion s'en présente, il n'y a pas de pardon, je le vengerai.

Je veux savoir où il est enterré et dans quelles circonstances il a péri. Quelle guerre, c'est odieux.

Ayez du courage pour surmonter ce chagrin, il le faut. Car malheureusement, ce n'est pas fini, nous sommes faits pour subir de terribles épreuves. Si j'en reviens, vous pourrez compter sur moi. Je vous le répète, il faut avoir du courage.

J'ai eu des nouvelles de Lucien tout dernièrement. Il doit être chez nous maintenant.

Je suis toujours en bonne santé, il fait un froid intense, il gèle fort et il y a pas mal de neige. Mais soyez sans inquiétude à mon sujet. Il est 9 heures du soir et je vous écris cette lettre dans une baraque à côté d'un bon poële. Les camarades qui sont à côté dans la tranchée en plein vent sont plus à plaindre que moi.

J'attends une lettre bientôt. Chers parents, je vous quitte et je vous embrasse de tout coeur, ainsi que Charles et Léon.

Votre fils dévoué

Papillon Marcel

*Marcel à ses parents*

Le 29 novembre 1915

J'ai bien reçu votre lettre du 24. Nous descendons demain au repos pour 4 jours. Je vous écrirai plus longuement. Ce pauvre Joseph a dû souffrir, c'est cruel, et ce malheureux M. de Bay, c'est bien de l'extermination des hommes ! Hier il a presque gelé à 12° en dessous de zéro. Nous avons fait du café avec de la neige. Aujourd'hui, le temps s'est radouci, il dégèle.

Quelle vie ! [...]

*Marcel à ses parents*

Le 30 novembre 1915

Nous sommes descendus au repos ce matin. Le temps s'est beaucoup radouci.

Marthe m'a adressé par la poste un cadeau fait par sa dame : une sorte de gilet en peau de lièvre (très bien fait). Ça se met le poil en dessous, et une paire de moufles en peau de lapin. En les arrangeant, on peut se faire des gants ou des poches en les cousant après les vêtements. Je n'ai nullement besoin de cela et ce serait dommage de gâcher cette fourrure qui vaut un certain prix. Elle sera utile à papa pour réchauffer ses vieilles douleurs. Surtout, ne dites pas à Marthe que je vous l'ai envoyé, elle ne serait pas contente. Je vous l'enverrai d'ici quelques jours.

J'écrirai à Grossin ces jours-ci. D'autre part, j'ai plusieurs copains qui ont soit des frères ou même des parents dans la région de Mourmelon, il y a un ancien de mon escouade blessé pendant les bombardements du 23, qui est de Mourmelon-le-Grand.

De toutes façons, je ferai tout mon possible pour que quelqu'un aille reconnaître la tombe de ce malheureux Joseph. C'est terrible, je ne peux pas y croire.

On ne peut prévoir comment ça se passera après la guerre et de quelle façon le gouvernement rendra hommage aux morts et à leur famille. A mon avis, s'il lui reste encore quelque argent, je considère qu'il faudrait l'employer pour ramener ses restes. J'espère que le gouvernement dans la circonstance se montrera à hauteur de sa tâche *.

Le 23 [novembre] dernier, je vous assure que les Boches nous avaient envoyé quelque chose comme obus de 210 et autres, torpilles et mines. Je ne souhaite pas de revoir cela **.

Les dames de P…, en reconnaissance de ce que le régiment garde bien leur pays, nous ont envoyé un lot de vêtements d'hiver, et spécialement au 5e Bataillon, du tabac et des pipes, pour le courage et le sang-froid qu'il a montré pendant le bombardement du 23 novembre. Les habitants ont toute

---

* Bien des familles voudraient pouvoir honorer le corps du disparu dans la zone des armées ou le rapatrier. Mais, sauf exception, elles n'en ont d'abord pas le droit. En réalité, après l'armistice surtout, certains partent à la recherche du mort, sans autorisation, parfois grâce à des complicités bien placées. Au mépris des lois et avec l'aide d'intermédiaires, des familles pratiquent l'exhumation clandestine (encore faut-il en avoir les moyens). L'histoire des corps morts ne s'achève pas, en effet, une fois le défunt localisé et identifié. Pour toutes les nations belligérantes se pose la question de leur devenir. Faut-il les garder *in situ* ou permettre, voire encourager le rapatriement ? En 1920, la France a finalement autorisé le transfert des corps à l'arrière aux frais de l'Etat. Les exhumations s'accomplissent en présence de délégués du service de restitution des corps. Il faut une organisation importante pour passer de la loi à son exécution notamment avec l'affrètement de trains spéciaux. (Capdevila, Voldman, 2002, p. 78 s. ; Jauffret, 1997 ; Pourcher, 1995, p. 445 s.)

** Le JMO abonde en détails sur ce bombardement, manifestement de grande ampleur.

confiance en nous et sont plus rassurés depuis que nous sommes revenus.

En attendant de vos nouvelles, je vous embrasse tous bien des fois et vous dis courage […]

---

*Lettre du médecin principal de 2e classe Artigues,*
*Médecin Chef de l'ambulance n° 2*
*de la 60e division de réserve,*
*Ambulance n° 2, à M. Papillon Léon*

A.S.P 105, le 1er décembre 1915

Monsieur,

En réponse à votre lettre du 27 novembre, j'ai l'honneur de vous rendre compte que votre fils Papillon Louis, du 2e Escadron du 13e Dragons est entré à l'ambulance le 27 [octobre] dans la soirée pour intoxication par les gaz asphyxiants, et malgré tous les soins dévoués qui lui furent prodigués, il succomba quelques heures après dans la journée du 28 [octobre]. L'état d'asphyxie dans lequel il se trouvait ne lui permettait pas de parler. Il a été inhumé dans le cimetière de Mourmelon-le-Petit et une croix, sur laquelle sont inscrits son nom, le no. de son régiment et de son escadron, la date de son décès a été placée sur sa tombe.

Recevez Monsieur, avec toutes mes condoléances, l'assurance de ma considération la plus distinguée.

Pour le médecin-chef
Le médecin aide-major de 1ère classe.

[signature illisible]

*M. Dethire à M. Papillon*

Le 2 décembre 1915

Je reçois à l'instant réponse à la lettre envoyée pour demander des renseignements sur Mr votre fils qui a été évacué le 27 octobre à l'hôpital de Mourmelon-le-Petit. Aucune nouvelle officielle n'est parvenue au corps jusqu'à ce jour (29 novembre). Vous seriez peut-être fixé en écrivant au Directeur de l'Ambulance de Mourmelon-le-Petit. Voici les quelques renseignements que j'ai pu obtenir à titre confidentiel, mais j'espère que vous en avez reçu d'autres et que votre fils a du vous écrire depuis [...]

*Carte de Marcel à ses parents*

Le 3 décembre 1915

J'ai reçu votre lettre du 27, la carte et les feuilles de papier étaient mises pour protéger la bague.

Nous remontons demain matin, il fait un temps de pluie affreux.

Dans ma dernière lettre, j'ai oublié de vous dire de faire réclamer par le maire le livret et les papiers de ce malheureux Joseph.

Je vous ai envoyé un colis hier contenant le cadeau de la dame à Marthe.

Savelly et Moreau vous envoient le bonjour.

Lucien est maintenant à Sens [...]

---

*Lettre n° 4166 de l'hôpital civil de Châlons-sur-Marne*

Châlons, le 5 décembre 1915

Le Médecin Principal de 2e classe Joly, Médecin-Chef de l'Annexe militaire de l'Hôpital civil de Châlons-sur-Marne à Monsieur Papillon Léon, cantonnier chef à Vézelay (Yonne).

Comme suite à ma lettre du 23 Novembre, j'ai l'honneur de vous faire connaître que les recherches entreprises dans les diverses formations sanitaires de la Place au sujet de Papillon Joseph, du 13e Dragons, n'ont donné aucun résultat.

---

*Marthe à ses parents*

Le 7 décembre 1915

Je viens de recevoir votre lettre sur laquelle je vois que vous êtes inquiets pour moi. Je suis en bonne santé. J'avais l'intention de vous écrire aujourd'hui malgré tout.

Dimanche, j'étais de sortie. J'ai passé la soirée avec Hortense. J'aurai bien voulut aller à Sens, mais je n'avais pas l'adresse de Lucien. J'ai reçu sa lettre que lundi matin. Je lui ai répondu aussitôt et lui demande s'il ne pourrait pas venir en permission de 24 heures le dimanche avant Noël. Sinon je ne serait pas libre qu'après le jour de l'An.

Je ne me rappelle pas vous avoir dit que j'ai reçu une lettre de Marcel m'annonçant réception du plastron et lui aussi a beaucoup de peine. Je suis de son avis qu'après la guerre, on ramène Joseph. Ne pas le laisser seul là-bas. C'est une consolation de savoir qu'il ne c'est pas vu partir. Maman, je voulais te dire que tu te fasses faire un chapeau de crêpe dans le genre de celui que tu as. Je te payerais ce que ça coûteras [...]

*Marcel à ses parents*

Le 7 décembre 1915

J'ai bien reçu votre lettre du 2, le mandat-carte de 5 f. et le colis annoncé. Le rôti était excellent. Merci. Il fait toujours un temps affreux. Savelly est descendu à l'infirmerie pour clous dans les jambes. Je ne sais pas s'il l'a écrit chez lui. Il s'est trouvé avec Marceau de Foissy qui y est également. Marceau a été relevé de conducteur. Comme ses camarades, ils ont été remplacés par des territoriaux.

Je suis content de savoir que les amis de Mad[ame] Collio ont vu la tombe de ce pauvre Joseph. S'il y a moyen, je voudrais bien que l'on y fasse mettre une couronne, tu en parleras à Marthe [...]

*Lucien à ses parents*

Le 10 décembre 1915

J'ai reçu votre lettre aujourd'hui qui étais datée du 6 Décembre. J'ai touché le mandat l'autre jours. J'ai touché du linge aussi : une chemisse, un calson, une flanelle, une pairre de chaussette, un tricot, un bonet de cotton pour Léon. J'en ai fait un paquet que j'ai porté chez Guillemot. Je vais tous [tout] vous envoillé, sof le calson, ou ci je peu allé en permission, je l'anporterais. J'ai reçu une lettre de Marthe, elle me dis qu'elle ne peu pas venir me voir.

Moi ca va toujours bien, mais sellement, je suis dans une compagnie qu'on y crève la fain. La pluie tombe tous les jours, ceux qui sons dans les tranchées doive aitre frais : je pense à Marcel […]

Didonc à Lonlon qu'i[l] m'anvoille une lettre, il doit avoir le tan d'écrire.

*Le chef du Bureau spécial de comptabilité du 13e Rgt de dragons à M. Papillon à Vézelay*

[arrivée le 13 décembre]

Enveloppe cachetée – valeur déclarée : 150 fr.

*Lieutenant-commandant du 2e escadron 13e dragons à M. Léon Papillon*

15 décembre [1915]

Monsieur,

Je pense que le Capitaine qui a écrit à votre fille vous a donné tous les renseignements possibles sur la mort de votre malheureux fils. Je n'y reviendrai pas.

Ne croyez pas que votre fils a été envoyé là-bas en punition. D'abord, le fait d'aller aux tranchées ne peut être considéré comme une punition mais comme un *honneur* car c'est un honneur de contribuer à la défense de son pays. Ensuite, votre fils était un excellent sujet dont on était très content : s'il a été envoyé parmi les malheureux qui sont morts ce jour-là pour la France, c'était son tour.

Nous fournissons dans le moment un service de tranchées très dur et nous avons besoin de tout le monde, ouvriers comme les autres.

Je compatis beaucoup à votre peine, c'est très douloureux de perdre un fils, mais pensez à la France et votre chagrin s'atténuera de fierté.

[signature illisible]

---

*Marcel à ses parents*

Le 17 décembre 1915

Je fais réponse à votre lettre du 12.

Pour la question de la couronne, voici ce qui me paraît le plus simple : puisque Mme Collio a des cousins à Mourmelont, Marthe pourrait acheter une couronne à sa convenance (de 10 à 15 [f.], c'est à son idée) avec une inscription très simple « A mon frère » ; elle la ferait envoyer par colis postal aux parents de Mme Collio qui la disposerait sur la tombe de ce pauvre Joseph. Joseph n'était pas relevé des dragons, mais puisqu'il ne faisait pas partie de l'escadron à pied (compagnie hors rang) il marchait comme les camarades. Tout ça dépend du capitaine. Maintenant, il avait peut-être été puni. Que voulez-vous : c'était bien fini, il n'y a rien à dire, rien à faire. C'est une fatalité.

Je vous envoie trois petites photos : l'une représente un 210 Boche non éclaté, comme obus c'est un beau morceau, et je vous assure qu'ils ne sont pas en papier mâché, ça fait de fameux trous. Celui-là était tombé pas loin de nous.

La deuxième représente l'abri de mon escouade après le bombardement du 23 novembre. C'est du beau travail. La troisième représente le pont de P. à M. [Pont-à-Mousson].

Je suis toujours en bonne santé. J'ai passé la journée avec Savelly qui est toujours à l'infirmerie. Ça va mieux. Nous avons bu une paire de bidons […]

*Marthe à ses parents*

Paris, le 20 décembre 1915

Je commence a m'inquiéter. Il y a déjà longtemps que je suis sans nouvelles de vous.

J'espère que vous allez tous bien et que vous avez des nouvelles de Marcel. Moi je n'en ai pas. Il parait qu'il est dans l'eau jusqu'aux genoux. Je crois qu'il en aura eu sa part.

Hier dimanche, j'ai profité, étant de sortie, pour aller passer la journée avec Lucien. Je suis partie par le train de 7 h. 40 du matin et rentrée par celui de 4h.16. Lucien m'attendais à la gare, je lui avait envoyé une dépêche. Il a bonne mine, il m'a dit qu'il était mal nourri : on leur donne que du riz ou du macaroni. Ça ne lui va pas. Nous avons déjeûner ensemble, il était libre toute la journée. Puis nous avons été chez Guillemot. Ils ont l'air très gentils pour Lucien et puis ça lui fait passer le temps. Je trouve qu'il fume beaucoup trop : un paquet de tabac par jour, c'est mauvais pour la santé et pour sa bourse aussi.

Nous étions contents de nous revoir. Il m'a parlé des nouvelles de Vézelay. Je ne savais pas que Vincent était mort. J'ai envoyé une carte à Lonlon.

Il fait un froid de chien, c'est préférable à la pluie. J'ai un rhume qui se porte bien. La guerre ne me fait pas engraisser. Je pèse maintenant 48 kilos. Je ne suis pas près de rivaliser avec Lucien [...]

*Marcel à ses parents*

Le 21 décembre 1915

Nous sommes remontés aux tranchées depuis hier. Il fait un temps affreux, la neige tombe en abondance, il y en a déjà une bonne couche.

Cet hiver est beaucoup plus mouvementé que l'hiver dernier. Il y a une grande activité d'artillerie, c'est un bombardement continuel d'obus de tous calibres, mines, torpilles, crapouillots et grenades, sans action d'infanterie. C'est une guerre de matériel, qui est très pénible pour le séjour dans les tranchées. L'effet produit par les mines et torpilles est effrayant, on ne peut pas s'en faire une idée.

Ces temps derniers, il y a eu encore quelques blessés. *Actuellement*, sur les 17 dont était composée l'escouade à notre départ de Troyes le 4 août 1914, il en reste encore 1 seul et unique : c'est *moi* avec le cabot *.

Je crois tout de même que l'on peut avoir un peu de considération pour ceux qui ont la chance d'être encore là dans de semblables conditions après 17 mois de guerre.

---

* Le cabot : le caporal.

Que voulez-vous, il y a longtemps que je le dis, ce sera toujours le même jusqu'au dernier. Savelly est toujours à l'Infirmerie, ça va beaucoup mieux, il remontera sans doute ces jours-ci. J'ai reçu une carte de Mombur. Il était en permission ces jours-ci.

Ne vous faites pas de mauvais sang, je suis toujours en bonne santé […]

*Lucien à ses parents*

Le 22 décembre 1915

Voilà déjà 15 jours que je n'ai pas eu de vos nouvelles. Le tan commence à me duré. Marthe est venue me voir dimanche. Nous avons passé une bonne soirée ensemble. Elle est arrivée par le train de 9 h. Elle est repartie par le train de 4 heures 30. Moi ça va toujours bien pour le moment, je pense aller en permission de quatres jours la semaine prochainne […]

*Marthe à ses parents*

Le 25 décembre 1915

Aujourd'hui Noël, nous sommes a Fontainebleau. Je vous assure qu'il n'y a rien d'agréable de voyager par un temps comme il fait. La pluie ne cesse de tomber. Je pense à ce pauvre Marcel. Jeudi, j'ai reçu sa photo. Il a l'air de bien se porter. Lucien est sans doute chez nous. Pour la couronne de Joseph, vous pouvez être surs que je le ferai. Je pourrai l'envoyer que dans les premiers jours de janvier, car je suis déjà sortie il n'y a pas longtemps pour m'acheter des vêtements de deuil. J'en ai parlé à Hortense. Elle dit qu'il faut mieux que c'est moi qui la choisisse. Je la prendrait blanche et un ruban tricolore au milieu. Mlle Gahult m'a dit que le régiment avait été beaucoup éprouvé. Pour Noël, j'ai eu un petit sac de boutons et un petit tapis. A la maison, on a fait un arbre de Noël avec un sapin. J'ai aussi été à la Messe de Minuit avec les patrons, puis nous avons fait réveillon. Nous nous sommes couchés à 3h. ce matin. Dis-moi, Maman, ce que tu veux pour tes étrennes.

Espérons qu'avec cette année finiront toutes ces misères et que 1916 apportera la paix.

Recevez, chèrs Parents, a l'occasion du jour de l'An, mes meilleurs voeux de bonne année.

Votre fille qui vous embrasse affectueusement.

---

*Marcel à ses parents*

Le 25 décembre 1915

C'est aujourd'hui Noël. Triste journée, car la pluie n'a pas cessé de tomber.

Nous avons eu comme extra 1 demi quart de vin supplémentaire et un cigare.

Les belles péroraisons et les fameux articles de journaux, c'est beau à lire au coin du feu, mais ça ne remplit pas le ventre de ceux qui se morfondent depuis 17 mois dans la tranchée.

Triste année qui va se terminer. Quel sera l'avenir ?

Les souhaits de bonne année n'existent plus, ce qu'il nous faut, c'est la fin de ce massacre […]

———◄○►———

*Lucien à ses parents*

Le 25 décembre 1915

J'ai reçu votre lettre qui m'a bien fais plaisir. J'en ai reçu une de Marcel, il est toujours en bonne santé.

Moi ça va toujours bien pour le moman. Ce soir je vais allé mangé chez Guillemot. Il vous envoie le bonjour à tous.

Je vais peutaitre allé en permission ces jours-cis […]

———◄○►———

*E. Marceau à M. Papillon*

Asnières, le 31 décembre 1915

[…]

Mon cher Camarade,

J'ai appris dernièrement le malheur qui t'a frappé dans la mort de ton garçon Joseph. Ça nous fait beaucoup de peine, car lorsque nous étions à Vézelay, il était si souvent chez nous qu'on le regardait comme s'il eût été enfant de la maison. Crois-moi, mon cher camarade, que nous prenons bien part à vos peines, car c'est bien cruel. Et aussi bien l'un que l'autre, nous nous attendons tous les jours à de pareils malheurs. Et malgré tout, il faut avoir du courage et remonter le moral de ceux qui restent.

Mon cher Camarade,

Je termine en vous souhaitant à tous ainsi que toute la famille qui se joint à moi. Que l'année qui vient vous soit plus heureuse que celle-ci et que vos autres soldats vous reviennent sains et saufs – et bientôt.

Ton camarade qui te serre cordialement la main.

E. Marceau

Excuse mon griffonage. Je sais plus écrire. L'habitude en est perdue.

---

*Lucien à ses parents*

Le 31 décembre 1915

Cher parants,

Je suis arrivé à bon ports. J'ai donné le litre à Guillemot.

J'ai laissé mon paquet dans la voitture à Tourré. Tu n'a qu'à lui demandé.

Je termine ma lettre en vous embrassants tous

Lucien

# LETTRES DE 1916

*Marcel à ses parents*

Le 3 janvier 1916

J'ai bien reçu votre lettre du 27 et suis content de savoir que Lucien a été en permission.

Pour la couronne à ce pauvre Joseph, je sais bien que Marthe fera tout son possible pour que ce soit fait.

Comme je vous l'ai écrit sur une carte, j'ai passé le 1er janvier avec M. Combes. Il m'a offert un bon déjeuner. C'est un vrai et franc camarade, il m'a chargé de vous transmettre son meilleur souvenir. Il pense aller en permission d'ici 1 mois.

Ce matin, j'ai vu Louvin du Vaudonjon, qui partait en permission. Je lui ai donné un petit paquet qu'il remettra à Brisdoux, c'est quelques effets qui ne me servent pas.

J'ai bien reçu votre mandat-carte de 5 f.

Je suis toujours en bonne santé ainsi que les amis qui vous envoient le bonjour. Nous remontons aux tranchées après demain […]

Depuis 17 mois que j'ai mon pantalon rouge, je l'ai enfin remplacé ce matin par un autre en velours – tout neuf bien entendu.

*Marthe à ses parents*

Le 5 janvier [1916]

Que devenez-vous ? Il y a longtemps que je n'ai pas eu de vos nouvelles. J'espère qu'elles sont toujours bonnes. Lucien est [de] retour de permission, il m'as écris.

Maintenant, au sujet de la couronne de ce pauvre Joseph, c'est fait. Comme j'étais libre pour le jour de l'an, j'en ai profité pour l'acheter. Elle est belle, blanche naturellement, grande, un grand ruban tricolore au milieu avec l'inscription : A notre frère. Je suis contente qu'on ai pu s'arranger ainsi, il paraîtra moins abandonné. J'ai écris à cette Madame Guérin et l'ai priée de bien vouloir m'envoyer un mot pour m'accuser réception du colis. La couronne, emballage et envoi compris, me revient à 20.60.

Maman, pour tes étrennes, je t'envoie 25 [f]. Tu en feras ce que tu voudras, c'est pour toi [...]

Comme étrenne, j'ai [reçu] comme l'année dernière un mois double. C'est beau, surtout en temps de guerre [...]

---

*Marcel à ses parents*

Le 7 janvier 1916

Voilà une dizaine de jours que je n'ai pas reçu une lettre de Vézelay. Vous avez du recevoir les miennes.

Je suis resté à Lunéville 2 jours après le départ du régiment pour garder et embarquer du matériel. Nous étions deux, un territorial bon vivant de mon escouade et moi. Nous ne nous sommes pas embêtés, je vous assure, le 1er et le deux janvier. Mais il a fallu vivre sur le porte monnaie. Je suis monté avec un sou en poche, il y a longtemps que je me suis trouvé si plat.

J'ai bien fini l'année et encore mieux commencé la nouvelle, j'ai touché une capote neuve. A l'arrivée, je lui ai fait faire une belle sortie.

Moreau part en permission le 10, il sera sans doute arrivé à Montillot, lorsque vous recevrez ma lettre. Moi je ne partirai que le 20.

La neige est tombée aujourd'hui, nous sommes au milieu d'immenses bois. Ce matin, on a vu une mère sanglier avec ses petits et 5 cerfs. Hier, la compagnie voisine a tué un sanglier. C'est la grosse bête qui habite par ici.

Demain nous montons en ligne, le secteur est moche, paraît-il ! Pourvu que ces sales Boches me laissent aller en permission, c'est tout ce que je demande pour l'instant [...]

*Etienne Gravelin à M. Papillon*

Le 8 janvier 1916

Mon cher ami,

Me voici revenu aux tranchées depuis le 1er janvier. Bon secteur sous tous les rapports, tranchées propres et bien entretenues, les Boches sont sages.

Seulement, il y a des rats et des poux, aussi des perdrix mais je préfère ces dernières aux 1ers.

Mon oncle vous remercie bien du lapin que vous lui avez offert et vous présente ses bonnes amitiés.

Je suis depuis hier observateur pour prévenir de l'envoi de gaz asphyxiants, je suis haut perché et je vois toutes les tranchées Boches. On craignait une attaque aux gaz car la semaine dernière, ils ont essayé d'en envoyer, mais à présent le vent leur est contraire.

Mon frère Joachim est près de moi, je le vois tous les jours [...]

Etienne Gravelin
Sergent 7e Cie 43e inf. S.P. 143

---

*Marcel à ses parents*

Le 10 janvier 1916

J'ai bien reçu votre lettre du 4 ainsi que le colis annoncé, tout était en bon état. Vous remercierez bien Mme Simon pour moi. Le jambonneau était excellent. Pour les 5 f. de Mad. Roubier, tu lui diras de ma part que je la remercie beaucoup.

Pour le 1er janvier, je n'ai écrit à personne. Je n'en ai pas eu le courage.

Je suis toujours en bonne santé, il fait toujours mauvais temps, froid et humide.

Rien de nouveau à vous apprendre, c'est toujours la guerre [...]

---

*Lucien à ses parents*

Le 13 janvier 1916

Je suis antré à l'hopital du [le] 12 et je pense qu'i[ls] vons bientôt m'opairé. Ci je pouvais seulement y resté une couple de mois, mais aussi c'est l'affaire de 15 jours, trois semaines. Je vais allé cherger mon colli ce soir.

Je vien de recevoir une carte de Marcel [...]

Voilà mon adresse 168e rég. d'inf.
hôpital auxiliaire n° 32 1ère division - Sens - Yonne

---

*Carte de Marcel à ses parents*

Le 13 janvier 1916

Je suis toujours en bonne santé, il fait mauvais temps, il tombe des giboulées de neige. Nous descendons au repos dans 4 jours.

Ce matin, j'ai reçu votre lettre du 9 avec une lettre de Lucien. J'ai aussi reçu une lettre de Molleau, qui pense venir en permission à la fin du mois. Demain, je vous adresserai la copie d'un document officiel relatant l'attaque du 27 octobre par les Boches avec les gaz *.

C'est la maudite journée où ce cher Joseph a trouvé la mort. Ce récit m'a vivement intéressé dans la circonstance. Vous le conserverez [...]

---

* Voir en fin d'ouvrage, le compte-rendu de Marcel.

*Mme Guérin du Café de la Poste à Mourmelon-le-Petit (Marne) à Marthe*

Mourmelon-le-Petit le 19 janvier 1916

Mademoiselle,

Aujourd'hui, je suis allé porter la couronne que vous m'avez envoyé sur la tombe de votre frère. Vous m'excuserez si je n'ai pas répondu plus tôt a votre lettre car je viens seulement de la recevoir. Comme il y a beaucoup de Guérin ici, alors la couronne était depuis plusieurs jours à la gare.

Enfin, chère Mademoiselle, je suis heureuse d'avoir pu vous rendre ce service, car c'est une grande peine. Mais c'est encore une consolation quand on peut savoir où ils sont enterrés.

Veuillez, chère Mademoiselle ainsi que vos parents, agréez mes sincères civilités.

Madame Guérin

*Marthe à ses parents*

Le 20 janvier 1916

Ce matin, j'ai reçu la réponse de Madame Guérin. Je suis contente que ce pauvre Joseph ait la couronne.

La nuit dernière, j'ai revé à lui. Je vous joint la lettre de cette dame.

J'espère que depuis votre dernière lettre, vous êtes toujours en bonne santé. Moi ça vat, à part que je suis dégringolée dans l'escalier dimanche soir et me suis fait mal à la cuisse gauche, ce qui me faisait boiter. Maintenant ça vat mieux. J'ai eut une lettre de Lucien hier, il me dit qu'il a rencontré le comis à Mandron et qu'ils ont but un bon canon ensemble.

Les Patrons partent pour Nice samedi soir ou dimanche pour une quinzaine. J'aurait bien voulu qu'ils m'emmènent. Pendant ce temps, nous pourrons nous reposer un peu car depuis quelque temps, tout les jours nous avons du monde [...]

*Marcel à ses parents*

Le 20 janvier 1916

Je viens de recevoir votre lettre du 16. J'ai reçu également le mandat-carte.

Il fait mauvais temps, la pluie tombe, nous remontons demain matin aux tranchées. La santé est toujours bonne.

Je pense retourner en permission dans 5 à 6 semaines, c'est encore loin; pour les bandes, c'est inutile d'en reparler, je les rapporterai lorsque je serai en permission [...]

*Lucien à ses parents*

Le 24 janvier 1916

J'ai reçu votre lettre ce matin. Je ne suis pas encore hopairé, ça va aitre pour mercredi. Je ne pense pas que ça me fasse bien mal.

Je vais sortir Dimanche, je vais allé voir Doré. Il va avoir quatre mois demain que je suis blessé. Je ne pense pas y retourné avan le 15 Mars. Ça va toujours faire un bon bout de tans de passé avec pas granchosse. L'hiver va aitre passé qu'an [quand] je va y retourné.

J'ai reçu des nouvelles de Marcel, il est toujours en bonne santé […]

---

*Marcel à ses parents*

Le 24 janvier 1916

Je n'ai rien d'intéressant à vous raconter. C'est toujours la même existence. Le temps est beau et doux. Depuis plusieurs jours, on se croirait au printemps.

Les avions circulent avec activité et profitent du temps clair pour faire leurs excursions et lancer leurs bombes. Hier, une de nos escadrilles (16 à 17 avions) sont parties bombarder Metz ou ses environs; comme le temps était clair, on voyait très bien nos avions. Nous les avons vu partir et revenir. Les Boches les ont copieusement arrosés d'obus. Mais pas un seul n'est tombé : c'est drôle à voir !

J'ai reçu ce matin une carte de M. Combes, il part en permission le 26 prochain. Pour le moment, il pose des tuyaux pour faire une conduite d'eau, il m'écrit : je suis passé chef plombier.

J'ai aussi reçu une carte de Grossin, il n'est pas encore allé en permission pour la 2e fois. Il me dit : si nous nous trouvions ensemble, on essayerait de dégommer un vieux capucin […]

*Carte de Marcel à ses parents*

Le 26 janvier 1916

Je suis toujours en bonne santé.

Rien de nouveau pour l'instant.

Aujourd'hui, on a servi aux Boches une distribution de marmites en règle [...]

*Lucien à ses parents*

Le 28 janvier 1916

Je vien de recevoir votre lettre. Je ne suis pas encor opéré. J'attans tous les jours.

J'attendrais bien la fin de la guerre, comme cela le tans ne me dure pas.

Voilà déjà 15 jours que je n'ais pas reçu de nouvelles de Marcel.

Aujourd'hui, je vais sortir en ville, j'ai une permission de 1 heure à cinq heures. Je vais allé voir Guillemot. Dimanche j'ai vu Doré et le Duc [...]

*Marcel à ses parents*

Le 28 janvier 1916

J'ai bien reçu votre lettre du 23 et ce matin est arrivé le colis annoncé. Le tout était en parfait état. Je me suis bien régalé.

Ce soir, j'ai vu Moreau, nous avons mangé un bout de fromage ensemble.

On nous revaccine pour la 3e fois. Ce n'est pas agréable, ça fait souffrir.

On nous a supprimé le képi, maintenant nous avons tous des calots.

On a assaisonné les Boches à la mode pour la fête à Guillaume. Mais les salauds n'ont pas voulu être de reste. Ils nous ont renvoyé une belle distribution de tuyaux de poële hier. Ce n'était pas le moment de faire du sport dans les boyaux.

La santé est toujours bonne, le temps est doux. Ça va. M. Combes et parti en permission le 26. Je n'ai pas reçu de nouvelles de Lucien depuis quelques jours. A-t-il été opéré ?

P.S. Je crois que Charles ne tardera pas à passer la révision, surtout qu'il n'engraisse pas ! Bonjour de Savelly et Moreau

*Marthe à ses parents*

Paris, le 30 janvier 1916

Merci beaucoup de vos fleurs, qui m'ont fait grand plaisir. Elles sont arrivées en très bon état. Je ne croyais pas qu'à Vézelay il y avait déjà des fleurs. Aujourd'hui, je suis de garde ; aussi j'en profite pour écrire a tout le monde. Malgré que les patrons sont absents, nous avons du travail. Ils doivent rentrés samedi ou dimanche prochain. Maman me demande pourquoi je me dispute avec la cuisinière ; elle a un caractère de chien et ne peut s'accorder avec personne. Aussi la patronne la connait et pour avoir la paix, je ne dis rien : c'est le meilleur moyen.

Cette nuit, un Zeppelin est venu nous faire visite. Vous l'avez probablement vu dessus le journal. Comme nous avions fini de bonne heure, nous sommes allés chez Hortense – rue Vézelay – quand à 10 h, ont entend les pompiers qui donnait l'alarme. Vous pensez si on descendait du sixième ! Ça a été vite fait. Nous avons attendu puis ne voyant rien, nous sommes rentrées avenue Kléber a pied, n'ayant plus de métro, une des bombes étant tombée à la station Couronne qui était notre ligne. Il y a plusieurs morts et blessés, des immeubles d'effondrés. C'est épouvantable de voir ça. Nous avons pu nous endormir à 1 h et demi. Ce n'est pas agréable d'habiter la capitale en ce moment. Et comme ils ont réussi cette fois, ils recommenceront sûrement.

Hortense a eut des nouvelles de son garçon. Il est dans une mauvaise passe en ce moment. L'artillerie donne beaucoup. Il dit qu'il ne croyais jamais sortir de l'attaque du 24 janvier, que c'était un véritable enfer.

Et dire qu'on en voit pas la fin, malgré que plusieurs articles ont paru que c'est cette année que la guerre finira par manque d'hommes et d'argent. Il faut attendre et prendre patience […]

*Marthe à ses parents*

Le 5 février 1916

J'ai reçu vos fleurs hier en bon état qui m'ont fait grand plaisir. J'ai même encore les premières. Je vous remercie beaucoup. Je pense que vous êtes toujours en bonne santé. Il y a déjà quelques jours que je n'ai pas de nouvelles de Marcel. J'espère que vous avez la chance d'en avoir. Et Lucien que fait-il ? Il est sans doute opéré.

Aujourd'hui, les singes sont rentrés, ce qui ne fait pas notre bonheur quoique nous avions autant de travail. La chose principale, c'est de ne pas entendre ronchonner. Nous avons été prévenues hier soir seulement et à notre idée, ils devaient rentrer ce soir ou demain. Notre ménage n'était donc pas fini aussi se matin. A 6 h et demi, vous parlez si le balai marchait. Nous avons pu finir avant leur arrivée. Comme souvenir de Nice, ils nous ont rapporté des fleurs.

La demoiselle a oublié ses bijoux dans le taxi qui les a amener de la gare, c'est-à-dire un sac à main. N'ayant pas le numéro de la voiture, ce n'est pas facile de retrouver. Ce n'est pas si malheureux que si c'était arrivé à moi. Demain, je ne sais si je pourrai sortir. Nous avons trois personnes en plus des patrons. Madame a fait apporter trois lits cages. C'est charmant, dans tous les coins il y a un lit comme décor ! Autant une pension… Enfin, c'est la guerre, on s'en apperçoit […]

*Marcel à ses parents*

Le 5 février 1916

J'ai bien reçu votre lettre du 3. Les deux colis et le mandat me sont bien parvenus.

Je pense bien que les lièvres ne doivent pas être rares maintenant. Quand je retournerai en permission, je ne ferai pas comme la dernière fois : je ne me gênerai pas. On ne peut toujours pas m'envoyer pire qu'où je suis. J'espère bien en manger [...]

---

*Lucien à ses parents*

Le 6 février 1916 - hôpital français de New York,
Passy (Yonne)

Je ne suis plus à Sens, je suis à l'Hôpital américain à Passy. Je suis mieux encor qu'à Sens. On est mieux nourri et on n'a du pinar tans qu'on en veu. Je ne sais pas qu'an je va être hopairré. En attendant, c'est toujours du bon temps de passé. Je suis là depuis jeudi. Ce n'est pas loing de Sens – 10 kilomètre [...]

---

*Lucien à ses parents*

Le 10 février 1916

Je vien de recevoir votre lettre qui étais datée du 6 et une carthe de Marcel. Je ne suis pas encore opairé. Je ne va pas haitre encor cette semaine. Cet encore autan de pris en passans. Esque la batue a été bonne ? [...]

*Marthe à ses parents*

Le 10 février 1916

Je profite d'un instant pour vous donner de mes nouvelles qui sont toujours bonnes, je pense que vous êtes de même. Je me suis fait photographier dernièrement. Hortense, toujours complaisante, est allée me chercher les photos hier. Je n'ai pas de chance, je ne fais pas très bien en photo, quoique cette fois je suis passable. Vous me direz comment vous me trouver. J'en envoie une à Marcel et Lucien, accompagnée d'un billet de cinq francs. Je n'ai pas prévenu Marcel, il me dit toujours qu'il n'a besoin de rien. Je serai bien contente qu'il passe par Paris. Voilà bientôt deux ans que nous ne nous sommes pas vus. Lucien est au chaud, tant mieux. C'est préférable que d'être dehors. Cette nuit, il a gelé fort, les toits étaient tout blancs. Il paraît que la guerre finira cette année. Si seulement c'est vrai, on commence à en avoir assez de tous côtés [...]

*Marcel à ses parents*

Le 11 février 1916

J'ai vu Moreau ce matin dans la tranchée, où nous avons bu un canon ensemble. Il pense partir en permission vers le 17 de ce mois. Il ira vous voir. Savelly se la coule douce en ce moment.

Il fait un temps affreux. La neige tombe depuis trois

jours, je n'en avais pas encore vu autant et, dame, il ne fait pas chaud. Quel temps fait-il chez nous ?

J'ai reçu une carte de Vincent. Il pense quitter Avallon pour être versé dans une équipe de brancardiers, toujours comme auxiliaire. Il me dit que Guerreau, des Chaumots, restera à Avallon et que Crottou est parti dans une poudrerie à Angoulème. C'est l'application de la loi Dalbie[z]. On les remue un peu. Pour la forme, on les fait changer de poste... Le public est content : la loi est appliquée !

Tant mieux pour eux. Et tant pis pour nous qui couchons depuis 19 mois dans la boue et les poux [...]

Et cette chasse au sanglier ?

*Lucien à ses parents*

Le 12 février 1916

Je suis été operré jeudi, je n'ai pas souffer. Ça c'est trais bien passé. Je suis été andormis. J'ai reçu des nouvelles de Marthe et de Marcel, ils se porte toujours bien. Ça va bientôt être gairri. Maintenan j'en ais pour jusqu'à la fin du mois. Aprais, je va retourné au dépôt [...]

*Carte de Marcel à ses parents*

Le 13 février 1916

Je suis toujours en bonne santé; il fait moins froid, la neige est fondue.

Je viens de voir Moreau, nous avons mangé ensemble un petit pâté que sa femme lui avait envoyé.

J'ai reçu une lettre de Lucien. Il se trouve très bien à l'hôpital.

Rien de nouveau, ça va assez bien pour le moment [...]

*Carte de Marcel à ses parents*

Le 15 février 1916

J'ai bien reçu ce matin le colis annoncé, il était en bon état, le sanglier était excellent. Moreau en a goûté ; il part toujours en permission le 17.

Je suis toujours en bonne santé, la pluie de cesse pas de tomber [...]

*Marthe à ses parents*

Le 15 février 1916

J'ai bien reçu votre lettre et carte. Je voulais vous écrire dimanche, nous avions beaucoup de monde et je n'ai pas eut une minute. Les médecins ont mis le temps pour envoyer ce que Joseph avait sur lui. Ça vous fera un souvenir […]

Pour ma santé, oui je ne suis pas trop grosse. Maintenant je bois du vin. Nous avons plus de travail qu'avant. Les patrons profitent que c'est la guerre. Hier j'ai eut une carte de Marcel et une lettre de Lucien. Il est opéré, il a bien reçu ma lettre. Marcel me dit que la neige tombe et qu'il ne fait pas chaud. Ici on ne s'en appercoit pas. L'autre jour, il a tomber quelques flocons de neige qui ont fondu aussitôt. Que fais Lonlon ? Il vat toujours au champ [avec] la bique ? […]

---

*Lucien à ses parents*

Le 22 février 1916

Je vien de recevoir votre lettre qui m'a bien fais plaisir de vous savoir toujours tous en bonne santé. J'ai reçu une lettre de Marthe et de Marcel, ils vons toujours bien.

Mon opperasion et presque finie de gairir, je n'en ai pas pour longtan apraisan.

Aujourd'hui la neige a tombé. Il va fairre bon aux sangliers […]

---

*Marthe à ses parents*

Le 23 février 1916

Je viens vous remercier de vos jolies fleurs que j'ai reçu hier en bon état et qui m'ont fait grand plaisir. Justement, Hortense est venue me voir hier soir, je lui en ait donné un petit bouquet, elle vous envoie bien le bonjour. J'ai reçu la photo de Marcel, il a une bonne tête. Il me dit qu'avec les 5 f que je lui ai envoyé, il se payera des litres de « Pinard ». Ce matin, j'ai eu des nouvelles de Lucien. De ce moment, il est bien au chaud. Aujourd'hui, il neige et fait froid, on commence à s'en appercevoir dans nos carrées. Je crois que c'est général. Papa doit courir souvent à St-Père. J'ai eut une lettre de Marguerite. Son mari qui était au train est maintenant versé dans les bombardiers. C'est plus dangereux.

Vous avez dû voir dessus les journaux la grande victoire aérienne. Ce monstre de Zeppelin venait surement bombarder Paris; ça les fera peut-être tenir tranquille.

Les Patrons sont de mauvaise humeur en ce moment. Probablement que l'argent commence à tirer. Il serait temps que la guerre finisse [...]

*Marcel à ses parents*

Le 24 février 1916

Nous sommes remontés de ce matin, la neige tombe et le temps se tient toujours au froid. Savelly est revenu de ce matin. Ça remue fort de ce moment : les Boches deviennent singulièrement menaçants au nord de Verdun. Maintenant je ne sais quand j'irai en permission, car depuis ce soir, elles sont suspendues à la Division jusqu'à nouvel ordre. C'est agréable...

je n'en dis pas plus long car je suis trop dégoûté. Nous voir ainsi récompensé depuis 19 mois que l'on traîne la Misère !

Enfin, attendons les événements *[...]

---

*Lucien à ses parents*

Le 25 février 1916

Je vous anvoie ces quelque mots pour vous dirre que je m'an va Samedi ou Lundi.

Il fais un tan abominable, il y a déjà au moins 20 centimètres de neige et elle tombe encorre. Il va fairre bon aller aux sanglier. Il doit en avoir une bonne couche aussi chez nous [...]

Je va retourné à la 25me compagnie.

---

*Carte de Marcel à ses parents*

Le 28 février 1916

Deux mots pour vous donner de mes nouvelles qui sont toujours bonnes pour le moment.

* L'offensive allemande sur Verdun a débuté le 21 février. Les soldats sont, ici, rapidement informés.

Ça remue et ça bombarde un peu partout. Le front s'agite de singulière façon.

A quand les permissions ? Moreau ne tardera pas à rentrer – il a été veinard.

Il fait un peu moins froid. La neige fond.

Savelly est en bonne santé et vous envoie le bonjour [...]

---

*Lucien à ses parents*

Le 29 février 1916

J'ai bien reçu votre lettre. Je suis à la 25e compagnie. Si tu pouvais avoir un certificat agricol, j'esserrai [essayerai] d'avoir 15 jours. Tu n'a qu'a dirre au mère [maire] qu'i[l] mette cest [ces] deux principaux mots, que tu est propriétaire et cultivateur et que tu as besoin de moi pour faire ta culture * [...]

---

*Marthe à ses parents*

Paris, le 4 mars 1916

Que devenez-vous ? Voilà longtemps que j'ai reçu de vos nouvelles. J'espère que vous êtes en bonne santé. Et Marcel, je

* Allusion aux permissions spéciales que pouvaient obtenir les agriculteurs.

vous demande ce qu'il devient. Pas de nouvelles depuis sa photo. Je pense que vous en avez ou alors il est près de vous. Le pauvre Lucien m'as écrit. Il est maintenant au dépôt. Son bon temps est fini. Il aura probablement une convalescence. Ici il fait un temps affreux, pluie, neige, vent tout s'en mêle. Les pauvres soldats sont à plaindre. En ce moment ça tape dure du côté de Verdun. D'ailleurs, vous devez voir ça dessus les journaux. Ici, les patrons ne s'aperçoivent pas de la guerre. Ce soir, il y a un dîner à tout casser, vins fins, champagne. En ce moment, ça ne devrait pas être permis. On se couchera encore à onze heures ou minuit [...]

*Lucien à ses parents*

Le 10 mars 1916

J'ai reçu votre lettre qui m'a bien fais plaisir. Ou don que tu à anvoillé mon sertificat ?

Je n'en ais pas antandu parlé. Je croi bien que la lettre est perdue.

Dans ce moment, il ne fait pas chaud. Il gelle tous les matains [...]

*Marthe à ses parents*

Paris, le 15 mars 1916

Je viens vous remercier de vos jolies fleurs que j'ai reçue ce matin avec grand plaisir, car en ce moment elles sont rares.

Je suis contente que vous ayez des nouvelles de Marcel, moi je n'en ai pas. Lucien doit être content d'être à Vézelay, ça fera quinze jours de bon. Maintenant, au sujet des 5 francs, je les lui ait envoyé le 10. J'espère qu'on lui remettra la lettre à son retour. Je ne pouvais pas prévoir qu'il partirait en permission. Il fait un temps superbe, même doux. Je crois qu'en ce moment, ça tape. Cette bataille de Verdun est épouvantable. Si seulement Marcel pouvait rester encore quelque temps au repos.

Je vais bien, mais je me fais du mauvais sang de toujours entendre ronchonner.

Si la guerre continue, je me demande ce qu'on deviendra. Maman, si tu peux m'envoyer des oeufs, ça me fera surement du bien. En récompense, je t'enverrai du café ou ce qui te fera plaisir […]

*Marcel à ses parents*

Le 16 mars 1916

J'ai reçu une lettre de Lucien m'annonçant son départ pour 15 jours de permission.

J'en suis très heureux; si seulement je pouvais y aller, on aurait au moins le plaisir de se trouver ensemble un moment, mais il ne faut pas y compter. Moi, je n'ai plus d'espoir maintenant pour les permissions. Que voulez-vous, c'est la guerre et il faut que ça finisse un jour !

J'ai vu ce matin le petit mot de Brisdoux sur une carte à Savelly, me disant que Lucien était arrivé.

Je suis toujours en bonne santé, il n'y a rien de nouveau pour le moment, la température s'est sensiblement modifiée, il fait doux, les jours sont beaucoup plus longs, on sent que le printemps approche.

Avez-vous des nouvelles de Grossin ? Recevez-vous mes lettres et cartes ? Frédéric a-t-il reçu les cartes que je lui ai envoyées ? Savelly et Moreau sont en bonne santé et vous envoient le bonjour. Bonne poignée de main à M. Brisdoux [...]

---

*Carte de Marcel à ses parents*

Le 17 mai 1916

Suis toujours en parfaite santé.
Rien de nouveau.
La pluie a cessé, le temps s'est remis au beau [...]

---

*Marthe à ses parents*

Le 30 mai 1916

Je fais réponse à votre carte qui m'a fait plaisir et vous remercie du bulletin de naissance. Je pense que vous êtes tous en bonne santé, que vous avez de bonnes nouvelles de Marcel et de Lucien, car moi je n'en ait pas. Cette maudite guerre ne prend pas le chemin de finir, chacun dit son mot et personne ne fait rien. Dimanche je suis allée me promener avec la femme de chambre au bois, puis le soir, je suis allée voir Hortense qui avait du monde. Elle m'a fait rester à dîner dans sa chambre. La Rougeole commence à se passer, il n'y a plus que le petit qui est malade. Je crois que nous en serons exantes [exemptés].

Pour la Pentecôte, nous irons tous à Fontainebleau et du monde plein la maison. Nous sommes déjà prévenues. La Patronne continue son voyage. Il paraît qu'elle fait beaucoup d'affaires. Tant mieux, elle sera peut-être moins grinchonne à son retour [...]

---

*Marthe à ses parents*

Le 6 juin 1916

Voilà déjà un moment que je n'ai pas reçu de vos nouvelles. J'espère malgré cela que vous êtes en bonne santé. Moi ça vat. Ce matin, je me suis pesée. Dans un mois, j'ai grossi de 2 kg, ce n'est pas mal, je vais continuer à me soigner. J'ai fini mes oeufs et je viens vous demander si vous voulez que je vous envoie l'argent ou si vous aimez mieux café et chocolat. A votre choix. Vous me le direz dans votre prochaine lettre.

J'ai eu des nouvelles de Marcel et de Lucien. Le pauvre reprend le chemin du front, il parait que c'est épouvantable à Verdun.

La Patronne est toujours en Espagne, on ne s'ennuie pas d'elle. Il paraît qu'elle a déjà fait beaucoup d'affaires. Tant mieux, elle sera gracieuse en rentrant.

Hier dimanche, je suis sortie avec Hortense, il ne faisait pas très beau temps. Ça fait du bien de sortir un peu quand ont est enfermé pendant quinze jours.

Dimanche prochain, nous irons probablement à Fontainebleau [...]

*Lucien à ses parents*

[timbre postal : 17 juin 1916]

Je vous envoi ces quelques mots pour vous donné de mes nouvelles.

Je par au frond aujourd'hui au 174e de ligne […]

*Marcel à ses parents*

Le 24 juin 1916

Maintenant, je suis comme Lucien, mon bon temps est fini. Ce qui se mijotais depuis quelque temps est arrivé.

La 20e Compagnie n'existe plus, elle est dissoute et répartie dans les 3 autres compagnies du Bataillon.

Ça va bien ! Avec 4 compagnies, on en forme 3, je crois que ça sent la fin de la guerre.

Je suis versé à la 17e Compagnie et, dame, il faudra reprendre la garde. Ce n'est pas drôle !

Savelly s'en va à la compagnie de dépôt.

Adressez-moi vos lettres à la 17e compagnie. Le moral est bien bas […]

*Marthe à ses parents*

Le 24 juin 1916

Je viens de recevoir le colis d'oeufs en très bon état, je vous en remercie beaucoup.

Je pense que vous êtes en bonne santé et que vous avez des nouvelles de Marcel et de Lucien. Moi je n'en ait toujours pas. Aujourd'hui dimanche, je suis de garde, mais les patrons sont partis déjeuner à Fontainebleau, je suis tranquille. Il fait beau temps maintenant. Maman, tu m'as dis que Joseph aurait eu 25 ans, moi [je] le croyait du mois de Mars *. Je vais m'informer si on peut aller a Mourmelon. Un dimanche que je serait libre, j'irai voir sa tombe, je serait si contente [...]

*Lucien à ses parents*

Le 13 juillet 1916

Je vous anvoie ces quelques mots pour vous donner de mes nouvelles, qui sons toujours bonne. Je ne suis plus où j'étais. Nous sommes dans l'Oise. Et maintenant, on ne sais pas où on va nous dirriger. J'ai bien reçu votre lettre et le mandat. J'ai reçu aussi des nouvelles de Marthe et de Marcel. J'ai personne de connaissance avec [moi]. Ce n'est en partie que des gas du Midi [...]

* Elle fait erreur : Joseph est né le 21 juin 1891.

*L.L. Combes à Marcel Papillon*

Le 16 juillet 1916

Mon cher Papillon,

Je suis toujours vivant et toujours au M[ort]-H[omme] *. Depuis que je suis dans cette région, j'ai vécu des moments bien pénibles, les 15 et 17 juin particulièrement.

L'imagination la plus féroce ne peut concevoir un pareil enfer. Dans les restes des tranchées et les boyaux, tous calcinés, tous tournés et retournés par d'implacables obus, c'est un fouillis sinistre de fusils brisés, de casques déformés, d'équipements en lambeaux et de lambeaux de poilus. C'est en beaucoup d'endroits l'exhalaison mortelle de l'odeur de cadavres mal ensevelis ou attendant encore la sépulture. Plusieurs fois déjà, j'ai gravi les pentes de l'immortel calvaire où sont tombés avec leur croix et leur résignation tant de malheureux poilus. Au moins une fois, j'ai eu les jambes littéralement coupées par l'émotion et par la peur. Jusqu'ici, je n'avais pas été habitué à courir sur des morts; lorsque l'occasion vous oblige à le faire, dame ! ça vous fait tout de même quelque chose.

La compagnie a été très éprouvée à une attaque du 15. J'ai eu la chance. Je ne sais pas quand nous quitterons ces parages de mort, qui pourtant depuis quelques jours sont devenus plus calmes.

Je vous serre bien cordialement la main

Combes

(7e génie - Cie 15/11 - secteur 112)

---

* Au Mort-Homme et à la Cote 304, dans la partie Ouest du secteur de Verdun, les affrontements furent très meurtriers.

*Lucien à ses parents*

Le 19 juillet 1916

Je vous anvoie ces quelques mots pour vous donné de mes nouvelles qui sons toujours bonne. Nous partons demain pour les tranchées. Je croi que ça va pardé [barder].

Vivement une plessur [blessure] comme l'autre. Ca serais le fillon.

On va du côté des Anglais […]

*Lucien à ses parents*

Le 21 juillet 1916

J'ai bien reçu votre lettre et la carthe de Marthe qui m'a bien fais plaisir.

Maintenan, nous approchons du frond, nous sommes tous prais d'Amiens. Dans ce moman, il fais bon, on à chaud de marché. Dans ce moman, ça barde je ne sais pas ci[si] ce va être le dernier cou[p] […]

*Lucien à ses parents*

Le 24 juillet 1916

Je vous envoie cest quelque mots pour vous donner de mes nouvelles qui sont toujours bonne pour le moman.

Nous sommes tous prais du frond. Je vous promais que ça ronfle. Je ne sais pas ce qui va ce passer*.

Pour le moman, il fais un tan superbe. C'est le principal [...]

*Lucien à ses parents*

Le 25 juillet 1916

J'ai bien reçu votre mandat, mais où nous sommes, je n'en ais pas besoin. Savoir can [allez savoir quand je m'en servirai]. Je vais le remettre dans une lettre.

Tous le 20e corps est ver[s] nous. J'ai vu le 146e et le 156e.

Voilà déjà longtans que je n'ai pas reçu de nouvelles de Marcel.

Dans l'endroit où nous sommes, on ne peut rien trouvé. Du vin à 3 francs ou 4 francs la bouteille [...]

* Le 174e régiment d'infanterie, après avoir combattu à Verdun, est lancé dans la bataille de la Somme. Le 24, le bataillon de Lucien arrive à Etinehem.

*Lucien à ses parents*

le 1er août 1916

Je vous anvoie cest quelquesmots pour vous donner de mes nouvelles qui sons toujours bonne. An ce moman, il fais chaud. On est même pas bien, on crève de soif.

J'ai reçu une carthe de Marcel, il est toujours au repos. Il est bien. De ce tant là, il fait bon à dormir à l'ombre […]

*Marcel à ses parents*

Le 11 août 1916

Sommes dans le train depuis ce matin – Direction inconnue, mais je pense fort aller voir M. Combes. Suis en bonne santé […] J'écris cette carte en route.

*Marcel à ses parents*

Le 12 août 1916

Nous avons passé la journée d'hier et la nuit en chemin de fer. Nous sommes en cantonnements tout près de Sermaizes. Ça sent fort Verdun * ! Il fait toujours chaud, la santé se main-

* Après une période d'instruction au camp de Saffais, le régiment se rend effectivement à Verdun.

tient. Je pense que d'ici une dizaine de jours nous serons au casse-pipes. Depuis le temps que je suis là, j'aurais bien droit à un billet pour Nice. Enfin, c'est la guerre ! [...]

---

*Marcel à ses parents*

Le 14 août 1916

Je vous ai adressé une carte-lettre avant-hier, 2 cartes postales hier. Je pense que vous les avez reçues.

Hier dans la soirée, j'ai vu Mathé, il est à Ramancourt. Tout est brûlé. Les Boches ont fusillé le maire. Le pays n'est plus qu'un amas de décombres.

Rien de nouveau, nous attendons les ordres. Il peut se faire que nous restions encore plusieurs jours au cantonnement.

Le temps s'est gâté, il tombe quelques giboulées de temps en temps. La santé est bonne.

Les maisons sont toutes construites en pierre de taille et en torchis, on en voit très peu en maçonnerie. Les nouvelles constructions sont en briques. Ces habitations sont toutes basses, très peu ont un premier étage.

La culture doit bien rendre dans ces pays, il y a de belles moissons [...]

P.S. Moreau vous envoie le bonjour, il vient de rencontrer Moricard de Voutenay qui est conducteur aux Autos.

---

*Lucien à ses parents*

Le 20 août 1916

J'ai bien reçu la lettre et le mandat mai je n'ais pas le colli. Je pance qu'i[l] va arrivé demain. Une autre foix que tu me ranverra de l'argent, tu me le mettra dans la lettre parce que il faux trop longtan pour toucher les mandas. Je suis toujours au repos. On est pas mal, mais ceulement la pluie tombe tous les jours.

J'ai reçu une carthe de Marthe et de Marcel, ils vons toujours bien.

Je ne sais pas de quel côté que Marcel a plus aller. De mon côté, la moiçon est bien avancée, chez nous ça doi être pareille. Mais le vin est cher, 30 sous le litre [...]

---

*Marcel à ses parents*

Le 23 août 1916
7 heures du soir

Je viens de recevoir votre lettre du 20.

Nous pensions monter la nuit dernière, mais il n'y a rien de nouveau.

J'ai reçu le mandat-carte de Mr Brisdoux, je viens de lui répondre. J'ai également reçu une carte d'Alphonse Rousseau.

Au sujet des permissions, la Division est mal partagée, le 3e tour ne fait que commencer. Ainsi Mathé, Marcelot, Moreau, Savelly, personne n'y est retourné. Et depuis deux jours, elles sont supprimées. Ce n'est pas encore ça qui les avancera. C'est toujours la même chose. Ceux qui peinent le plus sont souvent les plus mal récompensés.

C'est le plus sale coin où nous allons, ça cogne nuit et

jour, sans interruption. Que d'obus, c'est fantastique. Ça doit faire un drôle de chantier.

J'essaierai de vous envoyer deux mots avant de monter [...]

P.S. Je suis avec Moreau, nous sommes assis dans l'herbe sur une petite côte, l'artillerie donne, ce n'est qu'une ligne de feu et de flammes. Jeudi 24 août, 3 heures du soir.

Je reçois à l'instant la carte de Charles. Rien de nouveau pour nous ! Le soleil est brûlant.

---

*Lucien à ses parents*

Le 24 août 1916

J'ai bien reçu votre lettre et le colli qui étais en bonne état. J'ai reçu aussi une carthe de Charles. Je suis toujours au repos pour le moman, on est pas mal, il fais beau tan.

J'ai reçu une carthe de Marcel, il va toujours bien. Robert Simon a de la chance d'aller en permission. Tu peu lui dirre que c'est un peau menteur. Jamais de sa vie, il n'a été à Morpas [Maurepas]. C'est la ligne de feu et on ne mais [met] pas de cavalerie dans la Somme. Il sons à 15 ou 20 kilomètres du frond qu'il se promène[nt] sur leur Carcam *. Quand nous avons attaqué, nous avons pris la ferme de Monain [Monacu] et le 170 qui est avec nous a pris Morpas 8 jours après ** [...]

* Carcam (pour carcan) : mauvais cheval.

** Il s'agit sans doute de l'attaque du 7 août.

*Marcel à Charles*

Le 25 août 1916

Mon vieux Charlot,

J'ai bien reçu ta carte.

Hier, il s'est passé quelque chose dans le fameux coin de Fleury entre 7 h et 9 h du soir. En attendant que je sois acteur, je me suis payé la fantaisie d'assister à la séance en spectateur grimpé sur la forêt de Belrupt. Dans le bas à ma gauche, j'avais Verdun et devant moi de gauche à droit, le fort Saint-Michel, le fort de Souville, le fort de Tavannes. De l'autre côté des crêtes, se trouvent les lignes.

Quel marmitage ! on se demande comment il peut revenir des hommes d'un pareil enfer. Les fusées se succédaient sans interruption, blanches, vertes, rouges, et les canons faisaient rage, des pièces innombrables faisaient feu de partout. Il en partait de la ville, des casernes, des avenues, de la plaine, de la côte, de tous les coins.

C'est un spectacle inoubliable, une vraie pluie de feu.

Et pendant ce déluge, rien ne s'arrête, les troupes s'acheminent, les relèves, les caissons arrivent aux pièces, les voitures de ravitaillement et les autos défilent sur les routes et les chemins, les marmites tombent, souvent font des dégâts. Qu'importe, chacun va droit au but.

Tout le terrain embrassé par le coup d'oeil est littéralement labouré par les obus, les arbres se dressent au loin, sans branches, sinistres comme des poteaux télégraphiques.

J'ai vu un trou de 420, c'est formidable, on y mettrait facilement la petite maison du Crot.

Ce matin, les boches nous ont descendu par obus un de

nos avions, il est tombé en flammes, mais ils ont beau faire, comme avions et saucisses nous sommes les maîtres.

Ce matin, j'ai vu des prisonniers. Ils ne s'en font pas.

Nous ne montons pas encore aujourd'hui, ce sera sans doute pour demain. Notre Division est engagée depuis plusieurs jours.

Il fait toujours très chaud.

Je viens de recevoir une carte de Lucien. Moreau vous envoie le bonjour [...]

P.S. La région est aussi montagneuse que chez nous, dans notre secteur se trouve le fameux tunnel de 1100 mètres de long qui desservait le fort de Vaux.

---

*Marcel à ses parents*

Le 31 août 1916

Votre lettre du 27 m'est parvenue ce matin dans la tranchée de première ligne où j'étais en train de creuser pour me mettre à l'abri.

J'ai reçu en même temps une lettre de Marthe et une lettre de Lucien.

Le résultat de la demande me fait un extrême plaisir. Je suis heureux de constater que malgré la canaille et la crapulle qui nous entoure, il y a encore en France des hommes justes et honnêtes qui ont conscience de leur devoir et savent apprécier les sacrifices énormes imposés au peuple.

J'ai trouvé la feuille de la poste, je vous la renverrai aussitôt redescendu.

Voilà déjà deux jours de fait, les heures sont longues, les zin-zin passent sans arrêt, mais ils tombent presque tous derrière.

Enfin, ça se passera […]

Cette nuit, ça a donné !

*Lucien à ses parents*

Le 8 septembre 1916

Je vous envoie de mes nouvelles qui sont toujours bonne pour le moman. Je suis été un moman sans vous écrire, vous deviez vous intiété [inquiéter] de moi.

Je croi que nous sommes relevé des tranchées ce soir. Ce n'est pas trop teau. Depuis 6 jours que nous somme dans un vacarme pareil, je commence [à] an avoir assez de ce métier là * […]

* C'est alors un des moments les plus actifs de la bataille de la Somme. Le bataillon de Lucien prend le versant Est du Ravin de Bouchavesnes puis marche vers la croupe 109 en direction du Bois-Madame sous le feu des mitrailleuses (le 5). La situation se stabilise alors, à distance d'assaut de la tranchée des Berlingots (grande ligne de défense allemande), et du Bois-Madame. Les tranchées se creusent, jusqu'au 12. Le bataillon de Lucien « fatigué par ses efforts […] et par les pertes sensibles qu'il a subies » est effectivement relevé dans la nuit du 8 au 9.

*Lucien à ses parents*

Le 9 septembre 1916

Je vous envoie cest quelques mots pour vous donner de mes nouvelles qui sons toujours bonne pour le moman. Nous sommes relevé demain, nous allons probablement au grand repos. Ci tu voulais m'anvoillé un peu d'argent, ça me ferais bien plaisir.

---

*Marthe à ses parents*

Le 16 septembre 19[16]

Je viens de recevoir votre lettre. Je suis très heureuse que Marcel soit en permission et surtout qu'il passerat me voir. J'ai bien reçu sa carte de Bar-le-Duc. Je pense que vous êtes en bonne santé. Moi ça vat maintenant. Je prend la carmine *. Aujourd'hui, les patrons partent a Fontainebleau. Demain j'irai passer la journée avec Hortense et sa nièce qui est de sortie. Maintenant, Maman je veux bien quelques oeufs, mais il ne faut pas que Marcel soit trop chargé. J'ai écrit à Lucien hier et à Marcel, ne sachant pas qu'il serait en permission. Vous devez trouver le temps long pour la photo, mais ce n'est pas encore terminé ** [...]

* Carmine : soigne les intestins.

** Il s'agit du grand portrait que la famille Papillon a fait faire de Joseph, et retrouvé dans la maison de Vézelay.

*Marcel à Lonlon et à ses parents*
[en visite chez Marthe à Paris]

Le 23 septembre 1916

[Deux cartes postales postées à Paris représentant :
1) Graine de Boche (un petit gosse avec un casque à pointe), adressée à Léon :]

Mon vieux Lonlon,

Les parisiens ne s'en font pas.

Je t'envoie un spécimen des nouvelles recrues Boches; s'il en est ainsi, la guerre sera tôt finie.

[Marcel]

Lonlon,

Je suis bien contente que Marcel passe la journée avec moi. Mais tu aurais dû profiter de sa voiture pour venir visiter la capitale. Tu diras à Maman que je la remercie pour toutes les bonnes choses qu'elle a envoyé.

En ce moment, nous fesons la cuisine […]

Marthe

[2) Le Prestige de l'Uniforme (un poilu embarrassé devant une professionnelle court-vêtue), adressée aux parents :]

Le 23, 10 h du matin

Je viens de recevoir la carte à Vincent. J'ai fait bon voyage. Malgré la nombreuse affluence de voyageurs, Marthe a réussi à me pêcher au sortir de la gare. Le temps est superbe, on prépare un formidable déjeuner. J'ai trouvé Marthe en bonne santé.

---

*Marthe à ses parents*

Le 25 septembre 1916

Marcel est parti à 3 heures. Nous avons bien déjeuné. Les escargots ont eu du succès. Haricots, pigeons étaient aussi bons. Aussi, Hortense me prie de bien vous remercier. Nous avons cassé le cou à une bouteille de champagne. Notre poilu a été bien soigné pour qu'il revienne la prochaine fois. Ne vous inquiétez pas, il est parti gaiment et avec un camarade du fils à Hortense, qui lui aussi allait à Bar-le-Duc. Puis à la gare, une femme d'un soldat de sa compagnie lui a dit que maintenant, le régiment se trouvait entre Gerbéviller et Bacara (Baccarat). Ce n'est pas loin de Bar-le-Duc. Il était content de savoir. Il est sûrement arrivé maintenant. Il devait arriver à Bar vers 1 heure du matin. Il fesait beau temps, même chaud.

Maman, tu me diras si tu veux que je t'envoie quelque chose pour les œufs ou l'argent. J'ai eut des nouvelles de Lucien. Ça vat. C'est dommage que ça ne durera pas assez longtemps. Il me dit qu'ils sont très mal nourri.

Au revoir, chèrs Parents, vous aurez peut-être des nouvelles de Marcel en même temps que ma lettre [...]

---

*Marcel à son frère Lucien (à l'hôpital)*
[Lucien est à nouveau blessé le 13 septembre lors d'une bataille entre Combles et Bapaume]

Le 26 septembre 1916

En arrivant, je trouve ta lettre du 18. Je suis toujours debout, et toi tu en sors encore d'une belle.

Tu dois savoir maintenant que je suis allé en permission. Mon vieux, ça a donné, la chasse et la pêche ont rendu. En repartant, je suis passé par Paris. J'ai trouvé Marthe bien remise.

Maintenant, nous avons changé de Secteur, nous sommes aux environs de Lunéville, c'est le calme complet.

Et toi mon pauvre vieux, tu as dû en voir des grises, quelle vie ! Si seulement ta blessure pouvait te faire traîner une paire de mois, ce serait toujours autant de passé.

A Verdun, ça a donné aussi, nous en avons bien laissé la moitié en panne, mais sûrement c'est plus terrible de ton côté *.

Quand donc la fin de cette misérable vie ? […]

---

*Marcel à ses parents*

Le 26 septembre 1916

Hier soir, après mon arrivée au cantonnement, nous sommes montés aux tranchées. 18 kilomètres que nous avons

* Le régiment de Marcel n'est pas resté longtemps à Verdun. Arrivé fin août, il est relevé le 11 septembre, tellement les pertes sont sévères, après de violents combats dans le secteur de la Laufée et du Chenois (entre le fort de Vaux et de Tavannes).

fait en pleine nuit, et pour me reposer, ma section a pris les avants postes. Je dors debout.

Le secteur est très calme, c'est une partie de plaisir à côté du B[ois]-le-P[rêtre]. On se croirait presque en villégiature à la campagne. Nous sommes avec le 37e territorial. Nous avons traversé leurs cantonnements hier, je rencontrerai sans doute quelques pays. Je finirais bien la guerre comme cela !

A mon passage à Paris, j'ai trouvé Marthe en bonne santé, peut-être un peu fatiguée, mais assez gaie. Je ne sais si elle m'a trouvé gai ou triste, mais je suis parti de Paris le coeur gros. Toutes les personnes et les choses m'ont trop rappelé de souvenirs de ce pauvre Joseph.

J'envoie un petit mot à Lucien [...]

---

*Marcel à ses parents*

Le 5 octobre 1916

Rien de nouveau à vous apprendre, nous descendons au repos dans 3 jours. Je ne sais quel temps il fait à Vézelay, mais ici la pluie tombe presque tous les jours.

Nous terrassons toujours beaucoup, nous aménageons des boyaux et des tranchées. Que de terre remuée ! Nos cabanes sont très humides, le sol est gras et noir comme de la terre de jardin, on n'y trouve pas une pierre, aussi à la moindre pluie, les fossés sont plein d'eau et les éboulements sont vite arrivés. Nous avons des voisins dont on se passerait bien, je veux parler des rats. Ils sont gros comme des petits lapins et dame, on les compte par douzaines. Ils nous dévorent tout, ils défoncent les musettes, mangent le pain, le fromage, le chocolat, le savon, etc... jusqu'à nos lacets de souliers. La nuit, c'est toute une histoire pour dormir, ils nous courent partout sur le corps. C'est pire que les Boches !

Dans la région, il y a quelques perdrix. Hier j'ai fait lever un lièvre. Il y a aussi des sangliers. Quand nous serons au repos, on s'occupera de cela.

J'ai reçu une lettre de Lucien, il pense aller en permission après le 12, il se plaint toujours de la mauvaise nourriture.

Je suis à 6 kilomètres de l'endroit où Courcelles a fait son congé. Bonjour aux amis [...]

P.S. Je viens de recevoir votre lettre du 1er. Si l'occasion se présente, je ne manquerai pas d'aller voir Edmé Rabigot, ils sont sur notre gauche. Avant-hier j'ai rencontré des type de la 7e compagnie, ils m'ont dit qu'ils le connaissaient bien.

Nous pouvons nous trouver des victuailles aux cantines-coopératives militaires, nous payons le vin 0,75 le litre, il est bon.

Savelly est retourné au dépôt divisionnaire, il a de la veine.

La compagnie est bien changée, il y a plus de la moitié de nouvelles têtes, pas mal viennent de l'ancien 53 (compagnies supprimées). Il y a aussi de la classe 16.

J'ai comme cabot [caporal] un territorial du midi, c'est un bien brave homme.

A mon escouade, j'ai aussi le coiffeur, il est des environs de Chablis, c'est un zigue, je crois que nous ferons une paire d'amis tous les deux.

Je vous envoie un petit récit, la carte du combat du 13 septembre où Lucien a été blessé, c'est très facile à se reconnaître *.

---

* Il s'agit d'un article de presse relatant la bataille entre Combles et Bapaume, entre le 8 et le 14 septembre 1916. Une nouvelle attaque est lancée le 12. Elle prend le Bois-Madame et la tranchée des Berlingots qu'occupe le bataillon de Lucien. Le 13, ce dernier avec le 35e RI, doit attaquer les carrières et la ferme de Bois-Labé mais lors de la préparation du mouvement, une contre-attaque allemande est lancée que la compagnie de Lucien arrête.

J'ai envoyé un mot à Lucien, qu'il prenne donc une paire de jours en plus pour partir, qu'il aille donc faire timbrer sa feuille le jour du départ et il partira le lendemain, c'est simple. Il l'a bien gagné.

Depuis ce matin c'est un déluge de pluie. Le raisin n'est pas près de mûrir.

Moreau est toujours en bonne santé et vous envoie le bonjour.

---

*Lucien à ses parents*

Le 9 octobre 1916

Je par en permission le 11.
Je vais arrivé le 12 à 9 heures du matin à Sermizelles [...]

---

*Marcel à ses parents*

Le 10 octobre 1916

Nous sommes descendus au repos depuis 3 jours, nous remontons le 13 au soir. Le temps s'est remis un peu, ce n'est pas dommage.

J'ai reçu une lettre de Lucien, il ne tardera pas à être à Vézelay. Il me dit qu'aussitôt rentré, il rejoindra sa compagnie. Chez nous, il n'en est pas ainsi; les blessés qui ne quittent pas la zone des armées reviennent au petit dépôt de la Division.

Moreau est à côté de moi en train d'écrire, il vous envoie bien le bonjour. Hier avec lui et Poulain, nous avons fait un bon petit-déjeuner.

Ces jours derniers, j'ai reçu une lettre de Marthe. Elle me dit que la photo de ce pauvre Joseph est terminée et qu'elle va vous l'expédier. Il faudra la placer avec soin pour éviter surtout l'humidité et le grand soleil.

Je n'ai pas revu Mathé, il doit être en permission de ce moment. La circulaire pour les permissions est intéressante. Si rien ne bouge, j'y retournerai fin janvier. Il faudra donner un coup de graissage à la soingle [carabine ?], elle n'était pas mal rouillée quand je l'ai laissée dans la cabane. Si j'y retourne, je ferai encore quelques petites séances.

Quelle bon Dieu de guerre ! Les nouvelles ne sont guère bonnes de ce moment.

Ce n'est pas près d'être terminé ! Les fameux Roumains sont entrain de recevoir une bonne correction. C'est désespérant de voir tout cela * […]

*Carte de Marcel à ses parents*

Le 10 octobre 1916

Dans cette région [la carte représente les deux tours d'Ogéviller], la récolte des osiers pour faire des paniers est très importante. C'est un grand revenu pour les propriétaires […]

* La diplomatie alliée, l'échec allemand à Verdun et les premiers succès de l'offensive russe de Broussilov ont persuadé le gouvernement roumain que le moment d'intervenir était venu, afin d'obtenir des gains territoriaux en Transylvanie, aux dépens de l'Autriche-Hongrie. Mais l'armée roumaine est repoussée dès septembre 1916. En décembre, Bucarest tombera aux mains des Centraux.

*Marcel à ses parents*

Le 13 octobre 1916

J'ai reçu hier votre lettre du 6, j'ai été il est vrai quelques jours sans écrire, c'est signe que je ne m'ennuie pas.

Nous remontons ce soir aux tranchées pour une nouvelle période de 12 jours.

Nos 6 jours de repos se sont bien passés, le patelin est très agréable et nous avons eu vite fait de dénicher les bons coins.

Tous les soirs, nous nous réunissions 7 à 8 copains y compris Moreau et en buvant un bon canon, nous dégustions une vieille salade aux choux. C'est moi qui m'occupais de l'approvisionnement et qui faisais le cuisinier.

Les copains me disaient : pour combien as-tu de choux ? Je leur répondais : « Ne vous en faites pas, ce sont ceux que j'ai planté l'année dernière ! » Avec Empoigne, j'avais vite fait de tailler la salade avec mon serin bien affuté, les rombières du caboulot disaient · il s'y connaît bien le *Monsieur-là*. Les copains ajoutaient en rigolant · « Ce serait malheureux pour un maître d'hôtel ».

Enfin nous avons passé de bons petits instants, c'est autant de pris sur la guerre. Les bons instants sont rares, il faut en profiter !

J'ai reçu une lettre de Lucien, il part demain en permission, ce sera vite passé. Il me dit que sa division occupe un secteur tranquille près de Nancy, nous ne devons pas être très loin l'un de l'autre.

Nous voilà encore bien partis pour la campagne d'hiver et, bien entendu, ça recommencera au printemps. Quel cauchemar que cette guerre, ça ne finira donc jamais.

Je vous envoie ci-joint la feuille pour le colis gratuit.

En vous écrivant, je regarde la Meurthe couler, je suis

installé entre deux cailloux sous une verne. Ici je goûte un moment de tranquillité en fumant ma pipe. Inutile de vous dire que la santé est bonne.

Bonjour à M. Brisdoux ainsi que de la part de Moreau [...]

*Marcel à ses parents*

Le 17 octobre 1916

J'ai bien reçu votre lettre du 11.

La santé est toujours bonne et le secteur est bien tranquille.

Quant à la température, elle est tenable, de temps en temps, nous avons des giboulées de pluie et de grêle.

Hier matin, je suis allé voir des territoriaux qui creusaient une tranchée, j'y ai trouvé Blandin, gendre Gross de Saint-Père, le sabotier, et le soir en allant à la soupe au petit patelin tout près des lignes, j'ai rencontré Mercier d'Asquins, gendre Blandin qui déambulait avec ses marmites. Une heure plus tard, j'ai rencontré Bellot (leur compagnie étant relevée le soir même pour aller au repos). Ils m'ont dit que Pegionnat d'Asquins et Antoine étaient en permission.

Quand nous remonterons, nous irons plus sur la gauche, j'irai faire un tour au 2e Bataillon (je verrai Rabigot, Louis Papillon, Jaillot, etc...) Mathé doit être parti en permission d'hier, vous le verrez sans doute. J'ai reçu une carte de Savelly, il est toujours au dépôt divisionnaire, la place est bonne, il peut facilement tenir le coup. Monsieur Combes m'a envoyé de ses nouvelles, il rentre de permission et sa division est au repos aux environs de Bar-le-Duc. Il se demande où il retournera, ça l'inquiète, je comprends cela.

Monsieur Vallué m'a donné de ses nouvelles. Le vieux

braconnier n'a pas de succès avec la gaule. Il me dit : la pêche ne va pas, le poisson a du être mobilisé !

Le Dénommé Papillon Aristide est toujours présent. Je l'ai vu il y a 3 jours, il est aux mitrailleuses. Il n'a jamais été à ma compagnie, pourquoi me demandes-tu s'il est encore là ?

Lucien sera reparti lorsque vous recevrez ma lettre, dites-moi comment vous l'avez trouvé.

Rien de nouveau à vous raconter si ce n'est que dans 9 jours, nous descendons au repos. Nous irons déguster quelques fameuses salades aux choux ! […]

*Carte de Lucien à Charles*

Le 18 novembre 1916

Mon vieux Calas,

Je vais venir en permission dans une 15[aine] de jours. Je te promet que l'on va canpailler [s'en payer] tous les deux. Je vais te raporter de coi [quoi] faire paiter la parraminne [barre à mine] pandan une année […]

*Marcel à ses parents*

Le 16 décembre 1916

Deux mots pour vous donner de mes nouvelles, la santé est toujours bonne. Ne m'envoyez pas le colis en question pour le moment, je vous récrirai mais n'oubliez pas le pognon.

Voilà deux soirs que je casse la croûte avec Georges Bellot, il part en permission le 18. Je lui ai remis un paquet pour vous remettre. Son plus proche voisin, c'est le bouffe en la personne de Bonhomme, le comique d'Auxerre (ils logent dans la même boutique).

Alors ça n'a pas été fini. A minuit, nous faisions cuire des harengs saures et le lendemain, nous avons repiqué avec le vin chaud et le brûlot. Ça fait oublier les mauvais moments. Si vous suivez les journaux, vous avez dû voir, ça a fini par bombarder sur la capitale.

Je ne sais ce qui se passe dans la direction de St-Mihiel, mais voilà 4 jours et 4 nuits que le canon roule sans arrêt. C'est sans doute la paix qui se signe ! [...]

---

*Marcel à ses parents*

Le 28 décembre 1916

J'ai reçu un petit colis de Marthe ce matin. Cigares, cigarettes et Friandises. Elle est bien gentille.

Le jour du premier janvier, nous descendons au repos pour 4 jours, je pense voir Mr Combes le lundi 3.

Je suis toujours en bonne santé. Pour le moment, nous sommes assez tranquilles à part quelques petits quart-d'heures de crapouillage.

Les frères Rousseau ont de la veine, ils me paraissent fort bien vus par l'administration. Tant mieux pour eux !

Beaucoup de permissionnaires y retournent pour la 2e fois, mais chez nous il ne faut pas compter y retourner avant le mois de mars. Ce n'est pas encourageant.

Les marmites nous sont beaucoup plus facilement distribuées que les permissions [...]

# LETTRES DE 1917

*Lucien à ses parents*

Le 20 février 1917

J'ai bien reçu votre lettre recommandée et les 10 francs. J'ai reçu une lettre de Marcel et de Marthe. Pour le moman, on est entrain de travaillé à une disainnes de kilomètres de Nancy. On est pas mal. Un peu mieux que dans les tranchées. Je ne sais pas quan on va y remonté. Je n'ait plus qu'une paire de chaussette et tu peu m'an envoillé une. Ça me rendrais bien servisse [...]

*Marcel à ses parents*

1er mars 1917

[4 cartes postales envoyées sans lettre d'accompagnement :

— ruines de l'église de Blémerey – environs de Lunéville

— Domjevin en ruines – environs de Lunéville

— Laneuville-aux-Bois – vue intérieure

— vue prise d'Avricourt français sur Avricourt allemand]

*Marcel à Charles*

mars 1917

[2 cartes postales sans texte écrit :

— Guerre 1914-15-16 – environs de Lunéville – L'Eglise d'Emberménil en ruines
— Manonviller – vue prise du Clocher]

*Marcel à ses parents*

mars 1917

[3 cartes postales sans texte écrit :
— Emberménil
— Emberménil – la gare
— Parroy – L'Etang]

*Marcel à ses parents*

mars 1917

[2 cartes sans texte écrit :
— Guerre 1914-15-16 – Environs de Lunéville – Vého en ruines

— Vexaincourt – Reproduction d'une photographie allemande]

*Marthe à ses parents*

Le 11 mars 1917

Aujourd'hui dimanche, j'en profite pour vous donner de mes nouvelles qui sont toujours bonnes et j'espère que les vôtres sont de même. J'ai eu une lettre de Marcel me disant qu'il montait aux tranchées. Hier, j'ai envoyé un petit billet à Lucien qui certainement lui fera plaisir. Mardi, la patronne part à Lyon, j'aurais un peut plus de temps quoique la demoiselle la remplace. Je vous ferait un petit paquet du sucre que j'ai. Si quelque fois vous aviez besoin de quelque chose, ecrivez-moi. Le paquet ne partira pas avant mercredi.

La neige est fondue et aujourd'hui, il fait un temps de printemps. La cuisinière s'en vat ainsi que la gouvernante. C'est ennuyeux de changer de tête [...]

*Lucien à ses parents*

Le 13 mars 1917

J'ai reçu votre lettre qui m'a bien fais plaisir. J'ai reçu une carthe de Marcel, il va toujours bien et de Marthe. Elle m'a envoillé une photographie de Marcel, il a bien réussi.

J'ai changé de plasse maintenan*. On va fairre les bucherons. On ne ceras pas trop mal. Ci ça va durré, ça irra bien [...]

---

*Lucien à Charles*

Le 14 mars 1917

Mon beaux Charles,

J'ai bien reçu ta lettre qui m'a bien fais plaisir.

J'ai eu des nouvelles de Marcel aujourd'hui. Ça va toujours (pour le moman).

Tu me raconte tes esplois. Tu va bien, tu n'as qu'a continué.

Je pance venir en permission. Si ça continue à marché comme ça, je partirais le 23. Ca ceras [ça sera] bientôt venu. On essaieras de les dancé un peu [d'aller danser un peu].

Pour tes bandes, je ne peu pas t'an apporter. Moi je ne peu pas an avoir [...]

---

* Près de Nancy.

*Carte de Marcel à ses parents*
[Représente Lunéville, le quartier d'artillerie de la 2e division de cavalerie. Flèche : « c'est ici notre cantonnement »]

Le 14 mars 1917

C'est toujours la bonne vie. Ce matin, nous avons fait la chasse au sanglier en auto dans le bois où est Corsard. Nous en avons fait sortir 5 gros et 3 petits… mais ils courent toujours. On ne s'ennuie pas le reste du temps.

Le soir, nous allons faire un tour au cinéma, nous avons tout à fait une vie de bourgeois.

Je ne sais pas si je pourrai aller voir Lucien, car maintenant il y a du changement dans les heures des cours, les avions ne faisant pas leur exercice par la pluie et le brouillard. Ça m'ennuie fort !

Je ne reçois plus de lettres, elles restent en panne à la Compagnie […]

---

*Marcel à ses parents*

Le 15 mars 1917

J'ai enfin reçu ce matin votre lettre du 10 en même temps qu'une lettre de Lucien de la même date.

Il fait un temps épouvantable, la neige est tombée à flots toute la matinée.

Ce matin, c'est un lieutenant aviateur qui nous a fait la théorie. J'en ai profité pour lui demander une permission pour Nancy. Il me l'a accordée immédiatement. On a tout ce que l'on veut avec ces gaillards-là !

Demain matin, je serai à Nancy à 7 heures et de là, je me dirigerai vers les patelins où est le régiment à Lucien : Velainesous-Amance – Septchamps [Seichamps], etc. S'il n'est pas déménagé, je le verrai sûrement. S'il n'est plus là, je passerai une journée à Nancy, il n'y aura rien de perdu.

Je vous envoie de la violette, c'est de ma récolte… [violettes séchées jointes à la lettre]

Je n'ai plus de nouvelles de M. Combes, demandez donc à M. Voillot s'il a son adresse, il ne doit plus être à l'hôpital maintenant […]

---

*Marcel à ses parents*

Le 17 mars 1917

Je suis revenu bredouille, pas moyen de mettre la main sur Lucien. J'ai trouvé le dépôt de la Division à Essey, j'ai également trouvé la section hors rang du 2e Bat[aill]on à Laneuveville devant Nancy. Là, on m'a indiqué la 5e compagnie à Cerneuil ou Lenoncourt. Je me mets en route pour ces patelins. En chemin, je rencontre un lieutenant du régiment qui m'annonce qu'ils ne sont plus dans ces pays, que c'est absolument inutile que j'y aille, qu'ils sont en mouvement de départ et qu'ils doivent être cantonnés à Laxou. Je remonte dans le tramway, j'arrive à Laxou, je pousse jusqu'à Villers, pas de 174e (ils y étaient il y a 15 jours, mais ils n'y sont pas revenus).

Alors quoi faire, il était tard, je m'en suis tenu là. J'ai terminé la soirée en faisant une ballade dans Nancy, j'ai vu les dégâts des 380 aux Fritz.

C'est vraiment malheureux de n'avoir pu le rencontrer, car je serais facilement resté 48 heures avec lui, j'avais toute latitude à ce sujet !

Nos as ont fait du bon travail. Hier, ils ont descendu 3 avions Boches. Par contre, les Russes ont plein le dos de la guerre, le Tsar a plaqué le métier, je suis de son avis, j'en ferais bien autant. Hier en rentrant, au moment où le train arrivait en gare de Dombasle, un avion boche a lâché une bombe sur les usines. Quel branlebas, ça se carapatait de tous les côtés *.

Encore 2 jours à mener la bonne vie [...]

---

*Marcel à ses parents*

Le 19 mars 1917 - 1 heure du soir

Je suis entêté comme un vieux mulet. Comme j'avais une permission à retour de flamme, je suis retourné à Nancy dimanche, je suis descendu à Lanouville [Laneuveville] devant Nancy, et j'ai enfin trouvé Lucien à Heillecourt en train de faire une partie de cartes dans un jardin. Il était arrivé la veille. Nous avons passé le dimanche soir ensemble, j'ai couché avec Lucien, nous avons encore passé la matinée d'aujourd'hui tous les deux et j'ai repris le train à Lanouville à 11 heures. Nous avons cassé une bonne croûte en buvant une vieille bouteille.

Lucien est en bonne santé, il pense partir en permission dans quelques jours.

Je vous ai envoyé une lettre de là-bas.

Ce soir, je remonte pour coucher au fameux patelin [...]

---

* Nicolas II a abdiqué le 15 mars. Encore une fois, on peut noter la bonne et rapide information des soldats.

*Marthe à ses parents*

Paris, le 9 avril 1917

Cette année, nous sommes restés à Paris pour Pâques. Nous devions aller à Fontainebleau, mais la gelée a fait beaucoup de dégâts et la maison est en réparation.

Je pense que vous allez tous bien depuis votre dernière lettre. Il y a assez longtemps que je n'ai pas de nouvelles de Marcel. J'espère que vous avez plus de chance que moi. J'ai envoyé argent et photos, pas de réponses. Et Lucien, que deviens-t-il ? Je sais qu'au moment ou il devait partir en permission, il a dû remonter aux tranchées. Surprise plutôt désagréable.

Hier, il fesait un temps superbe et aujourd'hui la pluie et la grêle ont recommencer a tomber. Ce temps est désolant pour tout ces pauvres soldats et les récoltes. Tout ça n'est pas bien gai.

Ici on ne s'apperçois pas que c'est fête. Nous avons plus de travail qu'en semaine. Puis la gouvernante est partie depuis huit jours et personne pour la remplacer [...]

*Lucien à ses parents*

Le 19 avril 1917

Quelques mots pour vous donner de mes nouvelles qui sons toujours bonnes pour le moman.

Je suis arrivé dans la Somme, je croi bien qu'on va pas être longtan sans monté au tranchées. J'ai reçu deux carthe de Marcel, il va toujours très bien. Son coup de main du 16 s'est trais bien passer.

Mon voyage a été long. Je suis arrivé jeudi [...]

*Marcel à ses parents*

Le 26 avril 1917

J'ai bien reçu votre lettre du 18, la lettre Recommandée contenant les 10f m'est bien parvenue.

La santé est bonne, nous sommes aux tranchées comme je vous l'ai écrit, le coin n'est pas de ses meilleurs * […]

*Lucien à ses parents*

[Lettre ouverte par le contrôle postal militaire]

Dimanche le 29 avril 1917

Je n'ais toujours pas de vos nouvelles.

Je suis toujours aux tranchées **, je ne sais pas qu'an on va désandre au repos.

Je commence [à] en avoir assez. Il fais un tan superbe. Il ne fais pas froid dans la crais [craie ?]

Je crois bien d'ici deux jours, il [y] auras du nouveaux. Viveman que tous celas sois fini. Je commence an avoir assez […]

* Dans la forêt de Parroy et au sud d'Emberménil (au nord-est de Lunéville).

** Au nord de Cauroy-lès-Hermonville, dans la Marne, au sud-est du Chemin des Dames. La grande offensive Nivelle sur le Chemin des Dames a été lancée le 16 avril.

*Marthe à ses parents*

Le 30 avril 1917

Je fais reponse a votre lettre qui m'as fait bien plaisir, surtout de vous savoir en bonne santé. Je viens d'écrire à l'instant a Marcel pour le féliciter. Je n'ai pas encore eut de ses nouvelles, il n'a peut-etre pas le temps. J'ai recu une lettre de Lucien me disant qu'il partait aux tranchées. En revenant de permission, ça change.

Depuis plusieurs jours, il fait un temps superbe. Je crois que cette fois ça va continuer.

Les enfants partent lundi prochain du côté de Biarrytz pour un mois, nous avons un peu la paix.

J'ai vu Hortense hier, elle vous envoie le bonjour. Son garçon a eu aussi une citation [...] Et Caleau [Charles], est-il resté à Vézelay ?

Marcel devra bientôt revenir en permission. Son tour doit approcher [...]

[joint à la lettre un brin de muguet séché]

---

*Lucien à ses parents*

Le 3 mai 1917

J'ai reçu des nouvelles de Marthe et de Marcel, ils vons toujours bien. Je croi être relevé demain, je vous récrirais une foix au repos.

Je vais vous raconté comme ça c'est passé * [...]

* L'attaque du 4 a lieu sous un feu violent de l'artillerie et des mitrailleuses allemandes présentes en nombre. Les Allemands contre-attaquent aussitôt. « Certains petits groupes restent cependant accrochés jusqu'à la nuit dans des trous d'obus en avant de la ligne de départ [...] Des corps à

*Marcel à ses parents*

Le 4 mai 1917

J'ai bien reçu votre lettre du 29, le colis m'est parvenu hier, il n'avait pas de mal.

Inutile de m'en renvoyer. Il fait un temps superbe, nous ne sommes pas trop mal pour le moment *. Dans 5 à 6 jours, nous devons descendre au repos pour 18 jours.

Lucien ne doit pas être à la noce en ce moment. Un colis lui serait plus utile à lui qu'à moi, car dans ses parages, on ne trouve absolument rien. Si par hasard, on trouve quelque chose, c'est à des prix de fous. Il n'y a pas de vin à moins de 3 f le litre. Ici, on le paye 18 sous !

Calas ne va pas tarder à passer la révision, j'ai vu ça ces jours-ci sur le journal. Il serait bien à souhaiter qu'il reste là. Mais, dame, je ne le pense pas […]

Moreau rentre à l'instant, il vous envoie le bonjour.

---

corps sanglants se produisent » (JMO). Le témoignage d'un officier décrit une « tuerie où, en moins d'une heure, deux mille à deux mille cinq cents hommes tombèrent inutilement » à la suite d'une préparation d'artillerie « absolument nulle » qui laisse intactes les défenses ennemies. Il évoque aussi deux heures de corps à corps dans le bois, la mort des officiers et finalement le retour à la tranchée de départ par une violente contre-attaque allemande… (voir V. Bataille, P. Paul, 1965, p. 97). Le compte-rendu d'opératin donne un gain de 400 mètres… et le régiment perd effectivement 18 officiers et 420 soldats et sous-officiers (JMO, 7 mai 1917).

* Malgré l'échec de l'offensive commencée le 16 avril, Nivelle lance de nouvelles attaques en mai sans plus de succès. Le régiment de Lucien y prend part, à l'est, au Godat.

*Carte de Lucien à Marcel*
[Photo d'un groupe de soldats : Lucien est en haut à gauche, avec sa pipe]

Le 10 mai 1917

J'ai bien reçu ta carthe qui m'a bien fais plaisir. Je suis toujours dans les tranchées, voilà 16 jours aujourd'hui. Je commence an avoir assez. Viveman la relève.

Voilà deux attaques que nous fesons. Je te garanti que la division est bien purgée […]

*Lucien à Marcel*

Le 11 mai 1917

Je viens d'aprendre que tu est an permission de 15 jours. Tu est vénard. Ça fais toujours 15 jours heureux. An ce moman, je voudrais bien être comme toi.

Je te garanti que nous anvoillons [en voyons] des merdes.

Ils ne parle pas ancorre de la relève.

Dans ta permission, tu va pouvoir an décollé des singe *. C'est le bon moman, mieux qu'a ta dernière permission.

Je suis toujours dans la tranchée, ça commence à bien fairre […]

* Allusion à la chasse. Les singes : les lièvres.

*Lucien à ses parents*

Le 3 mai 1917

J'ai bien reçu le colli qui m'a bien fais plaisir, surtou le paquet de tabac.

Je suis toujours dans la tranchée, je commence à en avoir assez. Ça fais 19 jours aujourd'hui et on ne mange pas tout son contan.

Le secteur devient un peu plus tranquille, ça n'et pas trop teau.

Il fais un tans superbe. Il fais même trop chaud.

Je croi que Marcel va passer une bonne permission, il va pouvoirre fairre danssé les singes […]

*Lucien à Marcel*

Le 15 mai 1917

J'a bien reçu ta lettre qui m'a bien fais plaisir. Je suis au repos pour 8 jours.

Ci tu peu m'anvoillé un capussin, c'est le moman. On est bien contan, on est dans le millieu des bois. On se resens vivre. Toi tu es vénard, tu va passer une bonne permission. Surtout, ce que je te recommande, c'est de tué le plus de capussins possible. C'est le moment dans profitté ou jamais.

Je connais apeuprais l'androi où Clément est. Il se trouve à la gauche de Craonne et moi je suis à sa droite dans le moman. Ça y barde sur Craonne […]

*Lucien à ses parents*

Le 17 mai 1917

Mon repos de 8 jours que je vous avais dis n'a pas été long. Je remonte cette nuit aux tranchées, je ne sais pas pour combien de tans. On vas être un peu mieux. Ça bombarde un peu moins. Ce n'est pas dommage. En ce moman, il fais mauvais tans la pluie tombe […]

*Marthe à ses parents*

Le 18 mai 1917

J'attendais tout les jours une lettre de Marcel, pensant qu'il m'annoncerait son passage, mais rien : sa permission commence a toucher a sa fin malheureusement. J'aurais été contente de le voir. Ce matin, j'ai reçu une lettre de Lucien qui est toujours dans les tranchées et trouve le temps long. Je pense que vous êtes tous en bonne santé.

Fait-il beau à Vézelay ? Ici depuis quelques jours le temps est sombre et lourd. Hier, j'étais de sortie. Je suis allée me promener avec Hortense et sa nièce. La patronne avait ete a Fontainebleau et pour la Pentecôte, elle m'y enmène. Probablement qu'il y aura du monde. Je pense toujours aller en vacances le mois prochain. Si vous avez besoin de quelque chose, dites-le moi […]

J'ai espoir d'avoir la visite de Marcel […]

*Lucien à ses parents*

Le 24 mai 1917

Je viens de recevoir le colli de singe. Je l'ais trouvé bon. Il était aussi frais qu'il était le premier jours. Ça ne devait pas en être un petit il avais un bon râble.

J'ai reçu une lettre de Charles an me disans qu'il étais demi-porsion *. Il a de la chance, tanmieux pour lui.

Ça va être la relève dans la journée du 26 au 27. Ce n'est pas trop teau, apprais 32 jours de tranchées sans pouvoir se lavé et mangé qu'une foix par jours, on peu aller au repos [...]

*Marcel à ses parents*

Le 25 mai 1917 [postée à Paris]

Repos à Lunéville et partirai le 28 pour le camp de Saffrais [Saffais] et non pour le camp d'Arches. Le régiment a été reformé avec 480 hommes de renfort.

J'arriverai le 27, juste pour prendre Azor **, direction du camp, ça me fera 22 jours d'absence. J'espère que ça passera en douce.

Marthe est en bonne santé. Elle vous embrasse ainsi que moi [...]

---

* Charles n'est pris que dans le service auxiliaire.

** Désignation argotique du sac du troupier.

*Marcel à ses parents*

Le 29 mai 1917

Je suis arrivé au camp le 27 au soir avant l'arrivée du régiment.

J'ai débarqué au même endroit que Lucien a pris le train, nous sommes au même coin que l'année dernière. On ne m'a rien dit pour ma permission.

Pendant que j'étais en permission j'ai été nommé téléphoniste en pied à la compagnie hors rang, mais comme je n'étais pas là, un débrouillard m'a grillé mon filon, c'est regrettable. Il est écrit que je n'aurai jamais de chance. C'est la fatalité. Pour moi c'était le meilleur filon que je puisse espérer.

Nous sommes au camp pour 20 à 25 jours. Bellot nous suit, Moreau l'a vu en venant. Savelly est en permission. De ce moment, il est affecté à la 18e Cie.

Moreau vous envoie le bonjour [...]

*Carte de Lucien à ses parents*

Le 23 juin 1917

Quelques mots pour vous donner de mes nouvelles. Je suis toujours au repos, le moral est bon, je pourrais tenirre. Les permissions sont dans un bon moment [...]

*Lucien à ses parents*

Le 3 août 1917

Je suis arrivé hier soir à 8 heures. Je monte ce soir aux tranchées. Le secteur n'a pas changé, il est comme d'abitude. Nous venons au repos dans la nuit de dimanche à lundi. Aujourd'hui la pluie tombe bien.

Ce soir, il va fairre bon au Chêne l'Ainé * […]

---

*Lucien à Marcel*

Le 6 août 1917

J'ai bien reçu ta carthe qui m'a fait bien plaisir. C'est domage que tu ne sois pas venu 8 jours plutôt. Tu vas aller à la pêche, l'eau n'est pas trop haute.

Je suis au repos de Dimanche pour 14 jours. Un jour que la pluie va tomber, il feau [faut] monter au Chêne l'Aîné […]

---

*Lucien à ses parents*

Le 14 août 1917

Quelques mots pour vous donner de mes nouvelles qui sons toujours bonne pour le moman. J'ai reçu des nouvelles de Marthe, elle étais à Fontainebleau. Elle m'a envoillé une pipe

* En avant du Godat, vers Neufchâtel-sur-Aisne.

de 5 francs et une bonne boîte de tabac de 1.75 [francs]. Elle doit rentrer à Paris le 15 Août. Moi pour le moman, je suis au repos, on va remonter Dimanche pour 7 jours.

Je pense que Marcel doit continuer sa chasse : les lapins à Ponpon ne doive pas avoir la pause.

Charles n'a encore rien reçu pour son départ [...]

---

*Carte de Marcel à ses parents*

Le 22 août 1917

J'ai rencontré dans le train un poilu du régiment à Lucien qui m'a dit qu'ils étaient relevés de dimanche, ils ne sont pas loin de Vitry et pensent être dirigés dans la direction de Meaux pour un repos. C'est beau, mais toujours la même chose. C'est la suite. J'ai rencontré quelques copains.

---

*Carte d'Hortense Buathier à Marcel*
[mobilisation féminine - la reine du pinard]

Le 6 septembre 1917

Je vous remercie de votre carte et je vois que partout le grain de poilu est extraordinaire. Tant mieux que vous soyez un peu embusqué. C'est bien votre tour et quand tous auront fait 3 ans comme vous. Je crois tout de même que vous aurez raison du boche. Marcel [Buathier, son frère] a demandé pour le 19, mais il ne sait pas encore si sa demande sera acceptée. Enfin, aussitôt que je saurais quelque chose je vous enverrai un petit mot. Hortense [sa fille, apparemment] est partie dans son pays. Je viens d'avoir un mot déjà depuis samedi. Je me demandais si elle était arrivée. Nous avons déjeuner dimanche à Vézelay avec Marthe et Clotilde. Lucien est aux environs de Meaux. Comme vous, il a la croix de guerre.

Amusez-vous bien – frontière suisse – bon gruyère – gentilles demoiselles.

Je vous quitte et vous embrasse

La vieille Hortense

*Marthe à Marcel*

Le 7 septembre 1917

Merci de ta carte. Je suis heureuse de te savoir maintenant à l'abri. Si seulement c'était pour longtemps. Je te remercie des nouvelles de Vézelay. Je n'ai toujours rien de Maman. La Perdrix est en vacances depuis huit jours. Elle est retournée faire un tour dans son patelin.

Je pense que Lucien est toujours au repos. Sa croix de guerre va lui valoir deux jours de permission de plus. Ici, il fait mauvais temps depuis trois jours […]

*Lucien à Charles*

Le 24 septembre 1917

J'ai reçu ta lettre qui m'a bien fais plaisir, surtout de te savoir en bonne santé.

Le repeau pour moi est fini maintenant. Nous partons demain en camions direction Soisson. Je croi bien que ça va y cogné d'ici pas tard. Tu dois savoir que Marcel a fait une bonne ouverture [de la chasse], il en a dégringoller 6 en deux jours. Ce n'est pas mal […]

*Marcel à ses parents*

Le 28 septembre 1917

Je suis arrivé au D.D. [Dépôt divisionnaire] hier à midi. J'ai fait route avec Poinsot, ancien gendarme à Vézelay, qui rentrait aussi de permission. Il vous envoie bien le bonjour.

On m'attendait au bureau et j'ai immédiatement repris mon poste.

Il est parti un renfort ce matin, très probablement qu'il n'y en aura pas d'autre avant un mois. Je pense donc être tranquille pendant ce bout de temps.

Les filons m'arrivent de tous côtés. Le chef aurait bien voulu m'avoir pour remplacer le caporal fourrier parti en renfort, mais le patron ne veut rien savoir ! Il ne voudrait pas me lâcher pour un jambon. L'un ou l'autre, ça m'est égal puisque je ne peux faire les deux à la fois. Si seulement c'était la même chose quand je serai remonté aux tranchées… !

Rien de nouveau à vous raconter, la température est toujours très chaude. Je crois bien qu'avant peu, il y aura de…

l'orage ! Ici, il n'y a pas beaucoup de tabac, mais j'ai vu de beaux petits cigares.

Avez-vous des nouvelles de Lucien et de Charles ? […]

*Lucien à ses parents*

Le 29 septembre 1917

Je viens de recevoir votre lettre. Je voi que la chasse a été bonne. J'ai reçu des nouvelles de Charles, il n'est pas contan. Il me dis qu'il ne reçoi pas de vos nouvelles. Je croi que nous allons monté dans une dizaine de jours du côté du chemins des dames […]

*Lucien à Charles*

Le 30 septembre 1917

Je viens de recevoir ta lettre qui m'a bien fais plaisir. J'ai reçu des nouvelles de chez nous et de Marcel, il est rentré de permission. Maintenan, je suis prais à monté an ligne d'ici une dizaine de jours. Du cauté du chemin des dames, ça va chier un de ces jours. Il y a quelque chose comme artillerie *.

Tu me dis que tu as reçu des nouvelles de Duvernoix. Tu lui donneras le bonjour pour moi. Tu me diras le numéro de

* En octobre, le régiment appuie l'attaque de la Malmaison qui se déroule à l'ouest du Chemin des Dames et permet une avancée.

son secteur. Marcel est en permes, il a fais une bonne chasse : 10 lièvres, 2 lapins, 3 perdrix, et le Vieux 2 lièvres […]

---

*Carte de Marcel à ses parents*

Le 1er octobre 1917

Deux mots pour vous donner de mes nouvelles.

Rien de nouveau pour le moment. Demandez donc à M. Brisdoux s'il a des nouvelles de Savelly. Le pauvre vieux, il ne devait pas être à la noce hier ! Avez-vous des nouvelles de Lucien ? Quoi de neuf pour Charles ? Il fait toujours beau temps. Tous les jours, je m'offre de fameuses salades de cresson. Il n'y a qu'à se baisser pour en faire une botte […]

---

*Lucien à ses parents*

Le 4 octobre 1917

Je vien de recevoir votre lettre qui m'a bien fais plaisir et le dix francs. Pour le moman, je suis entrain de fairre des amplassements de batterie. On as assez le filon. Ci sa pouvais duré, sa irrais bien. Je panse monter aux tranchées vers le 15 au plus tard. J'ai reçu des nouvelles de Charles et de Marcel. Il vons toujours bien. La vigne des Lavrons a bien rapporter. Je panse en trouvé quan je vais aller an permission. Il ne faut pas tuer tous les capucins, il faux m'an lesser aussi […]

*Lucien à ses parents*

Le 6 octobre 1917

J'ai bien reçu la lettre et le colli. Le lapin est trais bon. Je pensais monté aux tranchées aujourd'hui, mais ça a été reculé. J'ai reçu une carthe de Marcel et de Charles. Pour le moman, il fais un beau tans. Il gelle tous les matins. C'est ancore meilleur que la pluie […]

*Marcel à ses parents*

Le 7 octobre 1917

Chers parents,

Il y a quelques jours, j'ai eu le plaisir de faire la rencontre de ce vieux Mathé qui est venu faire un stage de cuisinier. Hier soir, nous sommes allés au cinéma. Il repart ce soir pour aller en permission demain. Le veinard, il arrivera juste pour déguster le vin nouveau. Je lui remets un paquet pour vous. C'est un sac à viande kaki (article assez rare), ça fera un paletot de chasse épatant.

Je suis toujours au bureau, je remplace l'Aspirant qui est parti en permission et, dame, j'ai eu du tracas ces jours-ci. Il est arrivé 300 à 400 hommes pour faire des stages, officiers et sous-officiers, et bien entendu, il a fallut loger tout cela. Enfin, malgré toutes les discussions et réclamations, j'ai tout arrangé et tout a bien marché.

En plus, j'avais 12 nègres à faire travailler. Ils sont partis avant-hier. Et encore une équipe de 20 travailleurs et 7 chevaux pour curage d'un ruisseau et enlèvement des terres. C'est pas le moment de dormir, il faut se débrouiller. Et en supplément, chaque matin, la corvée de quartier à faire faire, travail qui souvent ne va pas tout seul. Le plus ennuyeux, c'est d'aller emprunter des voitures chez les civils. Que de paroles il faut dire ! Comme conducteur, j'avais Porcheron de Blannay dont vous m'avez parlé.

Enfin, j'ai eu la chance d'être là, sans quoi je serais déjà aux tranchées. Le 2, il est monté un renfort de 80, et j'ai vu partir des copains qui étaient arrivés 10 jours après moi, et des vieux encore.

Il fait mauvais temps maintenant, le froid commence à se faire sentir.

Je n'ai pas encore eu de nouvelles de Moreau et de Savelly. Il y a environ 8 jours, la compagnie de Savelly a fait un coup de main qui… n'a pas réussi ! Il y a eu 9 à 10 tués ou disparus et environ 40 à 50 blessés *.

C'est de la belle besogne ! Pour faire rien !

J'ai eu des nouvelles de Charles, il attend toujours.

J'attends toujours des nouvelles de Lucien, je lui ai écrit avant-hier pour la 3ème fois. Avez-vous de ses nouvelles ? Le pauvre vieux, il ne doit pas être à la noce par des temps pareils.

Et la chasse ? Ça n'a pas l'air de marcher fort.

Je remets ma lettre à Mathé qui vous la fera parvenir et il vous donnera des détails sur mon installation […]

356e Régt Inf
20e Cie D.D.

---

* Le régiment, arrivé dans la région de Belfort fin juillet, entre en secteur dans la zone de Pfetterhausen/Seppois-Le-Bas/Courtelevant. On remarquera que l'historique régimentaire évoque un « coup de main hardi » le 29 septembre, sans dire un mot des pertes, notant seulement la prise d'abris abandonnés. Les logiques d'écriture contrastent fortement ici.

*Charles à ses parents* *

Fort de Beauregard, le 9 octobre 1917

Je viens de recevoir votre lettre qui m'a [fait] plaisir. Je suis encore au Fort, peut-être pas pour longtemps. Dimanche, une quinzaine d'auxiliaires sont descendus au centre et ils vont déjà à l'école. Je crois y descendre d'ici peu. On commence à s'ennuyer. Depuis une semaine, la pluie tombe tous les jours et il fait un froid de chien. Le matin, il y a de la gelée. Quand je serais parti, faudra m'envoyer un chandail. Surtout ne pas couper le col et essayer de faire aiguiser un rasoir parce que c'est ennuyeux pour se faire raser. Ce que je voudrais aussi, c'est une boîte à paquetage. Mais pour la boîte, j'attendrai d'aller en permission. Cette fois, c'est fini avec les piqûres. L'autre jour, on [est] passé la visite des dents. Ceux qui en ont des mauvaises vont à Dijon se les faire arranger. Je n'en suis pas. Je n'ai pas reçu de nouvelles de Marcel ni de Lucien. J'ai 5 paquets de tabac. Quand je serais partis, je les enverrais. Et pour l'allocation. il y a des moyen.

Pour la chasse, ça m'étonne de papa. Les chiens chassent ty bien. Vivement que Lucien vienne en perm. Quand il viendra, sitôt arrivé, il faudra m'envoyer une dépêche. Malheureusement , ce n'est pas demain [...]

Ecrivez moi un peu plus souvent

---

* C'est la première lettre que nous ayons de Charles à l'armée.

*Lucien à ses parents*

Le 10 octobre 1917

Quelques mots pour vous donner de mes nouvelles qui sons toujours bonnes pour le moman.

Je suis entrain de travaillé dans l'eau jusque au genoux. On a pas seulement un moment à soi. Je ne sais ancorre quand le bombardement va commencé. Il y a quelque chose comme batterie. J'ai reçu des nouvelles de Marcel et Marthe : elle m'anonce son mariage de quatre [le 4 octobre] […]

---

*Lucien à ses parents*

Le 12 octobre 1917

J'ai reçu votre lettre qui m'a bien fais plaisir. Marthe m'a écri, mais elle ne m'a rien anvoillé. Mais sur ma lettre je lui ais dis qu'elle m'anvoie quelque chosse. Depuis que je suis revenu de permission, elle m'a anvoillé une pipe de 5 francs et du tabac et un billet de 5 fr. Tu me demande si je veu quelque chosse. Ce n'est pas de refus, car dans ce moman, je la saute. Il commence à faire froid, j'amasse de l'appéti. En ce moman, il fais un tan abominable, la pluie tombe tous les jours. Je croi bien que l'offencive va être retardée. Ce n'est pas domage. J'ai reçu des nouvelles de Marcel et de Charles, ils vons toujours bien […]

De ce tan là, les capussins vons sortir des bois. Il va fairre bon sur les meurgies *.

* Les meurgies : les talus.

*Lucien à ses parents*

Le 17 octobre 1917

J'ai reçu votre lettre qui m'a bien fais plaisir. Je suis redescendu au repos pour trois ou quatre jours. On va monté sur le parapé dimanche. On va voir comme ça va se passer. J'ai reçu des nouvelles de Marcel et de Charles et Marthe. Elle m'a fais réponse sur sa lettre qu'elle ne pouvais rien m'anvoillé car elle n'avais pas fais de noce * et elle m'a fais réponse au bout de 15 jours […]

*Carte de Marcel à ses parents*

Le 25 octobre 1917

J'ai reçu 2 lettres de Lucien hier. Dans la dernière, il me disait qu'il montait aux tranchées, c'était le 18.

J'ai vu sur le journal que ça avait singulièrement donné dans son coin. Je souhaite fort qu'il ne lui soit rien arrivé **. Une petite blessure serait plutôt à souhaiter.

Il fait un temps abominable. Aussitôt que vous aurez de ses nouvelles, envoyez moi un mot […]

---

* Lucien fait allusion au mariage de sa sœur, le 4 octobre 1917, à Paris, avec Marcel Buathier.

** En fait, le régiment de Lucien est resté en réserve d'armée et s'est occupé du transport de munitions.

---

*Charles à ses parents*

Le 28 octobre 1917

Aujourdhui, dimanche repos. Il fait un temps abominable, la neige tombe. Je pensais aller en permission. Un de mes copains en a eu une, il est parti à midi 30. Alors il arrive à Vézelay à 9 h. Ça vaut le coup. Seulement ceux comme moi qui sont en cours, c'est très difficile. Je crois que Marcel devient fainéant. Depuis que je suis parti, je n'ai reçu que 3 cartes. Je ne sais pas s'il n'est pas content parce que je n'écris pas à Marthe. Lucien m'a dit qu'il lui avait demandé un colis et qu'il ne voyait pas de nouvelles. Et en même temps, il me demandait si elle m'avait écrit. Je n'ai rien reçu d'elle. Seulement, elle a le temps d'attendre avant que je lui écrive.

Il paraît que nous aurons une nouvelle tenue. On nous enlevera nos capotes bleues pour nous donner des espèces de pardessus gris comme les boches […]

---

*Charles à ses parents*

Longvic-les-Dijon
1er Groupe d'Aviation – 9e comp. quartier Guynemer B 11
Le 13 novembre 1917

Je vous écrit quelques mots. Je suis arrivé à Dijon à minuit et à Laroche à 9 h10 au lieu de 8 1/4. J'ai voyagé aux frais de la princesse. A Auxerre, les cognes demandait les perm. Il ne m'ont pas demandé la mienne. Ils m'ont pris pour un poilu du front. J'étais avec un Moriz de Foissy, un cousin à Marceau qui était avec Marcel. Il m'a dit qu'il était à Salonique. Il est venu avec moi jusqu'à Dijon. Il allait à Belfort et après en Alsace, il est aux autos. Pour l'instant, ça va pas mal : on est au montage et démontage, et mercredi, on va au dépannage. Je suis sur moteur fixe pour les avions de bombardement. Dimanche, il y en a un qui s'est cassé la geule.

Pour l'instant, il est question qu'on va aller à Bordeaux ou à Lyon. Ça, maintenant je m'en fous. Aujourd'hui, j'ai trouvé trois copains de Voutenay, un nommé Picard, mécanicien. Il est de la classe 15. Papa doit sûrement connaître son père. Il est rentré du front il y a pas bien longtemps. Queue de pot m'a dit qu'il avait fait sa demande d'élève pilote.

Bonne chance pour Lucien *, j'espère que la chasse va être bonne, il faisait un temps superbe aujourd'hui [...]

Lucien, une bonne poignée de main et surtout va au Vau l'Ane descendre une bigue. Ils ont de la veine que je suis parti.

*Charles à ses parents*

Le 21 décembre 1917

Je suis arrivé après 30 heures de voyage, c'est long. Le voyage s'est bien passé. Ici, ce n'est pas comme chez nous, il n'y a pas de neige, il fait un temps superbe. Demain matin, je passe la visite. Je suis arrivé comme disponible. Je n'ai pas longtemps à y rester. On sera habillé et harnaché et on partira pour une direction inconnue. La nourriture est bonne, seulement elle est bien épicée [...]

Papillon Charles 3ème groupe d'aviation 3ème Comp.
Mondoz – Bordeaux – Gironde

---

* En permission à Vézelay.

# LETTRES DE 1918

*Charles à ses parents*

Le 4 mars 1918

Chers parents,

Je viens de recevoir votre lettre ainsi que les 10 f, ce n'est pas la peine de m'en envoyer plus, j'en ai grandement assez. Tous mes compliments pour la chasse. Depuis quelques jours, la neige tombe et aujourd'hui, il y a au moins 10 degrés. Je me suis couché hier à 3 h du matin, il ne faisait pas chaud. En ce moment, ça barde. Hier un copain que son moteur a calé en l'air. On parle de lui foutre de la tôle et ici, la tôle se fait en 1ères lignes. Mais il n'y a qu'à faire attention. En ce moment, il passe des marocains. Ça doit barder au front. Il y a longtemps que je n'ai rien reçu de Lucien et de Marcel, je ne sais pas ce qu'ils deviennent […]

---

*Marcel à ses parents*

Le 26 mai 1918

Je vous envoie ce mot par un permissionnaire pour vous faire parvenir plus rapidement de mes nouvelles.

Je suis en ce moment à Picquigny, un peu en arrière d'Amiens.

Nous faisons partie d'un corps d'armée de réserve avec

tanks pour parer à l'attaque boche. On ne trouve pas grand-chose dans le pays. Vin : 4 f le litre, plus de cidre, on boit du lait, régime de malade.

Je ne sais pas si j'aurai la chance d'aller en permission avant de monter au casse-gueule ! Tous les soirs, le canon tonne c'est formidable *.

Bonne permission pour les frangins [...]

*Marcel à ses parents*

Le 2 juin 1918

On nous a vivement descendu de la Somme en camion-autos.

Depuis 2 jours, nous sommes aux prises avec les Boches aux abords de Château-Thierry. Ce n'est pas beau !

Je crois que jamais je n'ai encore tant souffert. Je ne tiens plus debout.

Quelle chaleur ! C'est triste, pauvres gens ** ! [...]

---

* Depuis mars, les Allemands sont passés à l'offensive.

** Dès le débarquement du régiment à la Ferme de Paris, la formation de combat est prise, les soldats sont jetés devant les Allemands. La situation était critique en apparence : après avoir rompu le front sur le Chemin des Dames le 27 mai, les Allemands ont atteint la Marne le 30 mai. Les 1er et 2 juin sont des jours d'intenses combats à l'ouest de Château-Thierry car, selon l'historique régimentaire, « les Allemands, dont le nombre de mitrailleuses est devenu impressionnant, déferlent vers la Marne à la faveur des champs de seigle et des fermes abandonnées ». L'offensive s'arrête bientôt devant les résistances alliées (avec des troupes américaines).

*Lucien à ses parents*

Le 8 juin 1918

Je n'ai pas ancore reçu de vos nouvelles. L'autre jour, j'a vu le régiment à Ciroco.

Marcel est au repos à 6 Kilomètre de moi, mais ce m'est impossible d'aller le voir. L'autre jour, nous avons passé un couple d'heure ensemble *. Voilà déjà 6 jours que nous couchons dans les bois. Ça peu aller, il fais toujours beau [...]

*Lucien à ses parents*

Le 15 juillet 1918

J'ai passé un beau 14 juillet dans mon trou. Comme les blairaux de la fontaine nouvelle. Le matin, au petit jour, les boches nous ont envoyé un beau colli de cigaras. La distribution a durré 1 heure 1/2. Le surplus que nous avons eu pour le 14 juillet, c'est un cigard, un bout de jambon gros comme les deux pousses et une bouteille de champagne pour quatres, ci ons veu appeler cela du champagne... et un litre de vin par homme. C'étais cela le meilleur. J'ai reçu une carthe de Marcel du 12. Il me dis qu'il panse partir an permission dans

---

* Lucien est aux abords de la ferme d'Heurtebise, vers Prément, au sud de l'Aisne, face à l'offensive allemande. Mais le régiment de Marcel est au combat, un peu au Nord, pour repousser les Allemands les 7 et 8 juin entre Gandelu et Château-Thierry.

8 jours. En ce moman, la pluie tombe, et elle tombe depuis 9 jours […]

---

*Charles à ses parents*

Le 18 juillet 1918

J'ai reçu votre lettre hier, ainsi qu'une de Marcel me disant qu'il devrait partir en permission le 15. Il a de la veine s'il est parti, car elles sont suspendues à partir du 16. Pour le rasoir, je n'en vois pas souvent parler. C'est tout de même malheureux dans un patelin comme ça de ne pas pouvoir faire repasser un rasoir.

Pour le papier, ce n'est pas la peine de m'en envoyer. Pour l'instant, j'en trouve comme je veux et à bon marché. En ce moment, ça barde. Les boches en mettent un coup. Toutes les nuits sur le front, toutes les nuits, c'est pareil à un volcan et surtout dans la nuit du 14 au 15. L'autre jour, ils sont venus, mais ils se sont trompés. Ils ont tapé sur un camp de prisonniers, ils en ont tués 90 et blessés autant.

Hier soir, il a fait un orage terrible. Aujourd'hui, le temps est bien rafraîchi […]

---

*Lucien à ses parents*

Le 18 juillet 1918

J'ai reçu la lettre du 14 et une de Marcel du 14. Il me disais qu'il partais en permission le 15. D'après ce qu'il ce passe, je ne croi pas qu'il soit partis. Vers moi, sa barde aussi pour le moman. Je me trouve à Bussiers [Bussiares]. Je me rapelerais de l'année 1918. On en vois des durres et jamais de repos [...]

Marthe à Marcel (en permission à Vézelay)

Le 20 juillet 1918

J'ai reçu la lettre de maman par laquelle j'ai appris que tu étais en perme. Je pense que tu pourras passer par ici puisque tu as un certificat. Je serais moi aussi contente de te voir. J'ai expédié ton tabac et cadaus. J'ai defait les londres pour que tout tienne dans la boîte. D'ailleurs, tu les reconnaîtras bien. Tu dois en être en possession maintenant.

Il doit faire bon à Vézelay. Ici il fait une chaleur terrible. Tant mieux que tu sois en permission de ce moment. C'est toujours un coup de chien de passé. Les blessés arrivent en masse.

Je n'ai pas de nouvelles de Marcel * depuis quatre jours. Habituellement, il écrit plus souvent que ça. C'est peut-être un retard du courrier. Le régiment a été relevé pour être envoyé ailleurs, mais pas au repos.

Je pense que tu m'écriras un petit mot et fait ton possible pour venir [...]

* Marthe parle de son mari.

*Lucien à ses parents*

Le 30 juillet 1918

Je vous anvoie ces quelques mots pour vous donner de mes nouvelles qui sons toujours bonne. J'ai reçu des nouvelles de Marcel et de Marthe, il vons toujours biens. Nous allons monté aujourd'hui, je ne sais pas comme ça va ce passer. Dans ce moman, il fais un tan superbe, c'est le principal [...]

*Charles à ses parents*

Le 17 août 1918

J'ai reçu votre lettre, mais en ce moment j'ai beaucoup de travail très très *sérieux* à faire, alors je n'ai pas beaucoup de temps d'écrire.

Les vignes doivent être belles. Est-ce qu'il y a beaucoup de gibier cette année ? [...]

*Marthe à ses parents*

Le 27 août 1918

Chaque jour, je veux faire réponse à votre lettre qui m'a fait grand plaisir. Surtout de vous savoir tous en bonne santé. Maintenant Léon doit avoir passé la révision. [Est-ce fait ?] Ce serait mieux le contraire. J'ai reçu des nouvelles de Marcel hier. Le repos se termine et il pense retourner aux tranchées aux environs de Verdun. Il faut que je réponde à Lucien à la fin de cette semaine. Je lui enverrai une petite pièce : il y a longtemps que je ne lui ait rien envoyé. Et Charles ? J'espère qu'il va toujours bien. En ce moment, la guerre marche bien pour nous : que ça continue pour finir, tout le monde en ait bien fatigué. Mon mari est toujours en ligne. Depuis trois mois, pas un jour de repos. Il fait partie de l'armée Mangin.

Maintenant, Maman, pour tout ce que tu m'as demandé, je ne peux t'envoyer des échantillons, on en donne pas aux employés. Des catalogues, ce magasin n'en donne pas. Je pourrais t'envoyé des chaussettes pour papa ou mes frères qui te couterons meilleur marché qu'a Vézelay, de l'étoffe à chemise, des bas de fil ou coton pour coudre. Pour le prix des draps, je demanderai. En tout cas, je sais que des draps en coton coute déjà 39f 90 la paire. Nous avons le droit d'acheter que le vendredi et naturellement en petite quantité. Moi, je suis au rayon de ménage.

Pour l'instant, Paris est plus calme. Je te laisse encore ma malle en garde, ce n'est peut-être pas encore fini [...] Bien des choses de mon mari et moi [...]

---

*Charles à ses parents*

Le 4 septembre 1918

J'ai reçu votre lettre ainsi qu'une de Lucien et de Marcel.

Ces jours derniers, il ne faisait pas chaud, mais maintenant il fait une chaleur terrible.

La chasse ne tardera pas à ouvrir par ici et il y a quelques lièvres.

Le raisin va murir de ce temps-là, je crois que la vigne

doit être belle, on va pouvoir goûter le bourru *. Lonlon ne tardera pas à passer la revision.

Voilà ma nouvelle adresse : Papillon meca C.J.A.B., division de nuit, S.P. 3

*Marcel à Charles*

Le 10 octobre 1918

Je suis à l'hôpital de Troyes, légèrement blessé à la tête, ce n'est rien. Dans quelques jours, je pense partir en convalo pour 20 jours. J'ai été blessé le 8 au matin sur le plateau d'Orfeuil par un obus de 150 qui a été éclaté à 2 mètres de moi. C'est une veine de n'avoir pas plus de mal ** […]

* Bourru : vin en fin de fermentation, encore chargé de gaz carbonique et non encore clarifié.

** Le 3 octobre le régiment arrive à Somme-Py où les Allemands résistent et attaquent Orfeuil, au nord, sous un feu continu d'artillerie (notamment des obus à gaz). Le 8, le jour où Marcel est blessé, le bataillon attaque en première ligne le Bois du Coq rempli de mitrailleuses. L'historique régimentaire évoque « un déluge inouï de projectiles ». L'artillerie française tire aussi trop court et cause des pertes (sur cette question, voir Percin, 1921). C'est ici l'occasion de rappeler que les pertes de la Grande Guerre ont été provoquées principalement par les tirs d'artillerie et de mitrailleuses, même s'il y eut des corps à corps (l'historique régimentaire en signale ce jour-là, mais l'expression est parfois une figure rhétorique imposée dans ce genre de textes). Dès juillet, les offensives allemandes ayant été arrêtées, la supériorité des Alliés leur permit de passer à la contre-offensive sur l'ensemble du front, face à une armée allemande qui continuait à se défendre avec énergie.

21e Corps d'armée – 174e Régiment
167e Division d'infanterie
**Citation à l'ordre No 107 du 27 octobre 1918**

Le Lt-colonel de Misceault, commandant le 174e Régiment d'infanterie cite à l'ordre du régiment Papillon Lucien, No de matricule 15098 grade soldat.

Motif de la citation : soldat courageux et plein d'entrain. S'est comporté brillamment au cours des combats des 26 et 28 septembre 1918, faisant preuve d'audace et du plus bel esprit de sacrifice, contribuant à la capture de 4 canons contre tanks, de 2 mitrailleuses et de plusieurs mitraillettes *.

Certifié conforme le 3 décembre 1918

---

* Dans les combats au nord de Suippes lors de l'offensive de l'armée Gouraud (à laquelle appartient aussi la division de Marcel).

## POSTFACE

# Du Bois-le-Prêtre au « Front intérieur ». Les expériences de guerre des Papillon

Dans son ouvrage fondamental sur le témoignage des combattants de la Grande Guerre, Jean Norton Cru ouvrait, après « Journaux », « Souvenirs » et « Réflexions », la rubrique « Lettres » en remarquant : « Il y a en France plusieurs millions de liasses de lettres de guerre dans les tiroirs[1]. » Comme les carnets de combattants, les correspondances qui avaient déjà été publiées pendant la guerre et dans les années vingt émanaient des intellectuels. Il fallait s'intéresser aussi aux non-professionnels de l'écriture, et faire connaître des textes que ni eux-mêmes ni leur famille n'auraient estimés « dignes » de l'édition. Les « idées de mai 68 » favorisèrent une telle démarche[2]. La parution, en 1978, des carnets de guerre d'un tonnelier, titulaire du seul certificat d'études primaires, mais capable de rédiger une grande œuvre[3], précéda l'édition d'un riche recueil de lettres de poilus du Midi (1985)[4]. En lien avec la place croissante de la Grande Guerre

1. J. N. Cru, *Témoins, Essai d'analyse et de critique des souvenirs de combattants édités en français de 1915 à 1928*, Paris, les Etincelles, 1929 [réédité par les Presses Universitaires de Nancy, 1993], p. 492.

2. Voir R. Cazals et F. Rousseau, *14-18, Le cri d'une génération*, Toulouse Privat, 2001, p. 129-140.

3. *Les Carnets de Guerre de Louis Barthas, tonnelier, 1914-1918*, Paris, Maspero, 1978 [réédité en collection de poche, Paris, La Découverte, 1997].

4. G. Baconnier, A. Minet et L. Soler, *La Plume au fusil. Les Poilus du Midi à travers leur correspondance*, Toulouse, Privat, 1985.

dans l'espace public [1], le mouvement s'est accéléré au cours des dernières années du XXe siècle. Désormais s'accumulent les publications des lettres d'un mari à sa femme ou d'un fils à sa mère, pieusement conservées au foyer familial. Parfois, quand le soldat a gardé et rapporté les lettres de l'épouse, on peut suivre l'échange. Signalons encore cette découverte dans un même carton : les missives d'une jeune femme envoyées à un officier d'artillerie, qui n'était pas son mari, et les lettres de ce dernier à son père, sa mère et sa sœur [2]. Ici, on vient de lire le résultat d'une trouvaille étonnante dans les « archives » de simples Français de milieu populaire, ceux dont les trésors de papier avaient longtemps dormi dans des armoires ou des boîtes à chaussures [3]. Ces échanges entre les membres d'une même famille – dont trois présents sur le front, tandis que la sœur raconte Paris en guerre – offrent un ensemble tout à fait original. Ils livrent une multiplicité de points de vue sur le conflit, en même temps qu'une lecture croisée des expériences de chacun.

*Ecrire au pays.*

Chaque type de documents utilisés par l'historien présente sa spécificité et doit être abordé avec des précautions particulières. Une correspondance est datée ; la question d'une éventuelle réécriture tardive ne se pose pas, car il n'y aurait, ici, aucun enjeu. Par contre, les soldats savent que leurs lettres peuvent être lues par la censure. « En ce moment, écrit Joseph Papillon le 18 janvier 1915, ça barde pour la correspondance. On est puni de prison si on marque le nom du pays où l'on est. » Mieux valait, aussi, ne pas critiquer la guerre et la façon dont elle était menée.

---

1. S. Audoin-Rouzeau, « La Grande Guerre, le deuil interminable », *Le Débat*, 104, mars-avril 1999, p. 117-130.

2. S. Decobert, *Lettres du front et de l'arrière (1914-1918)*, Carcassonne, Les Audois, 2000. La première partie de ce livre est une réflexion très fine sur la correspondance en temps de guerre.

3. Voir également Jacques Lovie (éd.), *Poilus savoyards (1913-1918). Chronique d'une famille de Tarentaise*, Chambéry, Gens de Savoie, 1981.

Mais les lettres des frères Papillon, celles de Marcel en particulier, n'ont visiblement pas tenu compte de la censure sur ce point : les sentiments de Marcel sont clairement exprimés.

Un classement chronologique s'imposait. Il restitue le rythme de la guerre ; il montre convergences et oppositions, à un même moment, entre les lettres des frères mobilisés, selon la proximité du danger. Il fait apparaître évolutions, lassitudes, répits. Cette guerre n'est pas de Cent Ans, selon l'expression de Marcel, mais elle dure suffisamment pour puiser toujours plus profond dans les jeunes classes. Les messages se croisent : l'information donnée par un membre de la famille est répercutée de l'un à l'autre ; on répond, directement ou indirectement, aux demandes de nouvelles. Cela est particulièrement fort au cours des semaines de novembre 1915, lorsque Joseph ne répond pas, quand la famille continue à ignorer sa mort, s'interroge, recule devant la triste vérité.

Les archives familiales Papillon ont pu exister parce que frères et sœur appartiennent à une génération qui a connu l'école primaire gratuite et obligatoire bien installée (les parents eux-mêmes savent lire et écrire). Mais l'école de la III<sup>e</sup> République n'a pas donné à chacun le même bagage, comme l'historien peut le constater à la lecture d'autres carnets et d'autres correspondances. Ici, les contrastes existent au sein de la même famille et de la même génération. La préface d'Antoine et Madeleine Bosshard a déjà souligné le cas de Lucien, créateur de mots savoureux (la « saldepolisse »), dont on arrive toujours à suivre le récit pittoresque (« les ras qui nous sussais les doits de piets »), et qui demande à lire (il faut « mécrire de tan en tan »). Le plus instruit, Marcel, se tient au courant des nouvelles internationales, mais on sent bien que ce qui l'intéresse, c'est leur impact familial : l'entrée en guerre de l'Italie pourrait hâter la fin des souffrances ; ou encore, sachant ce qui se passe dans les Balkans, mieux vaut que le jeune frère ne se porte pas volontaire pour y partir…

Comme cela a été généralement constaté pour les Savoyards, les Audois, les Cantaliens, ou les Drômois, les Papillon entretiennent un fort rapport au « pays », qui est leur petite patrie. Sur le front, ils sont friands des nouvelles du pays parce qu'elles viennent d'un espace qui est le leur et où la vie du temps de paix se poursuit, même si les conditions ne sont plus exactement les mêmes. A travers les informations reçues, ils retrouvent le rythme d'une vie qu'ils ont dû interrompre : mener la charrue, aller à la foire, faire l'ouverture de la pêche... La chasse occupe une grande place dans la correspondance. On en rêve, et on ne se contente pas de la chasse aux poux en attendant le retour au pays en permission. Sur le front, on peut parfois tirer quelque gibier, poser des collets ou relever les prises aux collets tendus par d'autres (quelle joie quand le fantassin peut jouer un tour aux artilleurs !). Si, chez certains soldats, la guerre emprunte les mots, les pratiques ou les postures de la chasse[1], chez Marcel Papillon, on a comme l'impression d'une volonté de substituer, au front même, dès que possible, la chasse à la guerre, rétablissant ainsi une continuité avec les activités d'avant-guerre. Sans oublier la cueillette : salade de cresson en quantité ; asperges qui rappellent celles du pays, au moment même où les parents Papillon en envoient à leur fille, domestique à Paris.

Les nouvelles d'accidents venus du pays peuvent mobiliser l'attention. Aux tranchées, les frères Papillon apprennent la mort d'un voisin pris, à Vézelay même, dans un éboulement de terrain. C'est qu'on peut mourir aussi à l'arrière. Dans *La Plume au fusil* figurent quelques lettres de poilus de Castres (Tarn) s'inquiétant pour leurs familles, lors de l'explosion de la poudrerie de cette ville : « Donne-moi des détails et s'il ne vous est rien arrivé de fâcheux vu que la maison n'est pas bien éloignée[2]... » Quant aux nouvelles du front destinées à être lues au pays, elles intègrent les repères de Vézelay pour donner à estimer distances (« Figurez-vous que nous soyons au Château et que Pont-à-Mousson soit Saint-Père... ») et dimensions (« J'ai vu un trou de 420 [provoqué par un obus de ce calibre], c'est formidable, on y mettrait facilement la petite maison du Crot »).

1. A. Loez, « L'Œil du chasseur. Violence de guerre et sensibilité en 1914-1918 », *Cahiers du Centre de recherches historiques*, EHESS, 31, avril 2003, p. 109-130. Daniel Mornet, évoquant la chasse au front, note : " Mais il n'y a rien de tel pour oublier la chasse aux Boches que l'illusion d'un braconnage " (*ibid.*, p. 113-114).

2. *La Plume au fusil*, *op. cit.*, p. 319.

*Expériences de guerre.*

Au front, à la vérité, le « pays » n'est pas tout à fait perdu puisque l'on retrouve des camarades qui en sont originaires. La correspondance de Marcel est très éclairante à cet égard. Il transmet à plusieurs reprises à ses parents, les salutations de copains qui sont à ses côtés. « Savelly et Moreau vous envoient le bonjour » (22 février 1915). Des réseaux de nouvelles et de transmission (d'argent même, voir la lettre du 17 septembre 1915) assurent ainsi la circulation entre le front et l'arrière, grâce aux permissions notamment[1].

Pour les soldats, ces solidarités de groupes de camarades sont essentielles. A travers les lettres de Marcel, on perçoit plusieurs moments de cette sociabilité de poilus – ici elle ne correspond pas *stricto sensu* à une petite unité de combat – qui rassemble toujours les mêmes amis (Moreau, Savelly, Simon...), lorsque les affectations et les situations des uns et des autres le permettent : on boit et on mange ensemble, parfois en lien avec une « partie de chasse »[2], on rédige son courrier de concert[3], on se fait tirer un portrait collectif[4]. Dans la Grande Guerre, comme après, la « dynamique des petits groupes » joue un rôle décisif pour les combattants[5] : ils y puisent des éléments de résistance aux conditions de la guerre comme des motivations pour la continuer : « Soutien, secours, sauvegarde, fraternité, famille de substitution, les camarades sont tout cela à la fois[6]. » La mort de Simon illustre le coup porté au groupe mais aussi la solidarité qui s'exerce autour du soldat tué. Marcel et Savelly remettent en

1. Cf. la lettre du 7 septembre 1915.

2. Cf. notamment les lettres du 11 février, 13 avril, 21 octobre, 7 novembre, 17 décembre 1915, du 28 janvier, 11 et 13 février, 13 octobre 1916.

3. 1er avril 1915, 10 octobre 1916.

4. 26 avril et 23 novembre 1915.

5. Voir, en quelques mots, J. Keegan, *Anatomie de la bataille. Azincourt 1415, Waterloo 1815, La Somme 1916*, Paris, Robert Laffont, 1993, rééd. Pocket « Agora », p. 29-30.

6. F. Rousseau, *La Guerre censurée. Une histoire des combattants européens de 14-18*, Paris, Editions du Seuil, 1999, p. 117.

ordre « avec des branches de sapin et quelques fleurs la tombe de ce pauvre Raymond »[1]. Cette fidélité aux morts se retrouve plus généralement parmi les poilus puis dans « l'esprit combattant » mis en valeur après guerre[2]. Les soldats cherchaient souvent, dans la mesure où le contexte le permettait, à donner une sépulture décente à ceux d'entre eux qui avaient succombé. Certes la cohabitation avec les corps de camarades tombés, avec des cadavres décomposés ou déchiquetés fait partie de l'expérience quotidienne du soldat de la Grande Guerre. Marcel évoque ainsi les « lambeaux de chair » et les membres accrochés aux arbres sans excès d'émotions (17 mai 1915). Est-ce à dire que les combattants entretenaient un rapport banalisé avec ces corps morts ? Il y eut certainement des formes de trivialisation lorsque, par exemple, un cadavre servait de point de repère pour se déplacer, ou d'appui pour les armes[3]. Emile Clermont note ainsi, évoquant des cadavres, « cette sorte d'indifférence que la guerre amène très vite[4] ». Mais ce n'est là qu'un aspect des choses. L'influence de ces visions de mort dépend de la situation spécifique du soldat. Pierre Chaine le dit bien dans ses *Mémoires d'un rat* : « Nos impressions ne sont pas proportionnées à l'horreur des images que nous percevons. L'intensité des émotions provoquées en nous par les mêmes objets varie tellement selon notre état d'esprit ! Un brancard anonyme recouvert de toile, si on le rencontre quand on monte en ligne dans un mauvais coin, frappe davantage l'imagination que les débris humains sur lesquels on piétine à la relève alors que chacun trouve dans sa propre existence un motif suffisant d'optimisme[5] ». Bien des témoignages soulignent encore l'effet démoralisateur, avant l'attaque, de la vue de cadavres alignés devant la tranchée. Chez Marcel, en certains

---

1. Lettre du 16 octobre 1915.

2. A. Prost, *Les Anciens Combattants et la société française, 1914-1939*, Paris, Presses de la FNSP, 1977, vol. I.

3. G. L. Mosse, *De la Grande Guerre au totalitarisme. La brutalisation des sociétés européennes*, Paris, Hachette, 1999, p. 10. Voir un exemple de cette « trivialisation » du corps de l'ennemi, *in* Frederic Manning, *Nous étions des hommes*, Paris, Phébus, 2002 [1re éd. en anglais, 1929], p. 37-40.

4. E. Clermont, *Le Passage de l'Aisne*, s. l., Soissonnais 14-18, 2002, p. 101.

5. P. Chaine, *Les Mémoires d'un rat*, Paris, L'œuvre, 1917, p. 11.

moments, la démesure du carnage l'emporte sur l'endurcissement, l'habitude et la trivialisation des corps éteints. L'engagement demandé aux soldats dépasse l'acceptable [1]. L'attaque d'avril 1915 au Bois-le-Prêtre (bataille de la Woëvre) pousse Marcel à bout. Il évoque le « terrain [...] en entier arrosé de sang ». « Les morts couvrent le terrain. Boches et Français sont entassés les uns sur les autres, dans la boue. On marche dessus et dans l'eau jusqu'aux genoux » [2]. Plus rien d'anodin dans ces cadavres. Son camarade Combes ressent un étourdissement similaire à Verdun, dans « ces parages de mort ». Plus d'« indifférence » ici non plus : « L'imagination la plus féroce ne peut concevoir un pareil enfer. » A nouveau les corps déchiquetés et l'odeur des cadavres abattent le soldat : « Jusqu'ici, je n'avais pas été habitué à courir sur des morts ; lorsque l'occasion vous oblige à le faire, dame ! ça vous fait tout de même quelque chose. »

Les corps des soldats pouvaient être inhumés dans des fosses communes, des tombes individuelles plus ou moins éparses, ou encore dans des cimetières civils ou militaires, de plus en plus organisés : Joseph est enterré dans celui de Mourmelon-le-Petit, et Raymond Simon à Montauville [3]. En 1915, une instruction recommande en effet d'éviter les tombes éparses et les fosses communes [4]. Encore faut-il identifier le corps. Ce ne fut pas toujours le cas et environ 250 000 tués au combat restent dis-

---

1. Sur ces questions, cf. L. V. Smith, *Between Mutiny and Obedience. The Case of the French Fifth Infantry Division during World War I*, Princeton, Princeton University Press, 1994.

2. Voir le témoignage sur cette attaque d'avril 1915, plus héroïque – et dont J. N. Cru montre les limites (*op. cit.*, p. 292-294) –, de J. Dieterlen, *Le Bois-Le-Prêtre (octobre 1914-avril 1915)*, Paris, Hachette, 1917, p. 233 s., et celui du général H. Lebocq, *La Division du Bois-Le-Prêtre*, Nancy, Imprimerie Centrale de l'Est, p. 17 s., qui écrit : « Notre infanterie progresse, mais au prix de quelles pertes » (p. 21).

3. Sur la question des cimetières militaires, cf. notamment Th. Hardier, J.-F. Jagielski, *Combattre et mourir pendant la Grande Guerre (1914-1925)*, Paris, Imago, 2001, p. 224-230.

4. Y. Pourcher, *Les Jours de guerre. La vie des Français au jour le jour entre 1914 et 1915*, Paris, Plon, 1994, rééd. Hachette-Pluriel, p. 467.

parus. Lucien est d'abord noté « disparu » dans le journal de marche du régiment pendant l'offensive de Champagne. Puis il est retrouvé blessé alors que dans beaucoup d'opérations, de nombreux soldats tués ne sont pas retrouvés. Les corps perdus ou non identifiés signifient qu'autant de familles sont restées sans rien savoir de précis sur le destin final de leurs proches. On mesure bien, à suivre les demandes de renseignements de la famille Papillon sur la mort de Joseph, à quel point savoir est important pour faire son deuil. Marcel lui-même écrit le 27 novembre : « Je veux savoir où il est enterré et dans quelles circonstances il a péri », puis le 30 : « De toutes façons, je ferai tout mon possible pour que quelqu'un aille reconnaître la tombe de ce malheureux Joseph. C'est terrible, je ne peux pas y croire. » Il exprime ensuite sa satisfaction « de savoir que les amis de Mad[ame] Collio ont vu la tombe de ce pauvre Joseph. S'il y a moyen, je voudrais bien que l'on y fasse mettre une couronne, tu en parleras à Marthe ». Celle-ci veut aussi, dès ce moment, le retour du corps : « Je suis de son avis qu'après la guerre, on ramène Joseph. Ne pas le laisser seul là-bas » (7 décembre). Une couronne est finalement déposée par une habitante de Mourmelon-le-Petit. Le corps de Joseph sera transféré à Vézelay après la guerre[1].

L'histoire de ces corps de la Grande Guerre apparaît bien comme une histoire totale qui, au-delà du massacre initial, implique l'État, les familles, les populations des zones de combats, telle l'intermédiaire évoquée qui va déposer une couronne sur la tombe de Joseph, et bien d'autres acteurs encore[2].

La correspondance des Papillon présente aussi toute la palette des souffrances ordinaires des poilus. La tranchée est décrite pleine d'eau et de boue par Marcel en fin 1914[3] et encore en avril 1915. Au fameux Bois-le-Prêtre, celui-ci se dépeint « dans l'eau et la boue jusqu'à mi-jambe, c'est affreux. On est littéralement enduit de boue ». Lucien, lui, pendant l'été 1915, se

1. Voir ici p. 255.
2. Sur tous ces aspects, voir notamment T. Hardier, J. F. Jagielski, *op. cit.*
3. Au même moment, l'officier d'artillerie Sampiero Gistucci écrit à sa famille : « Notre plus grand ennemi, c'est la boue et l'humidité » (*Les Bleues. Un officier corse à la guerre de 1914-1918*, Ajaccio, La Marge édition, 1989, p. 41).

plaint à plusieurs reprises de la nourriture et de l'eau « qui est moitié ampoisonné » (10 juillet). Les poux dévorants (13 mars 1915) et les rats envahissants (5 octobre 1916) ne sont pas oubliés. Il convient de remarquer que, chez l'un comme chez l'autre, ces descriptions terribles semblent souvent ramassées dans le temps. Les conditions objectives pèsent ainsi plus ou moins selon la situation d'ensemble du soldat et ses horizons d'attente du moment. Il les tait ou il les dit. Marcel, plus que ses frères, tente fréquemment de *qualifier* ce qu'il vit, de faire apparaître l'horreur de son expérience. Dès septembre 1914, il nomme « carnage » le combat de Lironville. Mais c'est pendant la bataille de la Woëvre que le vocabulaire de l'horreur s'étend considérablement. Si Marcel évoque, de nouveau, le « carnage » (1er avril 1915), il parle aussi de « l'enfer » (1er avril) puis de la « boucherie » et du « massacre » (7 avril) [1]. Il reprend le même lexique le 13 avril. La mort de son ami Simon lui fait encore s'indigner d'« une boucherie pareille » (18 avril). Par rapport à l'ensemble de la correspondance, la concentration est ici extrême. Avec la mort de Joseph, l'écriture de Marcel retrouve un tel paroxysme expressif : « c'est bien de l'extermination des hommes ! » (29 novembre 1915). Les mêmes termes avaient déjà désigné les combats du Bois-le-Prêtre en janvier 1915, dans lesquels le régiment de Marcel n'était pas directement engagé, comme s'ils indiquaient, à la différence des mots évoqués précédemment, une prise de distance qui évalue la situation en soi, hors de son expérience directe. L'amenuisement de la correspondance après 1915 rend difficile la comparaison avec la suite de la guerre, même si les Papillon semblent subir durement, en particulier, l'offensive allemande en 1918.

L'expérience vécue par Marcel le conduit très vite à souhaiter la fin des hostilités, sans exprimer beaucoup d'enthousiasme au combat. Dès septembre 1914, il écrit « Vivement la fin », ce qu'il répète à plusieurs reprises durant les mois suivants. En novembre, il rapporte sans critique véritable, les trêves, cette

1. Du front belge, au même moment, un soldat, catholique, largement hostile aux « sales boches », écrit : « c'est pas une guerre c'est un véritable carnage une boucherie », (Lettre du soldat Barrau, 30 mai 1915) (coll. N. Offenstadt).

forme d'échange constitutive du « vivre et laisser vivre [1] », dont il entend parler : « Tout à côté de nous, au Bois-le-Prêtre, ou les tranchées ne sont guère qu'à 50 mètres les unes des autres, on devient sociable. Il paraît que les sentinelles se donnent des pipes de tabac. Il est vrai que ces Boches sont Alsaciens, Lorrains. » Dans les moments paroxystiques, comme en avril 1915 au Bois-le-Prêtre, la lassitude devient rejet complet d'un conflit, véritable « massacre » (7 avril) : « j'en ai plein le dos ». La mort serait même une « délivrance » (13 avril). Celle de Simon contribue à l'abattement complet : « on en voit de trop » (18 avril). A l'été – on approche de la première année de guerre – la critique devient virulente, d'autant plus que Marcel vit par lettres interposées les expériences de Lucien, qui vient d'arriver au front, dans le secteur difficile de l'Argonne : « Je commence à être dégouter singulièrement », écrit-il le 19 juillet. Joseph aussi exprime parfois sa lassitude de la guerre, sans doute de tonalité différente : « Il dit que le métier commence à le fairre chier [2] » à un moment, pourtant, où son régiment n'a pas été directement engagé (il est resté en réserve, comme troupe d'exploitation, lors des offensives d'Artois). Lucien, à son tour, dit, en des mots simples, son ras-le-bol de la guerre : « Je commence [à] an avoir assez de ce métier là » (8 septembre 1916). De nouveau, certains moments cristallisent le rejet du conflit. En avril-mai 1917, au moment des offensives Nivelle, le propos devient répétitif : « Je commence an avoir assez » (29 avril et 10 mai), « ça commence à bien fairre » (11 mai). Il est vrai que le régiment est lancé, en mai, dans de vaines attaques à l'est du Chemin des Dames. Cela dit, Lucien ne monte presque jamais son propos en généralité, au-delà de son sort propre.

1. T. Ashworth, *Trench Warfare, 1914-1918. The Live and Let Live System*, Londres, rééd. Pan Books, 2000, 266 p. Cette remarque de Marcel est un témoignage de plus sur ces fréquentes trêves et fraternisations, qui contrairement à ce que croient parfois ceux qui s'inquiètent de leur survalorisation, n'ont pas été sérieusement étudiées du côté français. Elles abondent, avec tout un ensemble de nuances et de gradations, dans les archives militaires et les textes de soldats.

2. Lettre de Lucien du 23 juin 1915, voir aussi celle de Joseph du 12 juin 1915 : « … mais je me fais chi… ».

Ces résistances discursives des Papillon aux conditions qui leur sont faites, avec leurs nuances, prennent parfois appui sur le souhait ou le contentement de la « bonne blessure », celle qui éloigne du front sans trop abîmer[1]. Lorsqu'il est blessé pendant l'offensive de Champagne, en Argonne, Lucien commente : « C'est le bon fillon. J'ai eu de la venne [veine] d'aitre blessé, s'étais affreux » (27 septembre 1915). A l'hôpital, il écrit encore : « Je suis mieux là que dans les tranchées ». Selon la même logique, certains soldats, parfois en nombre, en sont venus à se mutiler volontairement pour échapper au front[2]. Marcel est « très heureux » pour son frère de cette blessure[3]. Mieux, en juillet 1916, avant l'engagement dans la bataille de la Somme, Lucien souhaite une nouvelle blessure : « Ca serais le fillon ». En octobre 1917, au moment de la bataille de la Malmaison sur le Chemin des Dames, Marcel s'inquiète pour son frère : « Une petite blessure serait plutôt à souhaiter. » Pour sa part, il cherche des emplois moins exposés lorsqu'il le peut Toutes ces formes de résistance relativisent, on le comprendra sans peine, les propos de ceux qui arguent notamment de l'absence de révolte (qui ne dit mot consent) pour soutenir que les soldats adhéraient au conflit mené, sans démontrer le lien « de ce qui est subi à ce qui est choisi, du collectif à l'individuel, des pratiques à l'attestation d'un état d'esprit[4] ». Endurer n'est pas assumer, souligne Nicolas Mariot.

Il convient cependant de ne pas isoler ces différents propos de l'ensemble de la correspondance, qui montre, comme chez beaucoup de poilus, des sentiments complexes, et variables dans le temps et selon la situation de l'unité. Relisons les citations précédentes. Le terme de « métier » employé par Lucien - que l'on retrouve aussi chez Marcel[5] – met en lumière une dimension

1. Voir un autre témoignage de ce souhait courant des poilus, *in* Edouard Deverin, *R.A.S. Du Chemin des Dames au G.Q.G., 1914-1919*, Paris, Les Etincelles, 1931, p. 144.

2. Cf. N. Offenstadt, *Les Fusillés de la Grande Guerre et la mémoire collective (1914-1999)*, Paris, Odile Jacob Poches, 2002 [1re éd. 1999], p. 45-49.

3. Lettre du 4 octobre 1915.

4. N. Mariot, « Faut-il être motivé pour tuer ? Sur quelques explications aux violences de guerre », *Genèses*, no 53, décembre 2003, à paraître.

5. Voir les lettres du 25 ou du 29 mars 1915.

importante de l'expérience combattante, soulignée par Antoine Prost : « la conscience professionnelle ». « Faire la guerre devient un métier qu'il faut faire comme un autre »[1]. A son petit frère, Marcel fait ainsi part d'un fatalisme apaisé le 20 février 1915 : « Je prends les jours comme ils viennent », et le 25 mars, il se présente à ses parents plein d'aplomb : on se rit des obus et l'on veut continuer (« je ne demande pas à être malade »). Pour Joseph, peu exposé[2], la guerre, ce peut être « la bonne vie » alors que son frère s'épuise au Bois-le-Prêtre (avril 1915). Mais Marcel, alors au repos, employait exactement la même expression plus de deux mois auparavant (5 février 1915). Il serait vain de chercher une parole plus vraie (la révolte) qu'une autre (l'habitude), tant les propos des soldats s'ancrent dans leurs expériences du temps court, qui activent des systèmes de référence différenciés[3].

Ce disant, il faut aussi se rappeler que les combattants ont une stratégie d'écriture vis-à-vis de leur famille. Ils se forcent souvent à ne pas trop inquiéter[4]. Ainsi, Albert Gotteri, un soldat du même régiment que Marcel, écrit-il à un ami et associé, en évoquant sa « vie de l'orang outang » dans les bois et la dureté de la bataille de Limey-Lironville. Il évoque l'éclat d'obus qui l'égratigna et la balle qui traversa son sac pour « enlever la moitié de la figure de mon voisin de droite. Quant à mon voisin de gauche, il était mort depuis longtemps ». La conclusion du texte éclaire la fadeur relative des autres lettres de la correspondance : « Je n'ai, naturellement, rien raconté de tout cela à ma femme et je te serai reconnaissant de ne lui en rien dire, pas plus qu'à mes parents, qui me croiraient déjà mort ; je leur ai toujours laissé entendre que mon régiment était toujours en réserve ; ce qui du reste, était vrai jusqu'au 20 septembre der-

---

1. A. Prost, « La guerre de 1914 n'est pas perdue », *Le Mouvement social*, 199, avril-juin 2002, p. 101 ; cf. aussi N. Mariot, art. cit.

2. Cf. sa lettre du 26 novembre 1914 : « Pour le moment, je ne suis pas en danger. Je ne suis jamais aller au feu. Comme ouvrier, je suis au convoi », et celles du 18 janvier, 18 février 1915.

3. Le modèle développé par Luc Boltanski et Laurent Thévenot (*De la justification. Les économies de la grandeur*, Paris, Gallimard, 1991) pourrait permettre de pousser plus avant l'analyse.

4. Voir R. Cazals, F. Rousseau, *op. cit.*, p. 21-27.

nier[1]. » Marcel, lui, se demande en mai 1915, s'il n'en a pas trop dit dans ses lettres aux parents : « car vous avez déjà assez de préoccupations sans cela ». Gotteri n'écrira alors plus rien : il est tué le 1er au Bois-le-Prêtre, la tête fracassée par un obus. Comme Simon, il est enterré au cimetière de Montauville.

Pour Marcel, ainsi que pour bien d'autres soldats, le rapport à l'ennemi n'est pas constant. Il oscille entre la compréhension d'individus qui partagent le même sort (« Ils sont comme nous, ils auraient grand besoin d'être rétamés à neuf[2] ») et l'hostilité déclarée aux « cochons de Boches[3] ». Au-delà des mots, que peut-on percevoir des pratiques de violence chez les Papillon ? Il apparaît que ces pratiques relèvent, chez Marcel, pour une part, de l'actualisation d'une vengeance traditionnelle, régulée et contrôlée[4]. Il y a d'abord l'épisode symptomatique de l'intrusion allemande dans la tranchée française (juillet 1915). Marcel tire alors « dans les fesses » du soldat allemand qui vient de lui prendre son soulier, comme il l'aurait peut-être fait pour un simple voleur à Vézelay. Ce n'est pas cette violence directe qui satisfait Marcel mais seulement le fait de récupérer son soulier sur celui qui avait eu « le culot d'entrer dans [sa] cabane ». Peu auparavant, Marcel semblait approuver les Crétois qui « vengèrent » les camarades tués dans une violente contre-attaque allemande, d'autant plus qu'un lieutenant apprécié de lui a disparu. A la vengeance traditionnelle s'ajoute en effet celle reliée à la forte camaraderie évoquée précédemment : les responsables de morts ou de mauvais coups – qui ont parfois brisé le « vivre et laisser vivre » du secteur – devenant, pour les soldats, des ennemis personnels plus que des adversaires abs-

1. Lettre d'Albert Gotteri, 3 octobre 1914, recopiée par son père, document relié à la suite d'un ouvrage sur le Bois-le-Prêtre en possession de Régis Tessier que nous remercions.

2. Lettre du 30 janvier 1915.

3. 21 et 28 mai, 9 juin 1915.

4. Sur la vengeance en histoire moderne et contemporaine, cf. récemment, Arno J. Mayer. *Les Furies. Violence, vengeance et terreur au temps de la révolution française et de la révolution russe*, Paris, Fayard, 2002, notamment chapitre v, et André Loez, Nicolas Offenstadt , « Un historien dissident ? Entretien avec Arno J. Mayer », *Genèses*, n° 49, décembre 2002, p. 133-134.

traits[1]. Mais c'est surtout la mort de Joseph qui active le sentiment de vengeance chez Marcel, sentiment que l'on retrouve dans des circonstances comparables chez bien d'autres soldats. Ils n'en deviennent pas, pour autant, des brutes de guerre[2]. Comme l'écrit Antoine Prost : « La disposition à tuer n'est pas constante ; elle obéit à deux séries de variations. La première est d'orientation générale et de rythme lent : la vie des tranchées émousse la disposition à tuer ; elle recule au fur et à mesure que le soldat s'imprègne de l'horreur de la guerre et que la proximité de l'ennemi le convainc qu'ils partagent un même sort. [...] La disposition à tuer connaît des variations plus brèves, plus rapides. Elle est renforcée, au moins momentanément, par des circonstances telles que la mort d'un ami, d'un proche, que l'on veut venger. Elle dépend aussi des phases du combat[3]. » Marcel écrit ainsi : « Mais si l'occasion s'en présente, il n'y a pas de pardon, je le vengerai » (27 novembre 1915). A travers ces exemples, on constate finalement une forte part de continuité entre les dispositions civiles à la violence et ce qu'accomplissent les soldats en guerre.

*Dominés et dominants.*

Rappelons-le encore : le milieu de la famille Papillon est un milieu populaire. Les jeunes hommes sont successivement appelés comme simples soldats dans la tourmente ; la jeune fille est domestique d'une famille riche de la capitale[4].

---

1. T. Ashworth, *op. cit.*, p. 207 s.
2. Cf. F. Manning, *op. cit.*, p. 297-298, et le serment de Philibert Jean Grange, de tuer un Allemand pour venger les morts *in* T. Hardier, J.-F. Jagielski, *op. cit.*, p. 85-86.
3. A. Prost, « Les iimites de la brutalisation : tuer sur le front occidental, 1914-1918 », *Vingtième siècle, revue d'histoire*, 2004, à paraître.
4. Sous le titre, « Six mois de front inoubliables », Charlotte Moulis, aide de cuisine au château du comte de Moustier, près de Nomény, à la frontière franco-allemande de l'époque, a rédigé son « journal de guerre » d'août 1914 à janvier 1915. Le carnet original a été découvert dans le tiroir d'un meuble vendu après le décès de Charlotte, et publié en 1984 avec deux autres textes sous le titre *Récits insolites*, Car-

Marthe Papillon est représentative des jeunes femmes domestiques à Paris, venues de leur province. En effet, le recensement de 1901 montre que 8 % seulement des domestiques servant dans la capitale étaient d'origine parisienne [1]. Marthe est au service d'une famille riche qui emploie plusieurs domestiques spécialisées (gouvernante, cuisinière, femme de chambre...), ce qui entraîne parfois des heurts. Elle est confrontée à une cuisinière qui a « un caractère de chien » ; on peut remarquer un cas plus intéressant encore, dans la maison où sert son amie Hortense : « la femme de chambre est chameau comme tout », et surtout : « elle veut faire la patronne ».

Car la principale tension apparaît entre les domestiques et les patrons qui exploitent presque sans limites le travail des premiers, et même en rajoutent, au prétexte que c'est la guerre. Michelle Perrot, écrivant sur l'ambiguïté de la situation des domestiques, dans la famille et en dehors, intégrés et exclus, les montre « au cœur de l'intimité de la maison » et « sommés de ne rien voir et surtout de ne rien dire » [2]. Et, bien entendu, le « discours caché » des domestiques existe, de même que celui des combattants [3].

Quand la servante Marthe Papillon écrit à ses parents et à ses frères, c'est souvent « en fraude », c'est-à-dire pendant ses heures de travail. Elle les évoque, ces heures interminables, elle divulgue les préoccupations des patrons, liées aux bouleversements économiques de la période, et aussi leur frousse quand l'avance allemande menace Paris. On est loin des rapports de déférence, d'admiration et d'amour inconditionnel de Bécassine pour la marquise de Grand Air ! Lorsque la jeune demoiselle oublie dans un taxi son sac à main contenant ses bijoux, Marthe se contente d'un commentaire laconique et ironique : « Ce n'est pas si mal-

---

cassonne, FAOL. La fille du comte de Moustier a rédigé, de son côté, *Six mois dans un château aux avant-postes, Journal de guerre du 1er août 1914 au 15 janvier 1915*, texte publié dès 1916.

1. Anne Martin-Fugier, « La bonne », dans Jean-Paul Aron (dir.), *Misérable et glorieuse, la femme du XIXe siècle*, Bruxelles, Complexe, 1984, p. 28.

2. Philippe Ariès et Georges Duby (dir.), *Histoire de la vie privée*, vol. IV sous la dir. de Michelle Perrot, Paris, Ed. du Seuil, 1987, p. 180.

3. Comme le montre L. V. Smith, *op. cit.*

heureux que si c'était arrivé à moi. » Au séjour d'hiver des patrons de Marthe sur la Côte d'Azur, c'est une phrase de Marcel qui fait écho : « Depuis le temps que je suis là, j'aurais bien droit à un billet pour Nice[1]. »

D'ailleurs, en conformité avec les usages populaires parisiens, Marthe désigne ses patrons comme « les singes », n'hésitant pas devant le caractère péjoratif de la formule. Le *Nouveau Larousse illustré* en sept volumes, paru au tout début du XXe siècle et en usage en 1914, donne ainsi une des acceptions du mot « singe » : « Pop. A Paris. Tout individu qui a une autorité quelconque : patron, propriétaire, mari, etc. » D'autre part, Albert Dauzat, auteur d'un ouvrage sur l'argot de la guerre, nous apprend que « boîte à singe » pouvait désigner le képi d'un colonel[2]. Ceux qui exercent leur autorité sur Marthe et sur ses frères appartiennent au même monde. La patronne de Marthe correspond avec un commandant, devenu colonel du régiment de Joseph. Cet officier pourrait se montrer indulgent (lettre du 15 février 1915) ou bien, d'une seule parole, « le faire chambarder » (28 octobre 1915).

Les réactions de Marthe s'expliquent par la proximité, la dépendance directe et la forte différence des conditions. Dans les tranchées, le sort des officiers subalternes est proche de celui de leurs hommes[3]. Ici, la critique porte plutôt sur les grands personnages, lointains et mal définis, responsables de cette calamité qu'est la guerre, auteurs d'un bourrage de crâne auquel les civils ont le tort de se laisser prendre : « Vous me dites que la guerre finira bientôt – tant mieux », écrit Marcel à ses parents le 5 mai 1915. Il ajoute : « Mais nous n'en croyons absolument rien, il y a

---

1. Ou encore le récit du caporal Barthas partant en permission, installé en fraude dans un train de luxe pour se rapprocher de chez lui en suivant la vallée du Rhône, refusant obstinément d'en descendre, et « regardé comme un intrus, un chien galeux, un mendiant » (*Les Carnets de guerre de Louis Barthas, op. cit.*, p. 536).

2. A. Dauzat, *L'Argot de la guerre d'après une enquête réalisée auprès des officiers et des soldats*, Paris, Armand Colin, 1918, p. 246. Ne pas confondre évidemment avec les boîtes de singe qui sont des conserves de viande de bœuf ; complication supplémentaire, les Papillon emploient parfois le mot « singes » pour désigner les lièvres.

3. Avec des différences cependant : c'est un petit filon pour Marcel en septembre 1915 quand il occupe une fonction qui le fait vivre dans l'abri du capitaine.

trop longtemps qu'on nous raconte des histoires et des mensonges. » Ni l'entrée en guerre de l'Italie, ni celle de ceux que Marcel appelle « les fameux Roumains », ne va hâter le retour de la paix. En mars 1917, avec la même dérision que Marthe envers ses « singes », Marcel écrit, à propos d'un Très Grand : « Les Russes ont plein le dos de la guerre, le Tsar a plaqué le métier, je suis de son avis, j'en ferais bien autant. »

Dans la correspondance de Marcel, comme dans celle de nombreux poilus, revient, en leitmotiv, la haine des embusqués, riches et patriotes, « ceux qui depuis un an font les bourgeois dans les dépôts et nous regardent faire », ces « jeunes fainéants » qui sont « des Messieurs au porte-monnaie bien rebondi » ; « Ceux qui veulent la guerre, qu'ils viennent la faire ! » « Vous me dites que M. Combes est impatient de ne pas partir ; s'il en avait goûté, il ne serait sans doute pas si pressé. » « Il ne reviendra que les embusqués », « et c'est toujours ceux-là qui auront la plus forte gueule en rentrant ».

On n'est pas en peine de trouver d'autres exemples de poilus d'origine populaire s'exprimant de la même façon. « Les riches devraient bien y venir un peu ici, ils seraient moins patriotes », écrit le tailleur de pierre Louis Chirossel, le 15 juin 1915[1]. Le paysan savoyard Delphin Quey, le 8 septembre de la même année : « Mais combien d'ambusqué jeune sont en arrière et des pauvres vieux de 45 ans sont sur le front, pour quoi parce qu'ils ont pas du pognon[2]. »

*Ceux qu'ont l'pognon,*
*Ceux-là r'viendront,*
*Et c'est pour eux qu'on crève...*

La chanson de Craonne s'en prend, comme Marcel Papillon, à « cette guerre infâme ». La correspondance de la famille n'évoque en rien une ambiance d'Union sacrée. Dans toutes ces lettres, pas une seule allusion à la patrie. Presque

1. J. Sauvageon *et al.* (éd.), *« Je suis mouton comme les autres ». Lettres, carnets et mémoires de poilus drômois et de leurs familles*, Valence, Editions Peuple Libre et Notre Temps, 2002, p. 82.

2. *Poilus savoyards, op. cit.*, p. 112.

aucune à des comportements religieux, offices ou prières. La famille Papillon n'était pas portée sur la religion avant la guerre (la guerre n'a « converti » aucun de ses membres) ; elle ne fait pas partie des « callottains » que critique Lucien[1].

Or, voici un calotin bien réel, qui assiste aux offices et même y joue de l'orgue, qui met en avant sa dévotion au Rosaire et autres pratiques : le fantassin héraultais Joseph Bousquet[2]. Posons ici quelques phrases de ce catholique pratiquant et de Marcel Papillon qui n'a aucun penchant religieux :

— « Quand finira cette vie ? » (Joseph Bousquet, 28 août 1914.)

— « Pour l'instant, je n'ai besoin de rien, ce que j'attends avec impatience, c'est… la signature de la paix. » (Marcel Papillon, 22 novembre 1914.)

— « Tout le monde demande la paix à grands cris, moi le premier. » (Joseph Bousquet, 8 janvier 1915.)

— « Ce matin à dix heures, j'ai vu avec plaisir la première hirondelle, je me suis signé avec plaisir. Puisse la gentille messagère porter la paix si souhaitée par tout le monde, et faire finir cette vie d'horreur et de misères. » (Joseph Bousquet, 2 avril 1915, avec la précision : « Vendredi saint ».)

— « J'en ai plein le dos et je ne suis pas le seul. » (Marcel Papillon, 13 avril 1915.)

— « […] j'ai reçu une lettre de Paul Rousseau, lui aussi en a soupé de la guerre. Il n'est pas le seul. » (Marcel Papillon, 26 avril 1915.)

L'expérience réelle a marqué de la même façon ces deux hommes si dissemblables. Comme Joseph Papillon, Joseph Bousquet fut tué à la guerre.

Marcel évoque, en 1915, une possible révolte des survivants : « Il n'est pas croyable qu'on puisse faire souffrir et manœuvrer des hommes de pareille manière pour avancer de quelques mètres de terrain, écrit-il le 13 avril. Si jamais l'on rentre, on en parlera de la guerre ! » Autrement dit, si l'on échappe

---

1. Lettre du 22 août 1915.

2. J. Bousquet, *Journal de route 1914-1917*, Bordeaux, Editions des Saints Calus, 2000.

à la mort, on se fera entendre ! Des menaces sans équivoque. En attendant, voilà peut-être un espoir, en juin 1915, lorsqu'une terrible sécheresse met les récoltes en danger : « Tant mieux. Je voudrais que ce temps-là continue encore longtemps, et que l'on ne récolte pas un radis (les Boches comme nous). Nécessairement la guerre durerait moins longtemps. » Certains ont poussé l'idée plus loin, ainsi le poilu drômois Henri Sénéclauze, dans une lettre à sa femme : « Souvent, quand je pense à cette guerre, je voudrais que tu ne travailles plus ces terres ; et si tout le monde faisait ainsi, la guerre ne pourrait durer plus longtemps [1]. »

Comment les Papillon ont-ils perçu et ressenti l'après-guerre, les engagements du monde combattant ? Comment ont-ils relu leurs expériences de guerre ? Quelles traces ont-elles laissées sur chacun d'eux ? Comment leurs identités antérieures ont-elle été affectées par la condition de soldat ? Avec la fin du conflit, c'est aussi la correspondance qui se tarit et les archives familiales retrouvées – qui donnent quelques informations rassemblées ici par M. et A. Bosshard – ne permettent pas de répondre dans le détail à ces questions. Muni du discours de guerre des Papillon et de ce qu'on sait des anciens combattants, on pourrait, à la manière d'Alain Boureau, pour un autre soldat de la Grande Guerre, l'historien allemand Ernst Kantorowicz, faire varier les possibilités offertes par le contexte, établir le « paradigme des existences possibles » et user ainsi d'analogie avec la fiction [2], ou encore, suivant Alain Corbin avec le sabotier « inconnu » Louis-François Pinagot – mais riche de plus de documents – tenter de « recréer le possible et le probable ; d'esquisser une histoire virtuelle du paysage, de l'entourage et des ambiances… » [3]. Ce serait une autre enquête.

Rémy Cazals et Nicolas Offenstadt

---

1. *« Je suis mouton comme les autres », op. cit.*, p. 201, lettre du 1er juin 1916.
2. A. Boureau, *Histoires d'un historien. Kantorowicz*, Paris, Gallimard, 1990, cit. p. 23.
3. A. Corbin, *Le Monde retrouvé de Louis-François Pinagot. Sur les traces d'un inconnu (1798-1876)*, Paris, Flammarion, 1998, rééd. Champs Flammarion, p. 9.

# ANNEXES

# 8 MOIS DE CAMPAGNE 1914-1915

Compte-rendu de Marcel Papillon

## Année 1914

Page 1

Lundi 3 août - Départ de Sermizelles à 10 h. 1/2 du matin, arrivée à Troyes à 10h. du soir, caserne du collège St-Bernard. Je couche dans le foin avec Savelly et Moreau.
Mardi 4 - On s'habille, on s'équipe dans une grande salle de Bal rue de la Vacherie et Bal des lilas. On couche dans une grange.
Mercredi 5 - Départ de Troyes, embarquement dans la matinée, arrêt à Is s/Tille, Contrexéville.
Arrivée à Chatenois dans les Vosges le lendemain à 6h. du matin. (18h. de chemin de fer)
Jeudi 6 - Départ de Chatenois à 12h arrivée à Gémonville à 8h du soir (on rencontre le 353e).
Vendredi 7 - Départ de Gémonville pour Blénod-lès-Toul. Arrivée en 2h. avec grande halte à Bulligny. Présentation du Drapeau. L'Etape a été longue par une chaleur terrible. J'ai les pieds en compote. Les trainards sont légion et plusieurs sont morts de congestion. Je couche sur une botte de seigle.
Samedi 8 - Départ de Blenod, arrivée à Toul dans les casernements du 169e - caserne du Luxembourg, où nous sommes restés jusqu'au lundi 17. On couche sur des paillasses des matelas.
Dimanche 9 - exercice de compagnie. Les 10 - 11 - 12 - 13 - 14 - 15, corvées de déboisement et tranchées autour de Toul.
Dimanche 16 - Marche d'entraînement.
Lundi 17 - Repos.
Mardi 18 - Départ de Toul et cantonnement à Manonville.

Page 2

Mercredi 19 - Cantonnement à Limey. La compagnie à Jeamblanc prend les avants-postes.

Jeudi 20 - Repos.

Vendredi 21 - Alerte dans la nuit et ca[n]tonnement à Montauville, faubourg de Pont-à-Mousson. C'est dans ce pays que, pour la seule fois pendant le cours de la campagne, un habitant nous a rempli nos bidons et offert la mirabelle, une bonne goutte dans le jus.

Les habitants sont très aimables, mais comme il y a abondance de troupes, on est obligé de coucher dans une chambre abandonnée à même sur le parquet.

Ça commence à chauffer. Les Boches cherchent à passer. Les habitants de Momeny s'enfuient.

Samedi 22 - Départ de Montauville et cantonnement à Rogéville, où l'on reste jusqu'au 29. Pendant ces jours-là, nous faisons des tranchées et des meurtrières dans les murs.

Les Hulans [Uhlans] ayant été signalés, nous faisons une reconnaissance la nuit mais sans résultat.

Samedi 30 - Départ de Rogéville avec cantonnement à Minorville. Nous sommes assez bien reçus. Dimanche et lundi, même cantonnement.

Mardi 2 septembre - Départ de Minorville avec cantonnement à Noviant-aux-Prés. Les Boches sont signalés aux environs de Thiancourt.

Page 3

Mercredi 3 septembre - Départ de Noviant à 3h. du soir et embarquement à Toul à 2h. du matin. On passe à Nancy et on débarque à Ludres à 6h. moins 1/4 . On cantonne à Lupcourt, à 4 km de Nancy, dans un château. Il fait une chaleur terrible. On vide une caisse de bière avec Simon et Savelly et Jeamblanc sous les marroniers du château. Le canon fait rage: c'est la bataille du Grand Couronné de Nancy. Les habitants des environs se sauvent avec tout ce qu'ils peuvent emporter.

Jeudi 4. - Départ de Lupcourt pour les tranchées de Rosières-aux-Salines, où nous restons 3 jours. Nous tenons la rive droite de la Moselle. Nous remplaçons le 69e de ligne à moitié démoli dans la retraite de Morhange. Devant nous, c'est la forêt de Champenoux; à gauche, c'est le plateau de l'Amance et le plateau de Sainte-Geneviève. Dans le fond, c'est Dombasle. C'est un coup d'oeil splendide, plus beau que la vue qu'on a du Château de Vézelay.

Les villages brûlent. Dans la nuit, la bataille fait rage, les 75 gravissent les pentes. On voit leur flamme qui de temps à autre jaillit bien plus en avant. Les Boches sont repoussés. Pendant 3 jours, nous nous sommes nourris de haricots cueillis dans les champs, de prunes et de raisins qui commencent à murir.

Lundi 7 - Départ de Rosières aux Salines pour Gondreville. On passe notamment à Saint-Nicolas-du-Port et Nancy. Pendant la traversée de Nancy, les habitants nous entourent et nous distribuent toutes sortes de choses, les commerçants ne veulent pas qu'on les paye. Il fait une chaleur terrible.

Mardi 8 - Départ de Gondreville pour prendre les avants-postes dans les bois de Jaillon. A 8h, contre-ordre, nous cantonnons à Avrainville, avec le 353e. Je rencontre Simon, qui a déniché du vin vieux dans une maison abandonnée. Il n'y a plus aucun [habitant] ici dans le pays. Coucher à minuit, réveil à 1h. du matin et départ pour embarquer à Toul. On cantonne à [ ?].

Page 4

Mercredi 9 - On passe à Fontenoy et on embarque à Toul à 6h. 1/2 du matin pour débarquer à Lérouville. On croise 2 trains de blessés, les Boches avancent sur Saint-Mihiel.

Jeudi 10 - Distribution de vivres à 3h. du matin. Départ à 5h. 1/4. Nous passons à Marbotte-Saint-Agnant à 1 km d'Apremont. Direction sur Saint-Mihiel, fort du Camp-des-Romains. Nous sommes passés aussi sur les forts de Liouville.

On arrive à Saint-Mihiel. Les Boches viennent d'en sortir, le pont est sauté, on prend les avants-postes au-dessus de la caserne des Chasseurs à pied dans des bosquets de bois. Un orage éclate, il tombe de la grêle et de la pluie, nous sommes trempés jusqu'aux os. La nuit, on cantonne à Saint-Mihiel, rue du Calvaire. La pluie tombe toujours.

Vendredi [11] - Nous avançons dans les bois, une portion du régiment passe par Sampigny. Il faut dégager le Fort du Troyon assiégé par les Boches. Nous passons la nuit dans les bois. La pluie fait rage.

Samedi [12] - Nous avons rencontré les Boches, nous sommes toujours dans les bois. Nous recevons plus de 500 obus de gros calibre (des T35), mais comme par hasard, ça tombe toujours à côté… heureusement. Nous avons passé la nuit sous une pluie battante, collé derrière les chênes comme des escargots pour se parer des éclats d'obus.

Dimanche [13] - La cannonade cesse un peu. On se prépare pour attaquer le pays de Lavignéville. Nous arrivons au pays. Les Boches ont pris la fuite et ont tout abandonné dans leur retraite.

Page 5

Deux canons de gros calibre sont pris par nous, des camions, une quantité considérable de gros obus. On rencontre pas mal de leurs cadavres, tous très jeunes ou vieux. Les Boches battent en retraite devant nous, ils ont pillé plusieurs maisons.

Ce sont des gouinfres, ils pillent en cochons ! Nous arrêtons plusieurs Luxembourgeois, tous espions des Boches, et à notre tour nous faisons mains basses sur ce qui leur appartient, mais sans gaspillage. C'est ainsi que nous nous sommes offert un bon civet de lapin et un rôti de cochon de lait.

Les 14, 15 et 16, nous cantonnons à Deuxnouds, où les habitants sont heureux de nous revoir. On se fait sécher et on se nettoie. Nous faisons plusieurs prisonniers perdus dans les bois.

Le 16, nous partons de Deuxnouds à 4 h. du soir pour cantonner à Hattonchâtel. Belle position en face les Eparges. Vue superbe.

Jeudi [17] - Aux avants-postes dans les Bois sous la pluie.

Vendredi [18] - Repos. Joyeux souvenirs. On s'amuse. On fait l'inspection des caves.

A 11 heures du soir, nous quittons Hattonchâtel, où nous sommes remplacés par le 13e de Nevers. Nous arrivons à Heudicourt à 2 h. du matin sous une pluie battante.

Samedi [19] - Départ de Heudicourt à 11h. du matin et arrivée à Limey en 2h.

Dans la nuit, étant de faction avec un copain à la jonction des deux routes, [à] neuf heures du soir, deux jeunes filles viennent nous apporter à chacun une bonne goutte de Mirabelle.

Page 6

Dimanche 20 - Combats de Limey et du Bois de Mort Mare.

Lundi [21] - Avants-postes dans Limey qui brûle. Les habitants s'enfuient, on trouve des blessés Boches. Au matin, on évacue Limey que les Boches viennent réoccuper aussitôt.

Mardi 22 septembre - En réserve dans les Bois de Noviant.

Mercredi et Jeudi 23 et 24 - Combats et assauts de Lironville (ce fût terrible). Gourvelot et Jeamblanc sont blessés.

Vendredi 25 - On cantonne à Manonville pour se reformer. A notre Bataillon (le 5e), sur 950 hommes, il en manque 420. Je revois Simon…

Samedi 26 - Départ de Manonville pour aller occuper les tranchées de Limey. On cantonne à la Ferme de Saint-Jean.

Dimanche 27 au mardi 6 octobre - Aux avants-postes dans les bois de Saint-Jean.

Divers endroits. Nous faisons des abris en feuillage. A notre entrée dans la vallée, il y a eu 25 blessés en 1/2 heure par les obus.

Le 3 octobre, nous sommes renforcés par un détachement du 27e de ligne de Dijon. Tous des vieux, classe 1900 et 1901.

Mercredi 7 octobre - Nous commençons la construction des tranchées, que nous occupons par la suite. Dans la nuit du 21 au 22 octobre, alerte avec violente canonnade.

Page 7

C'est la vie des tranchées qui commence.

Le dimanche 1er Novembre, Jour de la Toussaint, on décore les tombes des camarades.

Mois de Décembre - Par certains moments, nous ne sommes pas très heureux dans nos tranchées. On prend des fichus bains de pieds. Nous avons été renforcés par des territoriaux.

Jour de Noël - Amélioration de l'ordinaire.

## Année 1915

1er Janvier - On fait une vraie bombe pour fêter le jour de l'An. Les Boches nous font une manifestation bruyante à minuit.

Dans le mois de janvier le froid se fait sentir.

Février - Le 1er, on quitte les tranchées et on cantonne à Martincourt à 11h du soir. Le 2, on arrive à Villers-en-Haye en passant par Gézancourt et Griscourt.

Nous sommes au repos, le vin est bon, la cuisine aussi. C'est la bonne vie, tous les soirs on fait la vaisselle, on ne se croit plus à la guerre. On fait un peu d'exercice la soirée, une petite marche de temps en temps. Remise de la Croix de la Légion d'Honneur au capitaine D.

Le 24 février, nous trouvons nos anciennes tranchées entre le Bois de Mort Mare et le Bois-le-Prêtre.

Le 9 Mars, nous changeons de secteur, mais toujours dans les mêmes coins. Je suis dans une tranchée où l'eau source, quoique située sur une hauteur. Pour la rendre habitable, il a été fait une rigole recouverte, sorte d'aqueduc pour l'écoulement des eaux. Par suite, on se trouve au sec.

Le temps devient extrêmement doux: c'est le printemps .
20 Mars - Aujourd'hui, j'ai 26 ans. Et malgré les poux, qui eux aussi veulent nous dévorer, je suis toujours en excellente santé. Depuis le début de la campagne, je n'ai pas eu une seule journée d'absence à la compagnie. Sur 17 hommes dont se composait notre escouade au départ de Troyes, 6 à 7 seulement sont encore présents (dessins de fanions croisés)
Pendant les marches du mois de septembre - Nous sommes allés à 13 km de Lunéville et à 10 à 15 de Verdun.
Nous avons fait trois départements - Les Vosges, la Meuse et la Meurthe-et-Moselle.
Le 356e Régt d'infanterie forme la réserve du 156e de Toul, il fait partie de la Défense mobile de Toul, 145e Brigade - 73e Division - 20e Corps d'Armée.

*Document trouvé et transmis par Marcel Papillon le 1ᵉʳ janvier 1916 à sa famille à propos de l'attaque au gaz allemande du 27 octobre, qui a coûté la vie à Joseph.*

## ETAT-MAJOR GENERAL, 2ᵉ bureau

L'attaque allemande par les gaz du 27 octobre [1915] en Champagne (déclarations de prisonniers).

Le 27 octobre, le 231.R. a fait en avant de Pont Faverger une attaque par les gaz, d'après le dispositif suivant :

Tous les 20 m. sur un front 0 8K (800 mètres) d'après le prisonnier qui a donné ces détails, des emplacements avaient été aménagés dans la paroi intérieure de la tranchée pour y loger côte à côte 10 bouteilles de gaz en fer. La paroi de la tranchée avait été évidée sur une hauteur d'environ 1 m. à partir du sommet du parapet et sur 0 m.50 de largeur. Les bouteilles avaient été disposées debout contre la nouvelle paroi ainsi obtenue, avec leur tuyau en plomb préalablement vissé. Ce tuyau en plomb de 2 m de long recourbé par dessus le parapet s'avançait vers le front ennemi d'environ 1 m 50. Les bouteilles en fer avaient à peu près 0 m 60 de hauteur et pesaient 93 livres.

Le gaz qui s'en échappait était bleuâtre comme la fumée de cigare. Les emplacements avaient été préparés par l'infanterie, une compagnie peut préparer un front de 300 mètres en 4 heures, mais c'étaient des pionniers qui maniaient les appareils ; ils lâchèrent le gaz en dévissant une soupape qui se trouve à l'orifice de la bouteille.

Tous les hommes, fantassins et pionniers, étaient munis de masques à réservoir d'oxygène. La réserve est épuisée au bout de

45 minutes. L'homme le remplace par le réservoir de rechange qu'il a sur lui.

Avant l'attaque, tout le dispositif était masqué par des sacs à terre.

Cette attaque du 27 octobre n'a que médiocrement réussi.

Le vent était peu favorable, la nappe de gaz s'est mal répandue, en beaucoup d'endroits elle est restée accrochée au sol à proximité des tranchées et il en est résulté que sur les points assez rares, d'ailleurs, où l'infanterie allemande est sortie, il y a eu en dépit des masques d'assez nombreux accidents dans ses rangs.

# Sources et bibliographie

## Journaux des marches et opérations (JMO)

Service historique de l'armée de terre, Vincennes :
— 168e R.I., 26 N 706
— 174e R.I., 26 N 710
— 356e R.I., 26 N 760
— 13e Régiment de Dragons, 26 N 880

## Historiques régimentaires

*Historique du 168e Régiment d'infanterie*, Paris, s. d. [1920], Librairie Chapelot, 52 p.

*Historique du 174e Régiment d'infanterie. Campagne 1914-1918*, Luxeuil, Impr. A. F. Favre d'Arcier, 1919, 13 p.

Despeaux, Lieutenant Colonel (E.R.), *Historique du 356e RI pendant la Guerre 1914-1918 dans le cadre de la 73e DI*, dactyl. 1963, 33 p. (Conservé à la bibliothèque du SHAT.)

*Historique du 356e Régiment d'infanterie pendant la guerre 1914-1918*, Nancy etc., Impr. Berger-Levrault, s. d., 36 p.

*Historique du 13e Dragons*, s. l. n. d., 24 p.

## Quelques témoignages et recueils de témoignages

Baconnier, Gérard, Minet, André et Soler, Louis, *La Plume au fusil, Les poilus du Midi à travers leur correspondance*, Toulouse, Privat, 1985, 382 p.

Birnstiel Eckart, Cazals Rémy, éd., *Ennemis fraternels 1914-1915. Hans Rodewald, Antoine Bieisse, Fernand Tailhades. Carnets de guerre et de captivité*, Toulouse, Presses Universitaires du Mirail, 2002, 192 p.

Bousquet, Joseph, *Journal de route 1914-1917*, Bordeaux, Editions des Saints Calus, 2000, 116 p.

*Les Carnets de guerre de Louis Barthas, tonnelier, 1914-1918*, Paris, Maspero, 1978 [rééd. en collection de poche, Paris, La Découverte, 1997, 568 p.].

CHAÏLA, Xavier, *C'est à Craonne, sur le plateau... Journal de route 1914-1919*, présenté par Sandrine Laspalles, Carcassonne, FAOL, 1997, 112 p.
DECOBERT, Sylvie, *Lettres du front et de l'arrière (1914-1918)*, Carcassonne, Les Audois, 2000, 170 p.
DIETERLEN, Jacques, *Le Bois-Le-Prêtre (octobre 1914-avril 1915)*, Paris, Hachette, 1917, 280 p.
GENEVOIX, Maurice, *Ceux de 14*, Paris, Flammarion, 1950, 680 p.
GHOUATI-VANDRAND, Marie-Joëlle, *Il fait trop beau pour faire la guerre, Correspondance de guerre d'Elie Vandrand, paysan auvergnat (août 1914-octobre 1916)*, Vertaizon, Ed. La Galipote, 2000, 336 p.
LAPORTE, Henri, *Journal d'un poilu*, Paris, Mille et une nuits, 1998, 135 p.
LOVIE, Jacques, éd., *Poilus savoyards (1913-1918), Chronique d'une famille de Tarentaise*, Chambéry, Gens de Savoie, 1981, 248 p.
MOULIS, Charlotte, « Six mois de front inoubliables », dans *Récits insolites*, Carcassonne, FAOL, 1984, 68 p.
RICHERT, Dominique, *Cahiers d'un survivant, Un soldat dans l'Europe en guerre 1914-1918*, Strasbourg, La Nuée bleue, 1994, 288 p. [traduit de l'allemand].
SAUVAGEON Jean *et al.* (éd.), *« Je suis mouton comme les autres », Lettres, carnets et mémoires de poilus drômois et de leurs familles*, Valence, Ed. Peuple Libre et Notre Temps, 2002, 504 p.
ULRICH, Bernd, ZIEMANN, Benjamin, éd., *Frontalltag im Ersten Weltkrieg. Wahn und Wirklichkeit*, Francfort, Fischer, 1994, 232 p. [Recueil de textes et de témoignages commentés de soldats allemands.]

**Les contemporains : entre témoignage et étude**

CRU, Jean Norton, *Témoins, Essai d'analyse et de critique des souvenirs de combattants édités en français de 1915 à 1928*, Paris, Les Etincelles, 1929 ; rééd. Presses Universitaires de Nancy, 1993, 728 p.
DAUZAT, Albert, *Légendes, prophéties et superstitions de la guerre*, Paris, La Renaissance du Livre, s. d., 284 p.
DUCASSE, André, MEYER, Jacques, PERREUX, Gabriel, *Vie et mort des Français, 1914-1918*, Paris, Hachette, 1959, 512 p.
LEBOCQ, Général H., *La Division du Bois-Le-Prêtre*, Nancy, Imprimerie Centrale de l'Est, 1922, 49 p.
PERCIN, Général, *Le Massacre de notre infanterie, 1914-1918*, Paris, Albin Michel, 1921, 303 p.
WALINE, Pierre, *Les Crapouillots. 1914-1918, Naissance, vie et mort d'une arme*, Paris, Charles-Lavauzelle et Cie, 1965, 274 p.

**Travaux**

ASHWORTH, Tony, *Trench Warfare, 1914-1918. The Live and Let Live System*, Londres ; rééd. Pan Books, 2000, 266 p.

AUDOIN-ROUZEAU, Stéphane, « Les combattants de la Grande Guerre. Nouvelles explorations historiographiques », *Cahiers du centre d'études d'histoire de la Défense*, 2, 1997, p. 45-52.

—, « La Grande Guerre, le deuil interminable », *Le Débat*, 104, mars-avril 1999, p. 117-130.

BARRAL, Pierre, « Mémoire paysanne de la Grande Guerre », dans CANINI, Gérard éd., *Mémoire de la Grande Guerre, Témoins et témoignages*, Actes du colloque de Verdun, Nancy, Presses Universitaires de Nancy, 1989, p. 131-139.

CAPDEVILA Luc, VOLDMAN Danièle, *Nos morts. Les sociétés occidentales face aux tués de la guerre*, Paris, Payot, 2002, 282 p.

CAZALS, Rémy, « 1914-1918 : oser penser, oser écrire », *Genèses*, n° 46, mars 2002, p. 26-43.

CAZALS, Rémy, ROUSSEAU, Frédéric, *14-18, le cri d'une génération*, Toulouse, Privat, 2001, 160 p.

CECIL Hugh, LIDDLE Peter, éd., *Facing Armageddon. The First World War Experienced*, Londres, Leo Cooper, 1996, 936 p.

ENGLANDER, David, « The French Soldier, 1914-1918 », *French History*, 1-1987, p. 49-67.

FERRO, Marc, *La Grande Guerre 1914-1918*, Paris, Gallimard, 1969, 384 p.

HARDIER, Thierry, JAGIELSKI, Jean-François, *Combattre et mourir pendant la Grande Guerre (1914-1925)*, Paris, Imago, 2001, 376 p.

JAUFFRET, Jean-Charles, « La question du transfert des corps : 1915-1934 », dans CAUCANAS, Sylvie, CAZALS, Rémy, éd., *Traces de 14-18. Actes du colloque de Carcassonne*, Carcassonne, Les Audois, 1997, p. 133-146.

KEEGAN, John, *Anatomie de la bataille. Azincourt 1415, Waterloo 1815, La Somme 1916*, Paris, Robert Laffont, 1993 ; rééd. Pocket « Agora », 324 p.

LEPICK, Olivier, *La Grande Guerre chimique : 1914-1918*, Paris, Presses Universitaires de France, 1998, 352 p.

LOEZ, André, « L'Œil du chasseur. Violence de guerre et sensibilité en 1914-1918 », *Cahiers du Centre de recherches historiques*, EHESS, 31, avril 2003, p. 109-130.

MARIOT, Nicolas, « Faut-il être motivé pour tuer ? Sur quelques explications aux violences de guerre », *Genèses*, n° 53, décembre 2003, à paraître.

MAURIN, Jules, *Armée-Guerre-Société : Soldats languedociens (1889-1919)*, Paris, Publications de la Sorbonne, 1982, 750 p.

MAURIN, Jules, JAUFFRET, Jean-Charles éd., *La Grande Guerre 1914-1918, 80 ans d'historiographie et de représentations (colloque international - Montpellier 20-21 novembre 1998)*, Montpellier, Université Paul-Valéry-Montpellier III (ESID), 2003, 412 p.

MOSSE, George L., *Fallen Soldiers. Reshaping the Memory of the World Wars*, New York-Oxford etc., Oxford University Press, 1990, 264 p. ; trad. française : *De la*

*Grande Guerre au totalitarisme. La brutalisation des sociétés européennes*, Paris, Hachette, 1999, 294 p.

POURCHER, Yves, *Les Jours de guerre. La vie des Français au jour le jour entre 1914 et 1918*, Paris, Plon, 1994 ; rééd. Hachette-Pluriel, 546 p.

*Première Guerre mondiale. Des Flandres à l'Alsace. Le guide*, Tournai, Casterman, 1996, 474 p.

PROST, Antoine, *Les Anciens Combattants et la société française, 1914-1939*, Paris, Presses de la FNSP, 1977, 3 volumes, 237, 260 et 268 p.

—, « Les limites de la brutalisation : tuer sur le front occidental, 1914-1918 », *Vingtième siècle, revue d'histoire*, 2004, à paraître.

ROUSSANE, Francine, « Un front méconnu, Le front d'Orient (1915-1918) », dans *Histoire militaire de la France*, CORVISIER André , éd., t. III, *de 1871 à 1940*, PEDRONCINI G., éd., Paris, PUF, 1992, p. 186-201.

ROUSSEAU, Frédéric, *La Guerre censurée. Une histoire des combattants européens de 14-18*, Paris, Ed. du Seuil, 1999, 414 p.

—, « Vivre et mourir au front : l'enfer des tranchées », *L'Histoire*, 249, décembre 2000, p. 60-65.

SMITH, Leonard V., *Between Mutiny and Obedience. The Case of the French Fifth Infantry Division during World War I*, Princeton, Princeton University Press, 1994, 274 p.

ULRICH, Bernd, *Die Augenzeugen. Deutsche Feldpostgriefe in Kriegs- und Nachkriegszeit, 1914-1933*, Essen, Klartext Verlag, 1997, 342 p.

WINTER Jay, *Sites of Memory, Sites of Mourning. The Great War in European Cultural History*, Cambridge, Cambridge University Press, 1995 [Ed. Canto, 1998, 310 p.]

WINTER, Jay, et ROBERT, Jean-Louis, dir., *Capital Cities at War, London, Paris, Berlin, 1914-1919*, Cambridge, Cambridge University Press, 1997, XVII-622 p.

TABLE

*Impression réalisée sur CAMERON par*

BUSSIÈRE CAMEDAN IMPRIMERIES

GROUPE CPI

*à Saint-Amand-Montrond (Cher)*
*en novembre 2003*
*pour le compte des Éditions Grasset,*
*61, rue des Saints-Pères, 75006 Paris.*

Mise en pages : Bussière

N° d'Édition : 13077. N° d'Impression : 035474/4.
Première édition : dépôt légal : octobre 2003.
Nouveau tirage : dépôt légal : novembre 2003.

*Imprimé en France*

ISBN 2-246-65431-9